O MOMENTO DE VOAR

O MOMENTO DE VOAR

Como o empoderamento feminino muda o mundo

MELINDA GATES

Título original: *The Moment of Lift*

Publicado mediante acordo com Flatiron Books.
Copyright © 2019 por Melinda Gates
Copyright da tradução © 2019 por GMT Editores Ltda.

Todos os direitos reservados.
Nenhuma parte deste livro pode ser utilizada ou reproduzida sob quaisquer meios existentes sem autorização por escrito dos editores.

tradução: Alves Calado
preparo de originais: Sibelle Pedral
revisão: Hermínia Totti e Rafaella Lemos
projeto gráfico e diagramação: Valéria Teixeira
capa: Keith Hayes
impressão e acabamento: Lis Gráfica e Editora Ltda.

CIP-BRASIL. CATALOGAÇÃO NA PUBLICAÇÃO
SINDICATO NACIONAL DOS EDITORES DE LIVROS, RJ

G234m   Gates, Melinda
   O momento de voar: como o empoderamento feminino muda o mundo/ Melinda Gates; tradução de Alves Calado. Rio de Janeiro: Sextante, 2019.
   240 p.; 16 x 23 cm.

   Tradução de: The moment of lift
   ISBN 978-85-431-0749-3

   1. Mulheres – Condições sociais. 2. Feminismo. I. Calado, Alves. II. Título.

19-56386

CDD: 305.42
CDU: 141.72

Todos os direitos reservados, no Brasil, por
GMT Editores Ltda.
Rua Voluntários da Pátria, 45 – Gr. 1.404 – Botafogo
22270-000 – Rio de Janeiro – RJ
Tel.: (21) 2538-4100 – Fax: (21) 2286-9244
E-mail: atendimento@sextante.com.br
www.sextante.com.br

Para Jenn, Rory e Phoebe

Sumário

INTRODUÇÃO
11

CAPÍTULO UM

A ascensão de uma grande ideia
15

CAPÍTULO DOIS

Empoderando mães: *Saúde materna e neonatal*
35

CAPÍTULO TRÊS

Todas as coisas boas: *Planejamento familiar*
55

CAPÍTULO QUATRO

Olhando para o alto: *Meninas nas escolas*
83

CAPÍTULO CINCO

A desigualdade silenciosa: *Trabalho não remunerado*
105

CAPÍTULO SEIS

Quando uma menina não tem voz: *Casamento infantil*
135

CAPÍTULO SETE

O preconceito de gênero: *Mulheres na agricultura*
155

CAPÍTULO OITO

Nasce uma nova cultura: *Mulheres no local de trabalho*
177

CAPÍTULO NOVE

Deixe seu coração se partir: *A ascensão da união*
209

EPÍLOGO
229

AGRADECIMENTOS
233

GUIA DE ORGANIZAÇÕES QUE OS LEITORES PODEM APOIAR
237

Nosso maior medo é sermos poderosas além da medida.

– MARIANNE WILLIAMSON

Introdução

Quando eu era pequena, os lançamentos espaciais tinham uma importância gigantesca na minha vida. Cresci em Dallas, no Texas, em uma família católica com três irmãos, mãe dona de casa e pai engenheiro espacial do Programa Apollo.

Nos dias de lançamento, nós nos espremíamos no carro e íamos até a casa de um amigo do meu pai – outro engenheiro do Programa Apollo – para assistirmos juntos à decolagem dos foguetes. Ainda sinto nos ossos o suspense daquelas contagens regressivas. *"Vinte segundos e contando, T menos quinze segundos, orientação é interna, Doze, Onze, Dez, Nove, sequência de ignição iniciada, Seis, Cinco, Quatro, Três, Dois, Um, Zero. Todos os motores ligados. Decolagem! Temos uma decolagem!!!"*

Esses momentos sempre me empolgaram – especialmente o instante da decolagem, quando os motores são acionados, a terra treme e o foguete começa a subir. Recentemente encontrei a expressão "momento de ascensão" em um livro de Mark Nepo, um dos meus escritores prediletos para os assuntos da alma. Ele usa essas palavras para se referir a um momento de graça. Algo "ascendeu como uma echarpe ao vento", escreveu ele. Nessa hora, seu sofrimento silenciou e ele se sentiu completo.

A imagem de Mark para a ideia de ascensão é plena de maravilhamento. E, para mim, maravilhar-se tem dois significados. Pode ser tanto um espanto reverente quanto curiosidade. Sinto um imenso espanto reverente – mas também uma enorme curiosidade. *Quero saber como essa ascensão acontece!*

Todos já estivemos em um avião, no final de uma longa pista, esperando ansiosos o momento de decolar. Quando meus filhos eram pequenos e estávamos em uma aeronave prestes a levantar voo, eu dizia a eles: "Rodas, rodas, rodas." E no momento em que o avião saía do chão: "Asas!" Quando as crianças já estavam um pouco mais velhas, elas se juntavam a mim e dizíamos essas palavras em coro. De vez em quando falávamos "rodas, rodas, rodas" mais vezes do que esperávamos, e eu pensava: *Por que o avião está demorando tanto para sair do chão!?*

Por que às vezes é tão demorado? Por que em outras acontece tão depressa? O que nos leva para além do ponto de inflexão em que as forças que nos empurram *para cima* superam as forças que nos puxam *para baixo*, de forma que somos levantados da terra e começamos a voar?

Durante vinte anos viajei pelo mundo trabalhando pela fundação que criei com meu marido, Bill. Nessas viagens eu pensava:

Como podemos invocar esse momento de alçar voo para os seres humanos – especialmente para nós, mulheres? Pois descobri que quando as mulheres ascendem, toda a humanidade ascende.

E como podemos criar um momento de ascensão nos corações humanos de modo que todos *queiram* que as mulheres levantem voo? Porque, às vezes, para que isso ocorra, basta pararem de nos puxar para baixo.

Em minhas viagens, descobri que centenas de milhões de mulheres querem decidir por si mesmas *se* e *quando* terão filhos, mas não podem. Não têm acesso a anticoncepcionais. E existem muitos outros direitos e privilégios negados às mulheres e às meninas: o direito de decidir *se*, *quando* e *com quem* se casar. O direito de frequentar uma escola. De receber um salário. De trabalhar fora de casa. De *sair* de casa. De gastar o próprio dinheiro. Organizar seu orçamento. Abrir um negócio. Fazer um empréstimo. Ter uma propriedade. Divorciar-se do marido. Consultar-se com um médico. Candidatar-se a um cargo. Andar de bicicleta. Dirigir um carro. Fazer faculdade. Estudar computação. Encontrar investidores. Todos esses direitos são negados às mulheres em algumas partes do mundo, às vezes por lei. Mas, mesmo quando tudo isso é permitido por lei, muito ainda nos é negado pelos preconceitos culturais.

Comecei minha jornada em defesa dos direitos do cidadão com o planejamento familiar. Mais tarde passei a abordar também outras questões. Porém logo percebi – porque logo *me disseram* – que não bastava falar em favor do planejamento familiar, nem mesmo em favor de cada um dos temas que citei antes. Eu precisava falar em favor das *mulheres*. E então vi que, se quisermos ocupar nosso lugar em pé de igualdade com os homens, isso não será consequência de conquistarmos nossos direitos um a um, passo a passo; nossas conquistas virão em ondas à medida que nos tornarmos mais empoderadas.

Este livro traz lições que aprendi com pessoas extraordinárias que quero que você conheça. Algumas vão partir seu coração. Outras farão seu coração *voar*. Esses heróis e heroínas construíram escolas, salvaram vidas, acabaram com guerras, empoderaram meninas e mudaram culturas. Acredito que vão inspirar você como me inspiraram.

Por meio deles, compreendi a força transformadora do empoderamento feminino, e quero que todo mundo entenda isso. Eles me mostraram o que as pessoas podem fazer para causar impacto, e quero que todo mundo saiba disso. Escrevi este livro para compartilhar as histórias de pessoas que deram foco e urgência à minha vida. Quero que todos vejam como podemos ajudar uns aos outros a florescer. Os motores estão ligados; a terra está tremendo; estamos decolando. Mais do que em qualquer momento do passado, temos o conhecimento, a energia e o senso ético para romper com os padrões da história. Precisamos da ajuda de cada defensor agora. Mulheres e homens. Ninguém deve ser deixado de fora. Todos precisam ser trazidos para esse movimento. Nosso chamado é para ajudar as mulheres a levantar voo – e quando nos unirmos nessa causa, nós *seremos* a ascensão.

CAPÍTULO UM

A ascensão de uma grande ideia

Começo contando um pouco da minha história. Estudei na Ursuline Academy, uma escola católica de ensino médio só para meninas, em Dallas. No último ano, fiz uma visita ao campus da Universidade Duke e fiquei encantada com o departamento de ciência da computação. Tomei minha decisão: matriculei-me na Duke e me formei cinco anos depois em ciência da computação, com um mestrado em administração. Recebi uma oferta de emprego na IBM – onde eu havia trabalhado em várias férias de verão –, mas a recusei e fui para uma empresa de software relativamente pequena chamada Microsoft. Passei nove anos lá, ocupando vários cargos, até me tornar diretora-geral de produtos de informática. Hoje trabalho com filantropia; passo a maior parte do tempo buscando maneiras de melhorar a vida das pessoas. Além disso, sou esposa de Bill Gates. Nós nos casamos no Ano-Novo de 1994. Temos três filhos.

Esse é o pano de fundo. Agora quero contar uma história mais longa: sobre meu caminho para o empoderamento das mulheres e sobre como, enquanto eu empoderava outras, elas me empoderavam.

...

No outono de 1995, quando Bill e eu estávamos casados havia quase dois anos, descobri que estava grávida. Tínhamos uma viagem marcada para a China, algo importantíssimo para nós. Bill raramente tirava férias da Microsoft e viajaríamos com outros casais. Como eu não queria atrapalhar os planos, pensei em não contar sobre a gravidez até voltarmos. Durante um dia e meio fiquei repetindo a mim mesma: *"Vou apenas adiar a notícia."* Depois percebi: *"Não. Preciso contar a ele porque alguma coisa pode dar errado."* E, por fim: *"Preciso contar porque o filho também é dele."*

Quando me sentei com Bill para conversar sobre a gravidez de manhã, antes de sairmos para o trabalho, ele teve duas reações. Primeiro, ficou empolgado com o bebê. Depois disse:

– Você pensou em não me contar? Está *brincando*?

Não havia demorado muito para eu ter minha primeira ideia equivocada em relação à maternidade.

A viagem à China foi fantástica. Minha gravidez não atrapalhou em nada, a não ser no momento em que estávamos em um museu no oeste do país e o curador abriu um antigo sarcófago com uma múmia; o cheiro me fez sair correndo para evitar uma crise de enjoo matinal – que, conforme descobri, podia vir a qualquer hora do dia! Uma das minhas amigas que me viu sair correndo pensou: *Melinda está grávida.* Na volta, Bill e eu nos separamos do grupo para passar algum tempo sozinhos. Numa das nossas conversas eu o deixei chocado quando disse:

– Olha, não vou continuar trabalhando depois de ter o bebê. Não vou voltar.

Ele ficou pasmo.

– Como assim, não vai voltar?

– Nós temos sorte, não precisamos do meu salário. O que está em jogo aqui é como queremos criar nossos filhos. Você não vai diminuir o seu ritmo de trabalho e eu não vejo como conciliar as horas necessárias para eu ter um bom desempenho profissional e ainda cuidar da família.

Faço um relato sincero dessa conversa com Bill para levantar, logo de início, um ponto importante: quando enfrentei pela primeira vez as questões e os desafios de ser mãe e trabalhar fora, eu ainda precisava amadurecer bastante. Naquela época – acredito que de maneira inconsciente – eu achava que, quando os casais tinham filhos, os homens trabalhavam e as mulheres ficavam em casa. Acho fantástico se as mulheres quiserem ficar em casa. Mas isso deveria ser uma opção, não algo que fazemos porque achamos que não há escolha. Não me arrependo da decisão; faria tudo de novo. Mas naquele momento apenas presumi que era isso que as mulheres faziam.

De fato, a primeira vez que me perguntaram se eu era feminista, eu não soube o que dizer, porque não me considerava feminista. Não tenho certeza se eu sabia o que isso significava. Isso aconteceu quando nossa filha Jenn tinha menos de 1 ano.

Vinte e dois anos depois, posso dizer que sou uma feminista convicta. Para mim é muito simples. Ser feminista significa acreditar que *toda* mulher deveria poder ter voz própria e buscar a realização de seu potencial. Também significa que mulheres e homens deveriam trabalhar juntos para derrubar as barreiras e acabar com os preconceitos que ainda impedem o avanço das mulheres.

Isso é algo que eu não diria com total convicção nem mesmo há dez anos. Só percebi isso depois de muito tempo ouvindo mulheres – com frequência, mulheres que passaram por dificuldades extremas e cujas histórias me ensinaram o que leva à desigualdade e o que faz os seres humanos florescerem.

Mas essas ideias só me ocorreram mais tarde. Naquela época, eu via tudo pelas lentes dos papéis de gênero que conhecia, e foi por isso que eu disse ao Bill:

– Não vou voltar.

Ele ficou perplexo. O fato de eu trabalhar na Microsoft era uma parte importante da nossa vida juntos. Bill fundou a empresa em 1975. Eu entrei em 1987, a única mulher no primeiro grupo de funcionários com mestrado. Nós nos conhecemos pouco depois, em um evento da empresa. Eu estava em Nova York a trabalho, e minha colega de quarto (na época dividíamos a hospedagem para economizar) me falou sobre um jantar que aconteceria naquela noite e eu não ficara sabendo. Cheguei tarde e todas as mesas estavam ocupadas, exceto uma, que ainda tinha duas cadeiras vazias lado a lado. Eu me sentei em uma delas. Alguns minutos depois, Bill chegou e se sentou na outra.

Conversamos durante todo o jantar e eu senti que ele estava interessado, mas passei um tempo sem notícias dele. Então, em uma tarde de sábado, nós nos esbarramos no estacionamento da empresa. Ele puxou conversa e me convidou para sair duas semanas depois, numa sexta-feira. Eu ri e disse:

– Isso não é espontâneo o suficiente para mim. Faça o convite mais perto da data.

Dei a ele o número do meu telefone. Duas horas depois ele ligou para minha casa e me convidou para sair naquela mesma noite.

– Isso é espontâneo o suficiente para você? – perguntou.

Descobrimos que tínhamos muita coisa em comum. Nós dois adoramos quebra-cabeças e somos muito competitivos; fizemos disputas de quebra-cabeças e jogos matemáticos. Acho que ele ficou intrigado quando eu o derrotei em um desafio de matemática e ganhei na primeira vez no Detetive, aquele jogo de tabuleiro em que você descobre quem cometeu o assassinato, em que cômodo e com que arma. Ele insistiu que eu lesse *O grande Gatsby*, seu romance predileto, e eu já tinha lido duas vezes. Talvez naquele momento ele tenha se dado conta de que encontrara a pessoa certa. Seu par *romântico*, como costumava dizer. Eu soube que tinha encontrado a pessoa certa quando vi sua coleção de discos – um monte de Frank Sinatra e Dionne Warwick. Quando ficamos noivos, alguém perguntou a ele:

– O que você sente quando está com a Melinda?

E ele respondeu:

– Sei que é espantoso, mas sinto vontade de casar.

Bill e eu também acreditávamos na importância da informática. Sabíamos que escrever programas para computadores pessoais daria aos indivíduos poder sobre as informações – algo que naquele momento estava nas mãos das instituições – e que a democratização dos computadores poderia mudar o mundo. Por isso nos sentíamos tão empolgados em estar na Microsoft diariamente, trabalhando a mil por hora para desenvolver programas.

Mas nossa conversa sobre o bebê deixou claro que os dias em que trabalhávamos juntos estavam chegando ao fim. Mesmo depois que as crianças crescessem, eu dificilmente voltaria para lá. Tinha pensado muito nesse assunto antes de engravidar, conversado sobre isso com amigas e colegas de trabalho, mas assim que soube que Jenn estava a caminho tomei minha decisão. Ele não tentou me fazer mudar de ideia. Só ficou perguntando:

– *Tem certeza?!*

À medida que o parto de Jenn se aproximava, Bill começou a me perguntar:

– E então, o que você vai fazer?

Eu gostava tanto do meu trabalho que ele não conseguia me imaginar abrindo mão dessa parte da minha vida. Esperava que eu começasse algo novo assim que tivéssemos nossa filha.

E ele não estava errado: logo comecei a procurar uma atividade criativa que combinasse comigo. A causa que mais me mobilizou quando saí da Microsoft foi a busca por maneiras de fazer com que meninas e mulheres se envolvessem com tecnologia. Afinal, a tecnologia tinha feito muito por mim no ensino médio, na faculdade e depois.

Meus professores na Ursuline ensinavam os valores da justiça social e nos exigiam muito em termos acadêmicos – mas a escola não tinha superado os preconceitos de gênero que eram dominantes na época e são relevantes ainda hoje. Para dar uma ideia: havia uma escola católica para garotos ali perto, a Jesuit Dallas, que era considerada nossa escola-irmã. Nós íamos à Jesuit assistir às aulas de cálculo e física e os garotos iam à Ursuline aprender datilografia.

Pouco antes de eu começar o último ano, minha professora de matemática, a Sra. Bauer, viu computadores Apple II+ em um congresso de matemática em Austin. Então voltou à nossa escola e disse:

– Precisamos comprar uns desses para as meninas.

A diretora, a irmã Rachel, perguntou:

– O que vamos fazer com eles se ninguém souber usá-los?

– Se a senhora comprar, eu aprendo para ensinar a elas – respondeu a Sra. Bauer.

Assim, a escola usou boa parte do orçamento e fez sua primeira compra de computadores – *cinco* para todas as seiscentas meninas, e uma impressora térmica.

A Sra. Bauer gastou tempo e dinheiro do próprio bolso para ir até a Universidade Estadual do Norte do Texas estudar ciência da computação à noite, de modo a poder nos ensinar de manhã. Acabou conseguindo um diploma de mestrado e nós nos esbaldamos. Escrevíamos programas para resolver problemas de matemática, convertíamos números para bases diferentes e criávamos animações gráficas primitivas. Em um projeto, programei um quadrado com carinha sorridente que se movia pela tela no ritmo da canção "It's a Small World", da Disney. Era uma coisa rudimentar. Na época os computadores não ofereciam muitas possibilidades gráficas, mas eu não sabia que aquilo era rudimentar. Eu estava orgulhosa!

Foi assim que descobri que amava computadores – por sorte e pela dedicação de uma professora fantástica que disse: "Precisamos comprar uns desses para as meninas." Ela foi a primeira defensora da presença feminina na tecnologia que conheci, e os anos seguintes me mostrariam como necessitávamos de muitas outras. Para mim, fazer faculdade era criar códigos com os "meninos". No grupo que entrou comigo na Microsoft só havia rapazes. Quando comparei às entrevistas de admissão na empresa, todos os gerentes, menos um, eram homens. Isso não me pareceu correto.

Eu queria que as mulheres tivessem sua cota de oportunidades, e esse se tornou o foco do primeiro trabalho filantrópico no qual me envolvi, pouco depois de Jenn nascer. Achei que o caminho óbvio para apresentar os computadores às meninas era trabalhar com pessoas da secretaria de educação da região e ajudar a levar computadores para as escolas públicas. Me envolvi profundamente na informatização de várias delas. Mas quanto mais entrava nisso, mais claro ficava para mim que seria muito dispendioso tentar expandir o acesso aos computadores a cada escola do país.

Bill acredita apaixonadamente que a tecnologia deveria estar disponível a todo mundo, e na época a Microsoft estava envolvida num projeto em pequena escala para oferecer acesso à internet por meio da doação de computadores às bibliotecas. Quando terminaram o projeto, os gestores marcaram uma reunião para apresentar os resultados a Bill, e ele me disse:

– Você deveria vir junto e se informar sobre isso. É uma coisa que pode interessar a nós dois.

Depois da apresentação, Bill e eu dissemos um ao outro:

– Uau, talvez a gente devesse fazer isso em todo o país. O que você acha?

Na época, nossa fundação era apenas uma ideia com um orçamento pequeno. Acreditávamos que todas as vidas tinham o mesmo valor, mas não era o que víamos pelo mundo; a pobreza e a doença afligiam alguns lugares muito mais intensamente do que outros. Queríamos criar uma fundação para lutar contra essas desigualdades, mas não tínhamos ninguém para comandá-la.

Eu não podia, porque não assumiria um trabalho de horário integral enquanto tivesse filhos pequenos. Mas Patty Stonesifer, a principal executiva da Microsoft e uma pessoa que Bill e eu respeitávamos e admirávamos, ia largar o emprego, e nós cometemos a temeridade de abordá-la durante sua festa de despedida e perguntar se ela toparia liderar esse projeto. Patty aceitou e se tornou a primeira colaboradora da fundação, trabalhando de graça em um escritório minúsculo em cima de uma pizzaria.

Foi assim que entramos na filantropia. Eu tinha tempo para me envolver porque estava em casa cuidando de Jenn – e Rory só nasceu quando ela já estava com 3 anos.

Olhando em retrospecto, percebo que naqueles primeiros anos eu estava diante de uma questão crucial: "Você quer ter uma carreira ou ficar em casa cuidando dos filhos?" E minha resposta era: "As duas coisas!" Primeiro ter uma carreira, depois ser uma mãe dona de casa, em seguida uma mistura das duas possibilidades, e então retomar o trabalho. Tive a oportunidade de ter duas carreiras *e* a família dos meus sonhos – porque estávamos na posição privilegiada de não precisarmos do meu salário. Além disso, havia outro fator cuja importância só ficaria clara para mim anos depois: eu tinha o benefício de um pequeno comprimido que me permitia programar as gestações.

Acho meio irônico que, quando Bill e eu começamos a procurar modos de fazer a diferença no mundo, eu jamais tenha estabelecido uma conexão entre nossos esforços para ajudar as pessoas mais pobres e os anticoncepcionais que eu mesma usava para organizar nossa vida em família. Alternativas de planejamento familiar estavam entre nossas primeiras doações, mas tínhamos uma compreensão estreita de seu valor, e eu não fazia ideia de que essa seria a causa que me levaria à vida pública.

Mas eu obviamente compreendia a importância dos anticoncepcionais para a minha família. Não foi por acaso que só engravidei depois de trabalhar por quase uma década na Microsoft, até que Bill e eu estivéssemos prontos para ter filhos. Não foi por acaso que Rory nasceu três anos depois de Jenn e que nossa filha Phoebe veio três anos depois de Rory. Isso foi uma decisão minha e de Bill. Claro, também houve uma pitada de sorte; tive a sorte de engravidar quando queria. Mas também tive recursos para *não* engravidar quando não queria. E isso nos permitiu ter a vida e a família que desejamos.

Procurando uma enorme ideia que faltava

Bill e eu criamos formalmente a Fundação Bill e Melinda Gates em 2000. Era uma fusão da Gates Learning Foundation e da William H. Gates Foundation. Demos nossos dois nomes à fundação porque eu teria um papel importante na administração – mais do que Bill, na época, porque ele ainda estava totalmente envolvido na Microsoft e continuaria assim nos oito anos seguintes. A essa altura tínhamos dois filhos – Jenn estava com 4 anos e tinha entrado no jardim de infância, e Rory tinha apenas 1 –, mas eu estava animada para abraçar mais trabalho. Porém deixei claro que queria atuar nos bastidores. Queria estudar os temas, fazer viagens de aprendizado e discutir estratégias – mas durante muito tempo optei por não assumir um papel público na fundação.

Eu via como era, para Bill, ser conhecido no mundo inteiro, e isso não me atraía. Porém, o mais importante era que eu não queria me afastar das crianças além do necessário; queria dar a elas a criação mais normal possível. Isso era tremendamente importante para mim e eu sabia que, se abrisse mão da minha privacidade, seria mais difícil proteger a privacidade delas. (Quando as crianças entraram na escola nós as matriculamos usando meu sobrenome, French, para que tivessem algum anonimato.) Por fim, eu queria ficar distante dos holofotes porque sou perfeccionista. Sempre senti que preciso ter uma resposta para cada pergunta, e naquele ponto não achei que tivesse conhecimento suficiente para ser uma porta-voz da fundação. Por isso deixei claro que não faria discursos nem daria entrevistas. Esse trabalho era de Bill, pelo menos no início.

Desde o começo procuramos problemas que estivessem fora do radar dos governos e dos mercados, soluções "fora da caixa". Queríamos descobrir as grandes ideias que faltavam e que permitiriam que um pequeno investimento trouxesse alguma melhoria considerável. Começamos a achar respostas durante a viagem que fizemos à África em 1993, um ano antes de nos casarmos. Naquele momento, não tínhamos ainda estabelecido uma fundação e não fazíamos ideia de como investir dinheiro para melhorar a vida das pessoas.

Mas vimos cenas que permaneceram em nossa memória. Eu me lembro de uma ocasião em que estávamos de carro nos arredores de uma cidade e vimos uma mulher que carregava um bebê na barriga, outro nas costas e uma pilha de lenha na cabeça. Obviamente estivera caminhando por uma longa distância, descalça, enquanto os homens que eu via usavam sandálias de dedo e fumavam cigarros; nenhum deles transportava lenha ou crianças. No restante do caminho, vi outras mulheres carregando fardos pesados e quis saber mais sobre a vida delas.

Na volta da África, Bill e eu oferecemos um pequeno jantar em nossa casa para Nan Keohane, que era reitora da Universidade Duke. Na época eu raramente organizava esse tipo de evento, mas fiquei feliz por ter feito aquele. Um pesquisador que estava presente contou sobre o enorme número de crianças em países pobres que morriam de diarreia e afirmou que a hidratação com soro caseiro podia salvar a vida delas. Algum tempo depois, um colega sugeriu que lêssemos o Relatório de Desenvolvimento Mundial de 1993. Ele mostrava que era possível evitar inúmeras mortes com intervenções de baixo custo; o problema era que essas intervenções não estavam chegando às pessoas. Ninguém se achava responsável por isso. Então Bill e eu lemos uma matéria emocionante escrita por Nicholas Kristof, no *The New York Times*, contando que a diarreia provocava a morte de milhões de crianças nos países em desenvolvimento. Tudo o que ouvíamos e líamos tinha o mesmo tema: crianças em países pobres estavam morrendo de doenças que não matavam nenhuma criança nos Estados Unidos.

Às vezes só registramos fatos novos e ideias novas quando as ouvimos de várias fontes, então tudo começa a se encaixar. À medida que continuávamos a ler sobre crianças que morrem de causas evitáveis, Bill e eu começamos a pensar: *Talvez a gente possa fazer alguma coisa em relação a isso.*

O que nos deixava mais perplexos era como esse assunto atraía pouca atenção. Em seus discursos, Bill usava o exemplo de um acidente aéreo. Se um avião cai e trezentas pessoas morrem, isso é trágico para as famílias e todos os jornais noticiam. Se no mesmo dia 30 mil crianças pobres morrem, isso é trágico para as famílias, mas não sai nenhuma matéria em *nenhum* jornal. Nós não sabíamos sobre a morte dessas crianças porque elas estavam acontecendo em países pobres, e o que acontece nos países pobres não atrai muita atenção nos países ricos. Esse foi o maior choque para a minha consciência: milhões de pessoas morriam porque eram pobres, e não ouvíamos falar nisso porque elas eram pobres. Foi então que iniciamos nosso trabalho com a saúde global. Começamos a enxergar como poderíamos causar impacto.

Lançamos nosso trabalho com o objetivo de salvar a vida de crianças, e nosso primeiro grande investimento foi em vacinas. Ficamos horrorizados ao saber que vacinas desenvolvidas nos Estados Unidos levavam de quinze a vinte anos para chegar às crianças pobres nos países em desenvolvimento, e que doenças que matavam crianças nesses lugares não estavam na programação dos pesquisadores de vacinas nos Estados Unidos. Pela primeira vez vimos claramente o que acontece quando não existe incentivo do mercado para atender às crianças pobres: milhões delas morrem.

Essa foi uma lição crucial para nós. Por isso nos juntamos a governos e outras organizações e estabelecemos a GAVI, a Aliança de Vacinas, para usar mecanismos do mercado com o objetivo de ajudar a levar vacinas para todas as crianças do mundo. Outra lição que continuamos aprendendo é que pobreza e doença estão sempre interligadas. Não existem problemas isolados.

Em uma das minhas primeiras viagens pela fundação, fui ao Malawi e fiquei profundamente comovida ao ver tantas mães em filas enormes, debaixo do sol, para vacinar os filhos. Quando eu falava com elas, me contavam sobre as longas distâncias que tinham caminhado. Muitas haviam percorrido 15 ou 20 quilômetros. Tinham levado comida para o dia inteiro. Precisavam trazer não somente os filhos que iam ser vacinados, mas os outros também. Era um dia difícil para mulheres cuja vida já era árdua. Mas era uma viagem que estávamos tentando tornar mais fácil e mais curta, uma viagem que incentivávamos mais mães a fazer.

Lembro-me de ter visto uma jovem mãe com filhos pequenos e de ter perguntado a ela:

– Você vai levar essas crianças lindas para tomar injeção?

– E a *minha* injeção? Por que preciso andar 20 quilômetros neste calor para tomar a minha injeção? – respondeu ela.

Ela não se referia à vacina. Estava falando da Depo-Provera, uma injeção contraceptiva de ação prolongada que podia impedir que ela engravidasse.

A mulher já tinha mais filhos do que podia alimentar. Estava com medo de ter mais um. No entanto, a perspectiva de passar um dia caminhando com os filhos até uma clínica distante, sendo que sua injeção poderia estar em falta, era profundamente frustrante. Ela foi apenas uma das muitas mães que conheci nas primeiras viagens e que, ao serem abordadas por mim, mudaram o assunto da conversa, de vacinas das crianças para planejamento familiar.

Certa vez fui a uma aldeia no Níger e visitei uma mãe chamada Sadi Seyni. Seus seis filhos competiam por sua atenção enquanto conversávamos. Ela disse a mesma coisa que ouvi de muitas mulheres:

– Não seria justo eu ter mais um filho. Mal consigo alimentar os que já tenho!

Em um bairro grande e muito pobre em Nairóbi chamado Korogocho, conheci Mary, uma jovem mãe que vendia mochilas feitas de retalhos de jeans. Ela me convidou à sua casa, onde costurava enquanto cuidava dos dois filhos pequenos. Usava anticoncepcionais porque "a vida é dura", como disse. Perguntei se o marido apoiava essa decisão. Ela disse:

– Ele também sabe que a vida é dura.

Cada vez mais nas minhas viagens, não importando qual fosse o objetivo delas, comecei a ouvir falar e ver como os anticoncepcionais eram necessários. Visitei comunidades em que todas as mães tinham perdido algum filho e todo mundo conhecia alguma mãe que tinha morrido no parto. Conheci mais e mais mães desesperadas para não engravidar de novo porque não podiam cuidar dos filhos que já tinham. Comecei a entender por que, mesmo eu não tendo ido ali para falar sobre anticoncepcionais, as mulheres sempre puxavam o assunto.

Elas estavam vivendo o que eu lia nos relatórios.

Em 2012, 260 milhões de mulheres nos 69 países mais pobres usavam anticoncepcionais. Mais de 200 milhões de mulheres nesses mesmos países queriam usá-los – mas não conseguiam obtê-los. Isso significava que milhões de mulheres no mundo em desenvolvimento estavam engravidando cedo demais, tarde demais e com frequência demais para que o corpo delas suportasse. Quando as mulheres nos países em desenvolvimento espaçam a gravidez em pelo menos três anos, cada bebê tem quase o dobro de probabilidade de sobreviver ao primeiro ano de vida – e tem uma probabilidade 35% maior de chegar aos 5 anos. Isso é justificativa suficiente para expandir o acesso aos anticoncepcionais, mas a sobrevivência das crianças é apenas uma das razões.

Um dos mais prolongados estudos de saúde pública data da década de 1970, quando metade das famílias em vários povoados de Bangladesh recebeu anticoncepcionais e a outra metade não. Vinte anos depois, as mães que usaram contraceptivos eram mais saudáveis. Os filhos eram mais bem alimentados. As famílias tinham mais saúde. As mulheres tinham salários mais altos. Os filhos, tanto meninos quanto meninas, tinham mais anos de estudo.

Os motivos são simples: quando podem programar e espaçar as gestações, as mulheres têm uma probabilidade maior de avançar na própria formação, de ganhar um salário, criar filhos saudáveis e dispor de tempo e dinheiro para oferecer a cada um deles a comida, a atenção e a educação necessárias para que prosperem. Quando os filhos alcançam seu potencial, não continuam pobres. É assim que as famílias e os países saem da pobreza. De fato, nenhum país nos últimos cinquenta anos emergiu da pobreza sem expandir o acesso aos anticoncepcionais.

Entre as primeiras ações de nossa fundação, destinamos algum dinheiro à distribuição de métodos contraceptivos, mas nosso investimento não foi proporcional aos benefícios. Demoramos anos para compreender que os anticoncepcionais são a inovação que mais salva vidas, rompe o ciclo de pobreza e empodera as mulheres. Quando entendemos todo o potencial do planejamento familiar, compreendemos que os contraceptivos precisavam ser uma prioridade maior para nós.

Mas não era apenas uma questão de assinar cheques mais polpudos. Precisávamos financiar o desenvolvimento de novos anticoncepcionais que apresentassem menos efeitos colaterais, tivessem efeito mais prolongado e fossem mais baratos – e que as mulheres pudessem obter na própria aldeia ou tomar sozinhas em casa. Isso exigiria um esforço mundial que incluísse governos, agências globais e empresas farmacêuticas trabalhando com parceiros locais para levar o planejamento familiar às mulheres onde elas moram. Precisávamos de muito mais vozes falando em favor das mulheres que não estavam sendo ouvidas. Àquela altura, eu já conhecia muitas pessoas extraordinárias que vinham trabalhando pelo planejamento familiar havia décadas. Falei com o maior número de mulheres que pude e perguntei como nossa fundação poderia ajudar; o que eu poderia fazer para amplificar suas vozes.

Todo mundo que abordei ficou em um silêncio aparentemente incômodo, como se a resposta fosse óbvia e só eu não a enxergasse. Por fim algumas pessoas me disseram:

– O melhor modo de apoiar os defensores de uma causa é se tornar um deles. Você precisa se juntar a nós.

Não era a resposta que eu estava procurando.

Sou uma pessoa discreta; em certo sentido, até um pouco tímida. Na escola, eu era a garota que levantava a mão para falar enquanto outras crianças gritavam a resposta na fila de trás. Gosto de trabalhar nos bastidores. Quero estudar os dados, conhecer o trabalho, encontrar pessoas, desenvolver uma estratégia e resolver problemas. Eu já tinha me acostumado a fazer discursos e dar entrevistas, mas de repente amigos, colegas e ativistas estavam me pressionando para eu me tornar uma defensora pública do planejamento familiar. Isso me alarmou.

Pensei: *Uau, será que vou passar a apoiar publicamente um tema tão carregado politicamente quanto o planejamento familiar, com minha igreja e muitos conservadores se opondo?* Quando era presidente da nossa fundação, Patty Stonesifer me alertou: "Melinda, se a fundação entrar nessa seara em grande estilo, você estará no centro da controvérsia, porque você é católica. Todas as perguntas serão dirigidas a você."

Eu sabia que isso significaria uma mudança gigantesca para mim, mas estava claro que o mundo precisava fazer mais com relação ao planejamento familiar. Apesar de décadas de esforços por parte de defensores apaixonados, o progresso nesse terreno estava praticamente parado. O planejamento familiar tinha deixado de ser uma prioridade de saúde global. Em parte porque esse tema tinha se tornado politizado demais nos Estados Unidos, em parte porque a epidemia de aids e as campanhas de vacinação haviam atraído verbas e atenção em todo o mundo, relegando os anticoncepcionais a segundo plano. (É verdade que a epidemia de aids levou a amplos esforços para distribuir preservativos, mas, por motivos que explicarei mais adiante, para muitas mulheres os preservativos não eram um método anticoncepcional eficiente.)

Eu sabia que, ao me tornar defensora do planejamento familiar, iria me expor a críticas às quais não estava habituada. Sabia também que isso tomaria tempo e energia de outras atividades da fundação. Mas comecei a achar que, se havia alguma coisa que valesse o preço a pagar, era essa. Eu sentia isso de modo visceral, pessoal. O planejamento familiar era indispensável para a nossa capacidade de constituir um lar saudável. Permitiu que eu trabalhasse e tivesse tempo para cuidar de cada filho. Era descomplicado, barato, seguro e poderoso: nenhuma mulher que eu conhecia deixava de usar, mas centenas de milhões de mulheres em todo o mundo queriam e não podiam. Esse acesso desigual era simplesmente injusto. Eu não poderia fechar os olhos enquanto mulheres e crianças morriam por falta de uma ferramenta amplamente disponível que poderia salvar a vida delas.

Também pensei no meu dever para com os meus filhos. Eu recebi a oportunidade de falar em nome de mulheres que não tinham voz. Se recusasse, que valores estaria transmitindo a eles? Será que eu ficaria confortável se, no futuro, recusassem tarefas difíceis e depois me dissessem que estavam seguindo meu exemplo?

E minha mãe teve uma enorme influência na minha escolha, mesmo que talvez não soubesse disso. Durante a minha criação, ela sempre me disse: "Se você não definir seus objetivos, outra pessoa fará isso por você." Se eu não ocupasse o meu tempo com coisas que eu achava importante, outras pessoas o ocupariam com o que *elas* achassem importante.

Por fim, sempre guardei na memória imagens das mulheres que conheci, e tenho fotos das que me comoveram mais. De que adiantava elas abrirem o coração e me contarem sobre a própria vida se eu não iria ajudá-las quando tivesse a oportunidade?

Isso me instigou. Resolvi encarar meus medos e defender publicamente o planejamento familiar.

Aceitei um convite do governo do Reino Unido para copatrocinar uma cúpula sobre esse tema em Londres, reunindo o maior número de chefes de estado, especialistas e ativistas que pudéssemos. Decidimos dobrar o compromisso da nossa fundação com o planejamento familiar e fazer disso uma prioridade. Queríamos reavivar o compromisso global de levar anticoncepcionais a todas a mulheres do mundo, de modo a podermos decidir por nós mesmas se e quando teremos um filho.

Mas eu ainda precisava descobrir qual seria o meu papel e o que a fundação deveria fazer. Não bastaria simplesmente convocar uma cúpula global, falar sobre contraceptivos, assinar uma declaração e ir para casa. Precisávamos estabelecer objetivos e criar uma estratégia.

Juntamo-nos ao governo do Reino Unido em uma corrida para fazer o encontro acontecer em Londres em julho de 2012, duas semanas antes de as atenções do mundo inteiro se voltarem para a abertura da Olimpíada de Londres.

À medida que a cúpula se aproximava, houve uma onda de reportagens na mídia enfatizando o valor do planejamento familiar na preservação de vidas. O publicação científica britânica *The Lancet*, especializada em medicina, publicou um estudo financiado pelo governo do Reino Unido e por nossa fundação mostrando que o acesso aos anticoncepcionais reduziria em um terço a incidência de morte materna durante o parto. Um relatório do Save the Children dizia que um milhão de meninas adolescentes morrem ou ficam com sequelas após o parto a cada ano, o que faz da gravidez a principal causa de morte para esse grupo. Essas e outras descobertas deram ao encontro um tom de urgência.

A cúpula atraiu um grande público e muitos chefes de estado. Os discursos correram bem e fiquei satisfeita com isso. Mas sabia que o sucesso dependeria de quem se posicionasse a favor da causa e de quanto dinheiro levantássemos. E se os líderes nacionais não apoiassem a iniciativa? E se os governos não aumentassem as verbas? Essas inquietações me deixaram com um frio na barriga durante meses – não muito diferente do medo de dar uma festa à qual ninguém comparecesse. Mas nesse caso a mídia *iria* aparecer e divulgar o fracasso.

Não vou dizer que não deveria ter me preocupado; minhas preocupações me fazem trabalhar melhor. Porém as verbas e o apoio que conseguimos superaram minhas maiores expectativas. O Reino Unido duplicou o orçamento para o planejamento familiar. Os presidentes de Ruanda, Uganda, Tanzânia e Burkina Faso e o vice-presidente do Malawi estavam presentes na conferência e tiveram um papel fundamental para levantar os 2 bilhões de dólares prometidos por países em desenvolvimento, entre eles o Senegal, que também dobrou sua verba, e o Quênia, que aumentou em um terço o orçamento nacional para o planejamento familiar. Juntos nos comprometemos a tornar os métodos contraceptivos disponíveis para mais 120 milhões de mulheres até o fim da década, num movimento que chamamos de FP 2020 (em inglês, Family Planning 2020). Era de longe a maior quantia de dinheiro prometida para apoiar o acesso a contraceptivos.

É só o começo

Depois da conferência, minha melhor amiga do ensino médio, Mary Lehman, que tinha me acompanhado até Londres, foi jantar comigo e com algumas mulheres influentes que também participaram do evento. Tomamos uma taça de vinho e desfrutamos um sentimento de satisfação. Pessoalmente, eu me sentia aliviada. Depois de muitos meses de planejamento e preocupação, enfim podia relaxar.

Foi então que todas aquelas mulheres me disseram:

– Melinda, você não percebe? O planejamento familiar *é só o primeiro passo* para as mulheres! Precisamos adotar uma agenda muito maior!!

Naquela mesa eu era a única suficientemente ingênua para ficar surpresa – e foi *esmagador*. Não queria ouvir aquilo. Conversando com Mary no carro depois do jantar, fiquei repetindo:

– Mary, elas só podem estar brincando.

Eu estava à beira das lágrimas e pensava: *De jeito nenhum. Já estou fazendo a minha parte e é mais do que eu consigo dar conta. Tenho uma montanha de trabalho pela frente para atingir os objetivos que acabamos de estabelecer só com o planejamento familiar. Imagine se houvesse uma agenda mais ampla para as mulheres.*

Aquele pedido para "fazer mais" soou especialmente difícil depois de uma visita de enorme carga emocional que eu tinha feito alguns dias antes, no Senegal. Eu estava sentada em uma pequena cabana com um grupo de mulheres que falavam sobre o corte genital feminino. Todas tiveram o clitóris cortado. Muitas haviam segurado as filhas para serem mutiladas. Enquanto me contavam sobre isso, minha colega Molly Melching, que trabalhou no Senegal durante décadas e estava atuando como tradutora naquele dia, disse:

– Melinda, não vou traduzir algumas partes porque acho que você não suportaria.

(Em algum momento precisarei juntar coragem para perguntar o que ela não quis me contar.)

Aquelas mulheres me disseram que tinham se rebelado contra essa prática. Quando eram mais novas, tinham medo de que, se suas filhas não fossem cortadas, jamais pudessem se casar. Quando as meninas morriam devido à hemorragia, acreditavam que era culpa de espíritos malignos. Mas tinham percebido que essas ideias eram mentirosas e proibiram o corte em sua aldeia.

Achavam que estavam me contando uma história de progresso, e estavam mesmo. Porém, para entender o sentido da palavra "progresso" naquele contexto, era necessária uma compreensão de como essa prática é cruel e ainda disseminada. Para aquelas mulheres, a proibição do corte havia sido uma conquista. Ao mesmo tempo, elas me revelavam como as coisas ainda eram terríveis para as meninas em seu país. Para mim a história era horrível, e eu simplesmente me fechei. Achei que o esforço era inútil e interminável, estava além das minhas energias e dos meus recursos, e disse a mim mesma: *"Desisto."*

Suspeito que muitos de nós, mais cedo ou mais tarde, dizemos: "Desisto." E com frequência descobrimos que "desistir" é apenas um passo doloroso no caminho para um comprometimento mais profundo. Mas eu ainda estava presa no meu "desisto" particular assumido no Senegal quando as mulheres que estavam à mesa em Londres disseram que havia muito mais a ser feito. Por isso eu disse a mim mesma o meu *segundo* "desisto" em uma mesma semana. Olhei para o abismo entre o que precisava ser feito e o que eu podia fazer e disse apenas: "Não!"

Apesar de ter dito isso somente para mim mesma, foi a sério. Porém mais tarde, quando comecei a baixar a guarda, percebi que o "não!" era só um momento de rebelião antes de eu me render. Eu precisava aceitar que as feridas daquelas meninas no Senegal e as necessidades das mulheres do mundo inteiro estavam além de qualquer coisa que eu pudesse curar. Precisava aceitar que meu trabalho era fazer minha parte, ficar de coração partido por todas as mulheres que não podemos ajudar e continuar otimista.

Com o tempo cheguei ao "Sim", e isso me permitiu compreender o que as mulheres em Londres me diziam. O planejamento familiar é um primeiro passo, mas esse primeiro passo não consistia apenas em obter acesso aos anticoncepcionais; era um passo em direção ao empoderamento. Planejamento familiar significa mais do que ter o direito de decidir se e quando ter filhos; é a chave para derrubar todos os tipos de barreiras que mantiveram as mulheres do lado de fora por tanto tempo.

Minha grande ideia que faltava: investir nas mulheres

Há alguns anos, na Índia, visitei grupos femininos de autoajuda e percebi que as mulheres empoderavam umas às outras. Vi mulheres elevando umas às outras. E vi que tudo começa quando as mulheres passam a conversar entre si.

Com o passar dos anos, a fundação financiou grupos de apoio de mulheres com vários objetivos diferentes: impedir a disseminação do HIV, ajudar as agricultoras a comprar sementes melhores, auxiliar na concessão de empréstimos. Há numerosos motivos para formar grupos. Mas, independentemente do foco original, quando as mulheres recebem informação, ferramentas, verbas e descobrem o poder que têm, elas levantam voo e levam o grupo para onde desejam que ele vá.

Na Índia conheci agricultoras que faziam parte de um desses grupos. Elas haviam comprado sementes novas; graças a isso, estavam plantando mais e melhorando a produção em suas terras – e me contaram isso do modo mais pessoal possível.

– Melinda, eu morava em um cômodo separado em casa. Nem tinha permissão de ficar dentro de casa com a minha sogra. Meu quarto ficava nos fundos e eu não tinha sabão, por isso lavava tudo usando cinzas. Mas agora tenho dinheiro e posso comprar sabão. Meu sári está limpo e minha sogra me respeita mais. Agora ela me deixa entrar em casa. E como tenho mais dinheiro, comprei uma bicicleta para o meu filho.

Quer a receita para ser respeitada pela sogra? Compre uma bicicleta para o seu filho.

Por que isso gera respeito? Não é um costume local. É universal: a sogra respeita a nora porque o dinheiro que ela ganha melhorou a vida da família. Quando nós, mulheres, podemos usar nosso talento e nossa energia, começamos a falar com voz própria, segundo nossos próprios valores, e isso melhora a vida de todo mundo.

À medida que as mulheres foram conquistando direitos, as famílias começaram a prosperar. E as sociedades também. Essa conexão se baseia em uma verdade simples: sempre que incluímos um grupo que foi excluído, todos se beneficiam. E quando trabalhamos globalmente para incluir mulheres e meninas, que são metade de qualquer população, trabalhamos para beneficiar todos os membros de *todas* as comunidades. A igualdade de gênero eleva todo mundo.

Altos índices de educação, emprego e crescimento econômico; baixos índices de gravidez na adolescência, violência doméstica e criminalidade – a inclusão e a elevação das mulheres se correlacionam com os sinais de uma sociedade saudável. Os direitos femininos e a saúde da sociedade melhoram juntos. Países dominados por homens sofrem não somente porque desperdiçam o talento de suas mulheres, mas porque seus governantes têm necessidade de excluir. Até que mudem sua liderança ou o ponto de vista de seus líderes, esses países não irão prosperar.

Entender essa ligação entre o empoderamento feminino, a riqueza e a saúde das sociedades é crucial para a humanidade. Mais do que qualquer percepção que tivemos em nosso trabalho ao longo dos últimos vinte anos, essa foi nossa grande ideia que faltava. A grande ideia que *me* faltava. Se você quer elevar a humanidade, empodere as mulheres. É o investimento mais amplo, universal e com maior potencial de alavancagem que podemos fazer pelo bem do ser humano.

Eu gostaria de poder dizer em que momento tive essa percepção. Não posso. Foi como um sol nascendo devagar, amanhecendo pouco a pouco em mim – parte de um despertar compartilhado e acelerado por outros, todos nós chegando à mesma compreensão e ganhando ímpeto para a mudança no mundo.

Uma das minhas melhores amigas, Killian Noe, fundou uma organização chamada Recovery Café, que trabalha com sem-tetos, viciados e pessoas com problemas mentais, ajudando-as a construir para si mesmas uma vida interessante. Killian me inspira a explorar as coisas com mais profundidade e costuma fazer uma pergunta que se tornou famosa entre seus amigos: "O que você sabe agora de modo mais profundo do que sabia antes?" Adoro essa questão porque ela respeita o modo como aprendemos e crescemos. A sabedoria não tem a ver com acumular informações; tem a ver com a compreensão de grandes verdades de um modo mais profundo. Ano a ano, com a ajuda e as ideias de amigos, parceiros e pessoas que partiram antes de mim, vejo com mais clareza que as principais causas da pobreza e da doença são as restrições culturais, financeiras e legais que limitam o que as mulheres podem fazer – *e acham que podem fazer* – por si mesmas e por seus filhos.

Foi assim que as mulheres e as meninas se tornaram para mim um ponto de alavancagem e de intervenção para derrubar as barreiras que mantêm as pessoas pobres. Todas as questões abordadas nos capítulos deste livro têm um foco de gênero: saúde materna e neonatal, planejamento familiar, educação de mulheres e meninas, trabalho não remunerado, casamento infantil, mulheres na agricultura, mulheres no local de trabalho. Cada uma delas é determinada por barreiras que impedem o progresso das mulheres. Quando essas barreiras caem, abrem-se oportunidades que não somente elevam as mulheres acima da pobreza, mas também são capazes de levá-las à igualdade com os homens em todas as culturas e em todos os níveis da sociedade. Nenhuma mudança pode fazer mais para melhorar a situação do mundo.

A correlação é perfeita. Se fizer uma busca sobre pobreza, encontrará mulheres que não têm poder. Se pesquisar sobre prosperidade, encontrará mulheres que têm poder e o usam.

Quando nós, mulheres, podemos decidir se e quando teremos filhos; quando podemos escolher se, quando e com quem vamos nos casar; quando nós, mulheres, temos acesso ao serviço de saúde, contribuímos com nossa parcela justa de trabalho não remunerado, recebemos a educação que desejamos, tomamos as decisões financeiras de que precisamos, somos tratadas com respeito no trabalho, desfrutamos dos mesmos direitos que os homens e ascendemos com a ajuda de outras mulheres *e de homens* que nos ensinam a estar na liderança e nos apoiam para ocupar cargos mais altos, nós prosperamos... e nossas famílias e comunidades prosperam conosco.

Podemos olhar cada uma dessas questões como um muro ou uma porta. Acho que já sei como os vemos. No coração e na mente das mulheres empoderadas de hoje "cada muro é uma porta".

Vamos derrubar os muros e atravessar as portas juntas.

CAPÍTULO DOIS

Empoderando mães

Saúde materna e neonatal

Em 2016, durante uma viagem à Europa, fiz uma visita especial à Suécia para me despedir de um dos meus heróis.

Hans Rosling, que morreu em 2017, era um professor de saúde internacional, um homem inovador que ficou famoso por ensinar aos especialistas fatos que eles já deveriam saber. Tornou-se bastante conhecido por suas inesquecíveis participações nos TED Talks (com mais de 25 milhões de acessos, número que não para de crescer); por seu livro *Factfulness*, escrito em parceria com seu filho e sua nora, que nos mostra que o mundo é melhor do que pensamos; e por sua Gapminder Foundation, cujo trabalho original com dados e gráficos ajudou as pessoas a enxergarem o mundo como ele é. Para mim, pessoalmente, Hans foi um grande e sábio mentor. Suas histórias me ajudaram a enxergar a pobreza pelos olhos dos pobres.

Quero compartilhar uma história que Hans me contou e que contribuiu para a minha percepção do impacto da miséria – e de como empoderar as mulheres pode desempenhar um papel central para erradicá-la.

Mas primeiro devo dizer que Hans Rosling ficou menos impressionado comigo do que eu com ele, pelo menos de início. Em 2007, antes de nos conhecermos, ele compareceu a um evento em que eu ia falar. Mais tarde contou que estava cético. Ele pensou: "Eu achava que os bilionários americanos iam estragar tudo!" (Não estava errado em se preocupar. Falarei mais sobre isso depois.)

Ele disse que eu o conquistei porque, em minha intervenção, não falei que ficava sentada lá em Seattle lendo dados e desenvolvendo teorias. Em vez disso tentei compartilhar o que tinha aprendido com as parteiras, enfermeiras e mães que conheci nas viagens à África e ao Sul da Ásia. Contei histórias de agricultoras que deixavam suas plantações para caminhar quilômetros até uma clínica de saúde e suportavam uma longa espera em uma fila sob o sol só para serem informadas de que os anticoncepcionais tinham acabado. Falei sobre parteiras que diziam ganhar pouco, mal recebiam treinamento e não dispunham de ambulâncias. De propósito, eu não ia a esses encontros com ideias preconcebidas; tentava participar com curiosidade e desejo de aprender. Por acaso Hans fazia a mesma coisa, só que tinha começado muito antes de mim e com maior intensidade.

Quando era um jovem médico, ele e sua mulher, Agneta – também uma excelente profissional de saúde – mudaram-se para Moçambique, onde Hans exerceu a medicina numa região pobre, longe da capital. Ele era um dos dois médicos responsáveis por 300 mil pessoas. Hans acreditava que todas eram suas pacientes, mesmo que nunca as visse – e geralmente não via. Em seu distrito ocorriam 15 mil partos por ano e mais de 3 mil mortes infantis. Todos os dias dez crianças morriam em seu distrito. Hans tratava diarreia, malária, cólera e pneumonia. Também fazia partos difíceis. Quando existem dois médicos para 300 mil pessoas, eles encontram de tudo.

Essa experiência moldou quem ele era e definiu o que me ensinou. Depois de nos conhecermos, Hans e eu jamais comparecemos a um mesmo evento sem passar algum tempo juntos. Em nossas visitas um ao outro – algumas longas, algumas curtas –, ele se tornou meu professor. Hans não somente me ajudou a aprender sobre a pobreza extrema; me fez olhar para trás e entender melhor o que eu tinha visto.

– A extrema pobreza produz doenças – dizia. – Forças malignas se escondem nela. É onde o Ebola começa. É onde o Boko Haram esconde meninas.

Demorei muito tempo para aprender o que ele sabia, mesmo tendo a vantagem de aprender com ele.

Atualmente, quase 750 milhões de pessoas vivem na extrema pobreza. Em 1990 eram 1,85 bilhão. Segundo estrategistas políticos, as pessoas nessa situação vivem com o equivalente a 1,90 dólar por dia. Mas esses números não expressam o desespero da vida que levam. O real significado da extrema pobreza é que, não importa quanto trabalhe, você está preso em uma armadilha. Não consegue sair. Seus esforços são praticamente inúteis. Você foi abandonado por pessoas que poderiam elevá-lo. Foi isso que Hans me ajudou a entender.

À medida que ficávamos mais próximos, ele sempre dizia:

– Melinda, você precisa se relacionar com as pessoas que estão nas margens mais extremas da sociedade.

Assim, tentamos juntos enxergar a vida pelos olhos daqueles a quem esperávamos servir: os excluídos. Contei a ele sobre minha primeira viagem pela fundação e sobre como passei a ter enorme respeito pelas pessoas que conheci, porque sabia que a realidade cotidiana delas me esmagaria.

Eu tinha visitado a favela de uma cidade grande, e o que me chocou não foram as crianças que vinham até o carro pedir esmolas. Isso eu esperava. Foi ver crianças pequenas se virando sozinhas. Não deveria ter me surpreendido; é a consequência óbvia de mães pobres que não têm opção a não ser trabalhar fora. É uma questão de sobrevivência na cidade. Mas com quem elas deixam os bebês? Vi crianças andando com bebezinhos. Vi uma criança de 5 anos correndo com os amigos na rua, carregando um bebê que ainda não conseguia firmar a cabeça. Vi crianças brincando perto de fios elétricos em um telhado e correndo ao lado do esgoto a céu aberto. Vi crianças brincando perto de panelas de água fervente onde pessoas faziam comida para vender. O perigo fazia parte do dia a dia delas. Isso não poderia ser mudado por uma escolha melhor por parte das mães simplesmente porque as mães não tinham escolha melhor para fazer. Precisavam trabalhar e estavam se empenhando ao máximo para cuidar dos filhos naquela situação. Senti um respeito enorme por elas, por sua capacidade de continuar fazendo o que era necessário para alimentar aquelas crianças. Conversei muitas vezes com Hans sobre o que vi, e acho que isso o levou a me contar o que *ele* viu. A história que Hans compartilhou comigo alguns meses antes de morrer foi a que, segundo ele, melhor capturava a essência da miséria.

Quando Hans era médico em Moçambique, no início da década de 1980, houve uma epidemia de cólera no distrito em que trabalhava. Todo dia ele saía no jipe do serviço de saúde com seu pequeno grupo de funcionários para ir ao encontro das pessoas com cólera, em vez de esperar que elas fossem até ele.

Um dia, com o sol se pondo, entraram em uma aldeia remota. Havia umas cinquenta casas, todas de pau a pique. Os moradores tinham plantações de mandioca e alguns cajueiros, mas não possuíam jumentos, vacas nem cavalos – e nenhum meio de transporte para levar os produtos ao mercado.

Quando a equipe de Hans chegou, um monte de gente espiou dentro do jipe e começou a dizer: "*Doutor Comprido, Doutor Comprido.*" Era assim que Hans era conhecido – jamais como "Doutor Rosling" ou "Doutor Hans", só "Doutor Comprido". A maioria dos aldeões nunca o tinha visto, mas tinha ouvido falar dele. Agora o Doutor Comprido estava na aldeia deles, e quando ele saiu do carro perguntou aos líderes do povoado:

– Falam português?

– Pouco, pouco – disseram.

– Bem-vindo, Doutor Comprido.

Por isso Hans perguntou:

– Como o senhor me conhece?

– Ah, o senhor é muito conhecido nesta aldeia.

– Mas eu nunca estive aqui.

– Não, nunca esteve. É por isso que estamos tão felizes, o senhor veio. Estamos muito felizes.

Outros se juntaram:

– Ele é bem-vindo, ele é bem-vindo, o Doutor Comprido.

Mais e mais gente se aproximou. Logo havia cinquenta pessoas em volta, sorrindo e olhando para o Doutor Comprido.

– Pouquíssimas pessoas dessa aldeia foram ao meu hospital – disse Hans.

– É, a gente vai raramente ao hospital.

– Então, como me conhecem?

– Ah, o senhor é respeitado. O senhor é muito respeitado.

– Sou respeitado? Mas eu nunca estive aqui.

– É, nunca esteve. E sim, pouquíssimos de nós vão ao seu hospital, mas uma mulher foi ao seu hospital e o senhor tratou dela. Por isso o senhor é muito respeitado.

– Ah! Uma mulher desta aldeia?

– É, uma das nossas mulheres.

– Por que ela foi?

– Problema no parto.

– E foi para se tratar?

– É, e nós temos muito respeito porque o senhor tratou dela.

Hans começou a sentir certo orgulho, e perguntou:

– Posso vê-la?

– Não – disseram todos. – O senhor não pode vê-la.

– Por quê? Onde ela está?

– Morreu.

– Ah, sinto muito. Ela morreu?

– É, morreu quando o senhor tratou dela.

– Vocês disseram que essa mulher teve problema no parto?

– É.

– E vocês a levaram ao hospital?

– Os irmãos dela levaram.

– E ela foi ao hospital?

– É.

– E eu tratei dela?

– É.

– E ela morreu?

– É, ela morreu na mesa onde o senhor tratou dela.

Hans começou a ficar nervoso. Será que aquelas pessoas achavam que ele havia cometido um erro médico? Será que o culpariam por seu sofrimento? Tentou ver se o motorista estava no carro, para conseguir escapar. Como viu que seria impossível correr, começou a falar cada vez mais suavemente.

– E que doença a mulher tinha? Não me lembro dela.

– Ah, o senhor deve lembrar, o senhor deve lembrar, porque o braço da criança saiu. A parteira tentou puxar a criança pelo braço, mas não deu.

(Hans me explicou que essa forma de apresentação no parto não permite tirar o bebê por causa da posição da cabeça.)

Nesse ponto Hans se lembrou de tudo. A criança estava morta quando a equipe médica chegou. Ele precisou tirar a criança para salvar a vida da mãe. Não era possível fazer uma cesariana; Hans não tinha as condições para realizar uma cirurgia. Então tentou uma fetotomia (tirar o bebê morto aos pedaços), mas o útero se rompeu e a mulher sangrou até a morte. Hans não pôde evitar.

– É, foi muito triste – disse. – Muito triste. Tentei salvá-la cortando o braço do bebê.

– É, o senhor cortou o braço.

– É, eu cortei o braço. Tentei tirar o corpo aos pedaços.

– É, o senhor tentou tirar em pedaços. Foi o que o senhor contou aos irmãos.

– Sinto muito, muitíssimo, por ela ter morrido.

– É, nós também. Nós sentimos muito, ela era uma mulher muito boa – disseram.

Hans trocou palavras gentis com eles e, quando não havia muito mais a dizer, perguntou – porque é curioso e corajoso:

– Mas como posso ser respeitado se não salvei a vida da mulher?

– Ah, nós sabíamos que era difícil. Sabemos que a maioria das mulheres que passam por essa situação do braço saindo acabam morrendo.

– Mas por que passaram a me respeitar?

– Por causa do que o senhor fez depois.

– E o que foi?

– O senhor saiu da sala para o pátio. Não deixou o carro da vacinação ir embora. Correu para alcançá-lo, fez o motorista voltar, tirou caixas do carro e arrumou tudo para a mulher da nossa aldeia ser enrolada em um lençol branco. O senhor é que providenciou o lençol e até conseguiu outro, pequeno, para os pedaços do bebê. Depois deu ordens para o corpo da mulher ser colocado naquele jipe, e fez um funcionário sair para deixar espaço para os irmãos irem com ela. Assim, depois da tragédia, ela voltou para casa no mesmo dia, com o sol ainda brilhando. Fizemos o enterro naquela tarde, e toda a família dela, todo mundo estava aqui. Nunca esperamos que alguém demonstrasse tanto respeito por nós, agricultores pobres da floresta. O senhor é muito respeitado pelo que faz. Muito obrigado. O senhor sempre vai estar na nossa memória.

Hans fez uma pausa e me disse:

– Não fui eu que fiz aquilo. Foi Mama Rosa.

Mama Rosa era uma freira católica que trabalhava com Hans. Ela o tinha orientado: "Antes de fazer uma fetotomia peça a autorização da família. Não corte um bebê sem a permissão dos parentes. Depois, eles só vão pedir uma coisa: para levar os pedaços da criança. E o senhor vai dizer: 'Sim, vocês vão receber os pedaços e também um tecido para embrulhar a criança.' É assim que se faz. Eles não querem que mais ninguém fique com as partes do bebê. Querem ver todos os pedaços."

E Hans explicou:

– Quando aquela mulher morreu eu estava chorando. Mama Rosa passou o braço em volta de mim e disse: "Essa mulher era de uma aldeia muito distante. Precisamos levá-la para casa. Caso contrário ninguém daquela aldeia virá ao hospital pelos próximos dez anos." Perguntei como eu poderia fazer isso. "Vá correndo e pare o carro das vacinas", ela me disse.

Ele obedeceu.

– Mama Rosa conhecia a realidade daquelas pessoas – continuou ele. – Eu nunca saberia que precisava fazer aquilo. Muitas vezes, na vida, são os homens mais velhos que recebem o crédito pelo que os jovens e as mulheres fazem. Não está certo, mas é assim que funciona.

Esse foi o depoimento mais profundo de Hans sobre a extrema pobreza. Não se tratava de viver com um dólar por dia. Tratava-se de demorar dias para chegar ao hospital quando você está morrendo. De respeitar um médico não por salvar uma vida, mas por devolver um corpo à aldeia onde o morto vivia.

Se essa mãe morasse em uma comunidade próspera, e não em meio a agricultores em uma floresta remota de Moçambique, jamais teria perdido o bebê. Jamais teria perdido a vida.

Esse é o significado da pobreza que encontrei no meu trabalho e que também vejo na história de Hans: pobreza é não poder proteger sua família. Pobreza é não poder salvar seus filhos quando outras mulheres com mais dinheiro poderiam. Como o instinto mais forte de uma mãe é proteger os filhos, pobreza é a força mais desempoderadora na terra.

Portanto, se quisermos combater a pobreza e empoderar as mulheres, podemos fazer as duas coisas com uma única abordagem: *ajudando as mães a protegerem os filhos*. Foi assim que Bill e eu começamos nosso trabalho filantrópico. Na época não usamos essas palavras; simplesmente achávamos que a coisa mais injusta do mundo era o fato de crianças morrerem porque os pais são pobres.

No fim de 1999, em nossa primeira iniciativa global, nós nos unimos a países e organizações para salvar a vida de crianças menores de 5 anos. Uma parte importante da campanha consistiu em expandir a cobertura mundial de um pacote básico de vacinas, o que ajudou a reduzir pela metade a mortalidade infantil desde 1990: de 12 milhões por ano para 6 milhões.

Infelizmente a taxa de sobrevivência de recém-nascidos – bebês de até 28 dias de vida – não melhorou no mesmo ritmo. De todas as mortes de crianças menores de 5 anos, quase metade acontece no primeiro mês. E de todas as mortes no primeiro mês, o maior número ocorre no primeiro dia. Esses bebês nascem entre os mais miseráveis – muitos vivendo em áreas fora do alcance de hospitais. Como podemos salvar milhões de bebês quando suas famílias estão espalhadas por áreas remotas e se curvam a séculos de tradições relacionadas ao parto?

Não sabíamos, mas, se quiséssemos potencializar os bons resultados, precisávamos começar onde o estrago era mais grave. Por isso buscamos maneiras de salvar a vida de mães e bebês recém-nascidos.

O fator mais comum na morte materna e neonatal é a falta de assistência qualificada. Quarenta milhões de mulheres por ano dão à luz sem ajuda. Descobrimos que a melhor resposta – pelo menos a melhor resposta que nosso conhecimento nos permite oferecer agora – é treinar e desenvolver pessoas capazes de fornecer atendimento de saúde e que estejam presentes no momento do parto e nas horas e dias seguintes.

Em 2003 financiamos o trabalho de Vishwajeet Kumar, médico com treinamento avançado na Johns Hopkins, que estava lançando um programa para salvar vidas em numa aldeia chamada Shivgarh, em Uttar Pradesh, um dos estados mais pobres da Índia.

No meio desse projeto, Vishwajeet se casou com uma mulher chamada Aarti Singh. Aarti era especialista em bioinformática e começou a aplicar seus conhecimentos para criar e avaliar programas para mães e recém-nascidos. Ela se tornou membro indispensável da organização, que o povo da aldeia chamou de Saksham, ou "empoderamento".

Ao estudar os partos nas áreas rurais mais pobres da Índia, Vishwajeet e a equipe da Saksham encontraram muitas práticas comuns que oferecem grande risco para o bebê. Eles acreditavam que muitas mortes de recém-nascidos poderiam ser evitadas com condutas e procedimentos que custavam pouco ou nada e podiam ser realizados pela própria comunidade: aleitamento imediato, manter o bebê aquecido, cortar o cordão umbilical com instrumentos esterilizados. Era apenas uma questão de mudar o comportamento. Com verbas da USAID, do Save the Children e da nossa fundação – e ensinando às profissionais de saúde da comunidade práticas seguras para recém-nascidos –, em 18 meses o Saksham reduziu pela metade a mortalidade neonatal.

Na época da minha visita a Shivgarh, em 2010, 3 milhões de recém-nascidos ainda morriam em todo o mundo. Quase 10% dessas mortes ocorriam em Uttar Pradesh, conhecido como o epicentro das mortes neonatais e maternas. Se quiséssemos reduzir o número de mortes de recém-nascidos, Uttar Pradesh era um local importante onde trabalhar.

No meu primeiro dia de viagem, me reuni com cerca de cem pessoas da aldeia para falar sobre atendimento aos recém-nascidos. Era um grupo grande, com mães sentadas na frente e homens ao fundo. Mas a sensação era de intimidade: estávamos acomodados em tapetes à sombra de uma árvore grande, todos muito próximos para garantir que ninguém ficasse sob o sol escaldante. Depois da reunião fomos recebidos por uma família com um menino de cerca de 6 anos. Segundos depois, Gary Darmstadt, que na época era o diretor de saúde materna e neonatal de nossa fundação, sussurrou para mim:

– Foi *ele*; esse era o bebê!

Olhei para trás, vi o menino de 6 anos e perguntei:

– Que bebê? Ele não é um bebê.

– Foi esse que Ruchi salvou – disse ele.

– Ah, meu Deus! É o bebê de quem você me falou?

Aquele menino tinha virado quase uma lenda entre nós. Nascera no primeiro mês do programa do Saksham, quando os profissionais de saúde da comunidade tinham acabado de receber treinamento, a desconfiança da comunidade era grande e todo mundo estava observando. O "bebê" – aos meus olhos, um saudável menino de 6 anos – nascera no meio da noite. Fora a primeira gravidez de sua mãe, que, exausta, desmaiou durante o parto.

Assim que o sol despontou, a profissional de saúde da comunidade, recém-treinada, foi notificada do parto e correu até lá. Seu nome era Ruchi. Tinha 20 e poucos anos e vinha de uma família indiana de alta casta. Quando chegou, encontrou a mãe ainda inconsciente e o bebê frio. Ruchi perguntou o que estava acontecendo, e nenhum dos membros da família disse nada. Todos estavam aterrorizados.

Ruchi atiçou o fogo para aquecer o cômodo, depois pegou cobertores e enrolou a criança. Mediu a temperatura do menino – seu treinamento lhe ensinara que a hipotermia pode matar os bebês ou indicar infecção; ele estava extremamente frio, com cerca de 34,5°C. Ruchi tentou os procedimentos convencionais, mas nada funcionou. O bebê estava ficando azul. Não reagia, e Ruchi percebeu que ele morreria a não ser que ela fizesse alguma coisa imediatamente.

Uma das práticas para salvar vidas que Ruchi tinha aprendido era o método canguru: manter o bebê em contato direto com a pele da mãe para transferir a ele o calor dela. Essa técnica evita a hipotermia. Protege contra infecções. É uma das intervenções mais poderosas que conhecemos para salvar os bebês.

Ruchi pediu que a tia do bebê fizesse o método canguru, mas a mulher se recusou. Tinha medo de que o espírito maligno que, na opinião dela, havia se apoderado do bebê a dominasse também.

Então Ruchi ficou diante de uma escolha: ela própria faria o procedimento? A decisão não foi fácil: tamanha intimidade com um bebê de casta inferior poderia levar seus próprios parentes a ridicularizá-la. E essa era uma prática estranha à comunidade. Se não desse certo, a família poderia culpá-la pela morte do recém-nascido.

Porém, quando viu que o bebê estava ficando mais frio, ela abriu o sári e o encostou em sua pele nua, a cabeça dele aninhada entre os seios, um pano cobrindo os dois, em nome do recato e também para aquecê-lo. Ruchi segurou o bebê assim durante alguns minutos. A pele dele começou a se tornar rosada novamente. Ela pegou o termômetro e mediu a temperatura dele: estava um pouco melhor. Segurou-o por mais alguns minutos e mediu a temperatura de novo: mais alta ainda. Todas as mulheres presentes se inclinaram, observando enquanto o calor dela se irradiava pelo corpo do recém-nascido. Alguns minutos depois, ele começou a se mexer; depois se animou; em seguida começou a chorar. Ele estava bem. Não havia infecção. Era só um bebê saudável que precisava ser aquecido e abraçado.

Quando a mãe recuperou a consciência, Ruchi contou a ela o que havia acontecido e orientou-a a aplicar o método canguru. Em seguida, ajudou-a a iniciar o aleitamento. Ruchi ficou por mais uma hora, aproximadamente, observando o bebê colado à pele da mãe, e depois saiu da casa.

Essa história se espalhou como relâmpago pelas aldeias próximas. Da noite para o dia as mulheres deixaram de desconfiar da prática e começaram a dizer: "Quero fazer isso pelo meu bebê." Foi decisivo para o projeto. Não se consegue uma mudança de comportamento a não ser que uma prática nova seja transparente, funcione e vire assunto – e a notícia de Ruchi ter revivido aquele recém-nascido foi comentada em toda parte. Todas as mulheres podiam fazer aquilo. As mães passaram a ser vistas como salvadoras de vidas. Foi algo imensamente empoderador e transformador.

O copo delas não está vazio

Aprendi muito na viagem a Shivgarh, e a lição mais impressionante para mim – e o que a tornou um desvio em relação a boa parte do que tínhamos feito antes – é que aqueles benefícios não tinham a ver com avanços tecnológicos. Na fundação, sempre enfatizamos a pesquisa científica como forma de desenvolver inovações capazes de salvar vidas – vacinas, por exemplo. Chamamos isso de desenvolvimento de produtos, e continua a ser nossa principal contribuição. Mas o programa de Vishwajeet e Aarti para mães e recém-nascidos me mostrou quanto se pode alcançar compartilhando práticas simples que são amplamente conhecidas no mundo. Isso me ensinou que precisamos entender as necessidades humanas para oferecer serviços e soluções de modo eficaz para as pessoas. Os sistemas de entrega são importantes.

O que quero dizer com "sistema de entrega"? Levar ferramentas a quem precisa delas de um modo que encoraje as pessoas a usá-las. *Isso* é um sistema de entrega. É crucial, e frequentemente complexo. Pode exigir a superação de barreiras de pobreza, distância, ignorância, dúvida, estigma e preconceitos religiosos e de gênero. Significa ouvir as pessoas, descobrir de que precisam, o que estão fazendo, em que acreditam e que obstáculos enfrentam. Significa prestar atenção no modo como vivem. É isso que precisamos saber quando temos uma ferramenta ou técnica capaz de salvar vidas e queremos oferecê-la às pessoas.

Antes de lançar o programa, o Saksham contratou uma equipe local de ótimos estudantes que passaram seis meses trabalhando com a comunidade; a ideia era que entendessem suas práticas e crenças com relação ao parto. Vishwajeet me contou:

– O copo delas não está vazio; por isso, não podemos simplesmente despejar nossas ideias dentro dele. O copo já está cheio; precisamos entender o que há nele.

Se não entendermos o significado e as crenças que existem por trás das práticas da comunidade, não apresentaremos nossas ideias no contexto dos valores e das preocupações dela, e as pessoas não vão escutar.

Historicamente, as mães da comunidade iam ao brâmane, um membro da casta sacerdotal, e perguntavam quando deviam começar a amamentação. Ele então dizia: "Você não deve verter leite durante três dias, por isso deve começar depois de três dias." Informações falsas desempoderam. As mães seguiam o conselho do brâmane e, nos primeiros três dias de vida, davam água ao bebê – água frequentemente poluída. A equipe de Vishwajeet e Aarti havia se preparado para esse momento. Eles questionaram gentilmente as práticas tradicionais recorrendo a padrões da natureza que faziam parte do modo de vida dos aldeões. Citavam o exemplo de um bezerro com a mãe. "Quando tentamos ordenhar uma vaca e ela não dá leite, fazemos o bezerro mamar para que o leite desça. Então, por que você não experimenta a mesma coisa e encosta o bebê no seio para produzir leite?"

As aldeãs continuavam dizendo: "Não, não vai funcionar." Por isso a equipe local procurava algumas poucas pessoas da comunidade que tivessem coragem e influência e tentava persuadi-las. Os membros da equipe sabiam que, se pudessem criar uma cultura de apoio em torno de uma jovem mãe, a probabilidade de que ela experimentasse a nova prática seria muito maior. Quando algumas mães tentavam e conseguiam amamentar imediatamente, diziam: "Espere um minuto; a gente não sabia que podia fazer isso!" Então as coisas decolavam; a comunidade começava a dar uma chance a outras práticas de saúde também.

É delicado iniciar uma mudança em uma cultura tradicional. Isso precisa ser feito com cuidado e respeito absolutos. A transparência é crucial. As reclamações precisam ser ouvidas e os fracassos, reconhecidos. Pessoas do local devem liderar a transformação. É essencial enfatizar os objetivos compartilhados. As mensagens precisam apelar para a experiência das pessoas. A prática deve funcionar com clareza e rapidamente, e é importante destacar a ciência. Se o amor bastasse para salvar uma vida, nenhuma mãe jamais enterraria seu bebê – a ciência também é necessária. Mas o modo de transmitir a ciência é tão importante quanto a própria ciência.

Uma parteira em cada povoado

Quando voltei à fundação depois da viagem a Shivgarh, falei com nosso pessoal sobre entrega e percepção cultural e sobre como esses pontos são fundamentais para salvar vidas. Disse que precisamos continuar trabalhando na inovação dos produtos, em ciência e tecnologia, mas temos que dedicar a mesma paixão à inovação dos sistemas de entrega. Ambos são indispensáveis.

Vou dar um exemplo que é pessoal para mim e que nunca contei. Tem a ver com Myra, a irmã mais velha da minha mãe.

Minha tia Myra é muito querida. Quando criança eu a chamava de "minha outra mãe". Em suas visitas, passava tempo colorindo e brincando de jogos de tabuleiro com minha irmã, Susan, e eu. Também saíamos para fazer compras. Ela era tão cheia de energia e animada que nem passava pela minha cabeça o fato de que tia Myra não podia usar as pernas.

Um dia, quando minha mãe e Myra eram pequenas, na década de 1940, elas estavam brincando na casa de um tio-avô. A certa altura, ele disse à minha avó:

– Myra estava preguiçosa hoje. Quis que eu a carregasse no colo até em casa.

Naquela noite Myra acordou gritando de dor. Meus avós a levaram ao hospital e os médicos descobriram que ela estava com poliomielite. Enrolaram suas pernas com gaze, água fervida e colocaram bolsas de água quente; achavam que o calor ajudaria, mas não fez diferença. Três ou quatro dias depois as pernas dela estavam paralisadas. Ela ficou 16 meses no hospital e meus avós só tinham permissão de visitá-la aos domingos. Nesse meio-tempo, nenhuma criança do bairro brincava com minha mãe. Todo mundo morria de medo do vírus da pólio.

Nos anos 1940, o grande desafio da pólio era o desenvolvimento de produto, ou seja, chegar a uma vacina. A entrega não importava. Não havia nada para entregar. Não era uma questão de privilégio ou pobreza. A inovação científica ainda não havia acontecido. Ninguém estava protegido.

Assim que Jonas Salk desenvolveu sua vacina contra a pólio, em 1953, o esforço desesperado para proteger as pessoas da doença passou do desenvolvimento de produto para a entrega. E nesse caso a pobreza fez diferença. Habitantes de países ricos foram vacinados rapidamente. No fim da década de 1970 a pólio tinha sido erradicada nos Estados Unidos, mas continuava a assolar boa parte do mundo, inclusive a Índia, onde o vasto território e a população numerosa dificultavam muito a luta contra a doença. Em 2011, desafiando a maioria das previsões dos especialistas, a Índia erradicou a pólio. Foi um dos maiores feitos de saúde global de todos os tempos, e a Índia teve sucesso graças a um exército de mais de 2 milhões de agentes de saúde que atravessaram todo o país para encontrar e vacinar cada criança.

Em março de 2011, Bill e eu conhecemos uma jovem mãe e sua família em um pequeno povoado em Bihar, um dos estados mais rurais da Índia. Eram migrantes, miseráveis, e trabalhavam fazendo tijolos numa olaria. Quando perguntamos se os filhos dela tinham sido vacinados contra a pólio, ela entrou na cabana e voltou com um cartão de vacinação com os nomes dos filhos e as datas em que tinham recebido a vacina. Os agentes não haviam encontrado os filhos dela apenas uma vez; foram várias vezes. Ficamos pasmos. Assim a Índia se livrou da pólio: por meio de um sistema de entrega enorme, heroico, original e engenhoso.

Conhecer pessoas que entregam instrumentos capazes de salvar vidas é um dos pontos altos do meu trabalho. Alguns anos atrás, durante uma viagem à

Indonésia, conheci uma mulher chamada Ati Pujiastuti. Quando jovem, Ati havia participado de um programa do governo chamado Uma Parteira em Cada Povoado, que capacitou 60 mil parteiras. Ela fez o treinamento quando tinha apenas 19 anos e foi designada para trabalhar em um povoado rural nas montanhas.

Chegando lá, não foi bem recebida. As pessoas eram hostis e desconfiadas com relação a gente vinda de fora, especialmente mulheres jovens com ideias para melhorar as coisas. De algum modo, porém, essa jovem tinha a sabedoria de um ancião de aldeia. Foi de porta em porta se apresentar a todo mundo. Comparecia a todos os eventos comunitários. Comprava o jornal local e lia em voz alta para quem não soubesse ler. Quando o povoado teve acesso à eletricidade, ela juntou dinheiro para comprar uma minúscula televisão e convidava todos para assistir.

Mesmo assim ninguém queria seus serviços, até que, por puro acaso, uma grávida de Jacarta que estava visitando o local entrou em trabalho de parto e pediu a ajuda de Ati. O parto correu bem, os aldeões começaram a confiar nela, e logo todas as famílias queriam sua presença quando as mães davam à luz. Ati fazia o máximo para atender a todos os chamados, mesmo que às vezes corresse risco de vida. Uma ocasião perdeu o equilíbrio ao atravessar um rio e precisou se agarrar a uma pedra até que o socorro chegasse. Em outra, escorregou em um caminho lamacento na montanha perto da beira de um penhasco. Por várias vezes caiu da motocicleta em estradas de terra. Mesmo assim permaneceu firme e continuou trazendo bebês ao mundo. Sabia que estava salvando vidas.

Por mais que precisemos de mulheres no local entregando esses serviços, também precisamos delas em cargos importantes, com visão e poder. Uma dessas mulheres é a Dra. Agnes Binagwaho, ex-ministra da Saúde de Ruanda.

Em 2014 Agnes e eu fomos coautoras de um artigo no *The Lancet*. Chamamos atenção para o fato de que vidas de muitos recém-nascidos poderiam ser salvas se o mundo conseguisse remediar uma dura realidade: a maioria das mulheres em países de baixa renda dá à luz em casa sem o auxílio de uma ajudante qualificada.

Colocar uma ajudante treinada ao lado de cada mãe em trabalho de parto tem sido uma das maiores causas na vida de Agnes.

Não é uma causa que alguém teria previsto 25 anos atrás. Agnes trabalhava como pediatra na França, em 1994, quando começou a ouvir notícias assustadoras de seu país. Membros do grupo étnico majoritário, os hutus, tinham começado a exterminar a minoria tutsi. Ela acompanhou o horror de longe, enquanto quase um milhão de pessoas foram assassinadas em cem dias. Metade da família de seu marido foi morta.

Agnes partira de Ruanda aos 3 anos, quando seu pai levou a família para a França com o objetivo de estudar medicina. Depois do genocídio, porém, ela e o marido decidiram retornar ao país e ajudar a reconstruí-lo.

A volta foi um choque, especialmente para uma médica que trabalhava na Europa. Mesmo antes do genocídio, Ruanda era um dos piores lugares do mundo para dar à luz um filho, e o conflito piorou muito a situação. Quase todos os profissionais de saúde do país fugiram ou foram assassinados, e as nações ricas não estavam oferecendo ajuda. Uma semana depois de chegar, Agnes quase foi embora. Mas seu coração estava dilacerado por causa das pessoas que não podiam partir – por isso ficou, tornou-se a ministra da Saúde que serviu por mais tempo na história de seu país e passou as duas décadas seguintes contribuindo para montar um novo sistema da Saúde em Ruanda.

Sob o comando de Agnes, o Ministério da Saúde começou um programa em que cada aldeia local (com 300 a 450 moradores) elege três profissionais de saúde comunitária – um deles dedicado apenas à saúde materna.

Essas e outras mudanças foram muito bem-sucedidas. Desde o genocídio, Ruanda fez mais progresso para tornar o parto seguro do que quase qualquer outro país do mundo. A mortalidade neonatal caiu em 64%. A mortalidade materna caiu em 77%. Uma geração depois de Ruanda ser considerado uma causa perdida, seu sistema de saúde é estudado como modelo. Agora Agnes trabalha com o Dr. Paul Farmer, um dos meus heróis por levar atendimento médico aos pobres, primeiro no Haiti e depois em todo o mundo. A Partners in Health, da qual Paul foi cofundador, inaugurou uma nova universidade de ciências da saúde em Ruanda, a Universidade da Equidade de Saúde Global. Agnes é vice-chanceler da instituição e promove novas pesquisas sobre os fatores que fazem a entrega funcionar.

O que mais me inspira no trabalho de Agnes em Ruanda, no de Ati na Indonésia e no de Vishwajeet e Aarti na Índia é a comprovação de que o foco no sucesso da entrega pode aliviar os efeitos da pobreza. Isso enfatiza o valor das histórias de Hans Rosling sobre a extrema pobreza: quando começamos a entender o cotidiano dos pobres, isso não apenas desperta nossa vontade de ajudar, como também, com frequência, nos mostra como fazê-lo.

Quando algumas pessoas não têm acesso aos cuidados de saúde que a maioria recebe, o problema, por definição, é de entrega: remédios, serviços e assistência qualificada não estão chegando a elas. É isso que significa ser pobre. Essas pessoas estão à margem da sociedade. Não são contempladas com o benefício do que os seres humanos sabem fazer uns pelos outros. Assim, precisamos inventar um modo de levar isso a elas. É esse o significado de lutar contra os efeitos da pobreza. Não é glamoroso do ponto de vista tecnológico, mas traz profunda satisfação do ponto de vista humano: a inovação impulsionada pelo sentimento de que a ciência deveria servir a todos. Ninguém deveria ser excluído.

Este é um aprendizado que guardo no coração: a pobreza é criada por barreiras; precisamos driblar ou derrubar essas barreiras para oferecer soluções. Mas não é só isso. Quanto mais observei nosso trabalho de campo, mais percebi que a entrega precisa determinar a estratégia. O desafio de torná-la eficaz revela as causas da pobreza; a gente aprende *por que* as pessoas são pobres. Nem é preciso *adivinhar* quais são as barreiras: assim que tentamos levar ajuda, trombamos com elas.

Quando uma mãe não consegue obter o necessário para proteger os filhos, não é simplesmente por ser pobre. É algo mais específico. Ao dar à luz, ela não tem acesso a um profissional de saúde com os conhecimentos mais recentes e instrumentos essenciais. Por quê? Pode haver muitos motivos. Ela não tem informação. Não tem dinheiro. Mora longe da cidade. Seu marido se opõe. Sua sogra duvida. Ela não acha que poderia pedir. Sua cultura é contra. Quando sabemos por que uma mãe não consegue obter o que necessita, aí então podemos deduzir o que fazer.

Se a barreira é distância, dinheiro, conhecimento ou estigma, precisamos oferecer ferramentas e informações que estejam mais próximas, que sejam mais baratas e menos contaminadas pelo estigma. Para lutar contra a pobreza, precisamos identificar e estudar as barreiras e descobrir se são culturais, sociais, econômicas, geográficas ou políticas. Feito isso, é necessário driblá-las ou superá-las, de modo que os pobres não fiquem privados de benefícios desfrutados por outros grupos sociais.

Assim que dedicamos mais tempo a entender como as pessoas vivem, percebemos que muitas barreiras para o progresso – e muitos motivos para o isolamento – têm a ver com os limites impostos à vida das mulheres.

Em sociedades mergulhadas na miséria, as mulheres são empurradas para as margens. São excluídas. Não é coincidência. Quando qualquer comunidade rejeita um grupo, especialmente suas mulheres, abre-se uma crise que só pode ser revertida trazendo de volta quem foi segregado. Este é o principal remédio contra a pobreza e contra quase qualquer doença social: ir às margens da sociedade e trazer todo mundo de volta.

Quando eu estava no ensino fundamental, havia duas meninas que se sentavam no fundo da sala. Eram inteligentes, mas quietas e meio arredias. E havia outras duas meninas, confiantes e populares, que se sentavam na primeira fila. As garotas populares da frente pegavam no pé das garotas quietas do fundo. Não estou falando de algo que acontecia uma vez por semana; era todo dia.

Elas tinham o cuidado de fazer isso quando a professora não podia ver nem ouvir – de modo que ninguém fazia nada para impedi-las. E as meninas quietas foram ficando cada vez mais quietas. Tinham medo de levantar a cabeça e de fazer contato visual porque isso provocaria mais maus-tratos. Sofriam demais, e a dor não as abandonou nem mesmo quando as provocações pararam. Décadas mais tarde, em um encontro de ex-alunas, uma das garotas populares pediu desculpas, e uma das que sofreram bullying respondeu:

– Já era hora de você dizer alguma coisa.

Todos já vimos algo assim. E todos tivemos um papel nisso. Éramos os provocadores ou as vítimas, ou testemunhávamos o bullying e não impedíamos. Eu fazia parte desse último grupo. Presenciei tudo o que acabei de descrever. E não fiz nada porque tinha medo de que, se falasse alguma coisa, as meninas populares também me transformariam em alvo. Eu gostaria de ter descoberto como encontrar minha voz e ajudar as outras meninas a encontrar a delas.

À medida que fui crescendo, eu pensava que esse tipo de abuso aconteceria cada vez menos. Mas estava errada. Os adultos também tentam criar excluídos.

Na verdade, nos tornamos melhores nisso com o tempo. E a maioria de nós se encaixa em um daqueles mesmos três grupos: as pessoas que tentam criar excluídos, as que são levadas a se sentir assim e as que só observam e não impedem isso.

Qualquer um pode ser levado a esse sentimento de exclusão; estará nas mãos daqueles que tiverem o poder de excluir. Com frequência, isso ocorre por causa da etnia. A depender dos temores e preconceitos de uma cultura, os judeus podem ser tratados como excluídos. Os muçulmanos podem ser tratados como excluídos. Os cristãos podem ser tratados como excluídos. Os pobres são sempre excluídos. Os doentes são quase sempre excluídos. Pessoas com deficiência podem ser tratadas como excluídas. Membros da comunidade LGBTI+ podem ser tratados como excluídos. Os imigrantes em geral são excluídos. E em praticamente todas as sociedades as mulheres podem ser levadas a se sentir excluídas, mesmo na própria casa.

Superar a necessidade de criar excluídos é nosso maior desafio como seres humanos. É a chave para o fim da desigualdade. Estigmatizamos e empurramos para as margens as pessoas que despertam em nós sentimentos que queremos evitar. Por isso existem tantos velhos, fracos, doentes e pobres à margem da sociedade. Nossa tendência é excluir pessoas que têm as qualidades que mais temos encontrar em nós mesmos. Às vezes falsamente atribuímos a certos grupos características das quais não gostamos e depois os marginalizamos; nada mais é do que um modo de negar esses traços em nós mesmos. É isso que leva os dominantes a segregar diferentes grupos étnicos e religiosos.

E com frequência não somos honestos com relação ao que está acontecendo. Se estamos dentro e vemos alguém fora, dizemos a nós mesmos: "Não estou naquela situação porque sou *diferente*." Mas isso é apenas o orgulho falando. Poderíamos *facilmente* ser aquela pessoa. Temos tudo dentro de nós. Só não gostamos de confessar o que temos em comum com os excluídos porque nos parece humilhante demais. Isso talvez indique que o sucesso e o fracasso não são totalmente justos. Se você sabe que conseguiu a melhor parte na barganha, precisa ser humilde; mas é doloroso abrir mão do senso de superioridade e dizer: "Não sou melhor do que os outros." Assim, inventamos desculpas para nossa necessidade de excluir. Dizemos que tem a ver com mérito ou tradição, quando na verdade é só um modo de proteger nosso privilégio e nosso orgulho.

Na história de Hans, aquela mãe perdeu a vida porque era uma excluída. Perdeu o bebê porque era uma excluída. E seus familiares tinham uma lembrança calorosa do médico que devolveu os corpos à aldeia porque eram excluídos. Não estavam acostumados a ser tratados com respeito. Por isso sofriam tantas mortes.

Salvar vidas começa com trazer todo mundo para dentro. Nossas sociedades serão mais saudáveis quando não houver excluídos. Devemos lutar por isso. Precisamos continuar trabalhando para reduzir a pobreza e a doença. Precisamos ajudar os excluídos a resistir ao poder de pessoas que querem mantê-los do lado de fora. Mas também precisamos fazer nosso trabalho interior e observar de que maneiras excluímos. Precisamos abrir os braços e o coração para as pessoas que colocamos à margem. Não basta ajudar os excluídos a lutar para entrar: o verdadeiro triunfo virá quando não empurrarmos mais ninguém para fora.

CAPÍTULO TRÊS

Todas as coisas boas

Planejamento familiar

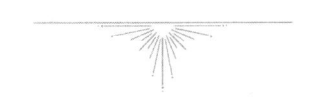

Alguns dias depois de visitar o programa de Vishwajeet e Aarti, que treinava profissionais de saúde comunitária para assistir os partos em casa, conheci um programa de saúde materna e neonatal chamado Sure Start, que encoraja as mães a dar à luz em clínicas onde há equipamentos médicos e gente treinada para realizar partos.

Quando cheguei ao local do projeto, fui convidada para observar uma turma de 25 mulheres grávidas que participavam de um jogo de perguntas e respostas a respeito dos princípios da boa saúde, respondendo sobre o aleitamento precoce e o atendimento de primeira hora ao recém-nascido. Depois me encontrei com um grupo de mulheres formado por grávidas e familiares, principalmente sogras e cunhadas. Perguntei às grávidas se elas enfrentavam alguma resistência da família por participarem do programa. Depois perguntei às sogras o que havia mudado desde que elas próprias estiveram grávidas. Uma mulher mais velha me contou que tinha dado à luz oito crianças em casa, mas seis tinham morrido menos de uma semana depois do parto. Agora sua nora estava grávida pela primeira vez e ela queria que a jovem recebesse o melhor atendimento possível.

À tarde visitei a casa de uma mãe chamada Meena, que tinha dado à luz um menino apenas duas semanas antes. O marido de Meena trabalhava nos arredores de onde moravam para ganhar o sustento do dia. Todos os filhos tinham nascido em casa, menos o último, que viera ao mundo em uma clínica com o apoio da Sure Start. Meena segurava o bebê no colo enquanto conversávamos.

Perguntei a ela se o programa tinha ajudado, e Meena me respondeu com um sim entusiasmado. Dar à luz em uma clínica lhe pareceu mais seguro para ela e para o bebê. Além disso, tinha começado a amamentar no mesmo dia, o que propiciou a criação imediata do vínculo afetivo com o filho, e ela adorou isso. Estava muito animada, muito positiva. Ficou claro que se sentira bem com o programa; portanto, fiquei feliz.

Depois perguntei:

– Você quer ter mais filhos?

Foi como se eu tivesse gritado com ela. Meena baixou os olhos e permaneceu em silêncio por um tempo longo e incômodo. Fiquei preocupada achando que tivesse feito alguma grosseria, ou talvez a intérprete houvesse dado uma tradução ruim, porque Meena continuou olhando para o chão. Depois levantou a cabeça, me olhou nos olhos e disse:

– A verdade é que não, não quero ter mais filhos. Nós somos muito pobres. Meu marido trabalha muito, mas somos pobres demais. Não sei como vou alimentar essa criança. Não tenho esperança de que ela estude. Na verdade, não tenho nenhuma esperança para o futuro desse filho.

Fiquei pasma. As pessoas costumam me contar as notícias boas, e quase sempre eu é que faço perguntas para descobrir o restante. Essa mulher teve a coragem de me dizer toda a verdade dolorosa. Nem precisei fazer outras perguntas. E ela ainda não havia terminado.

– A única esperança que tenho para o futuro desse bebê – disse ela – é a senhora levá-lo para a sua casa. – Em seguida pôs a mão na cabeça do menino de 2 anos que estava junto à sua perna e continuou: – Por favor, leve esse também.

Fiquei *arrasada*. Rapidamente tínhamos passado de uma conversa alegre sobre um parto saudável para uma confissão sinistra sobre o sofrimento de uma mãe, um sofrimento tão grande que a dor de entregar os filhos era menor do que a de ficar com eles.

Quando uma mulher compartilha seu sofrimento comigo, recebo isso como uma honra enorme. Ouço com atenção, ofereço minha compaixão e depois tento encontrar algo positivo. Mas qualquer coisa animadora que eu tentasse dizer naquele momento soaria falsa e ofensiva. Fiz uma pergunta e ela falou a verdade; fingir otimismo equivaleria a negar sua dor. E a dor que ela descrevia estava além da minha capacidade de compreensão: para Meena, o único modo de ajudar seus filhos a ter uma vida boa era encontrar outra mãe para eles.

Da maneira mais delicada que encontrei, eu disse que tinha três filhos e que seus filhos precisavam dela e a amavam. Depois perguntei:

– Você já ouviu falar de planejamento familiar?

– Sim, há pouco tempo, mas vocês não me contaram antes, e agora é tarde demais para mim.

Essa jovem mãe se sentia completamente fracassada, e o mesmo sentimento tomou conta de mim. Nós a havíamos decepcionado de maneira devastadora. Eu estava tão dominada pela emoção que nem me lembro de como nos separamos e como me despedi.

Meena ocupou meus pensamentos pelo resto da viagem. Demorei muito tempo até conseguir assimilar tudo aquilo. Obviamente era bom ajudá-la a dar à luz em uma clínica, mas não bastava. Não estávamos vendo o quadro completo. Tínhamos um programa de saúde materna e neonatal e falávamos com as grávidas sobre suas necessidades de saúde materna e neonatal. Essa era a lente pela qual examinávamos o trabalho, mas a lente que *deveríamos* usar eram os olhos de Meena.

Quando converso com mulheres em países pobres, vejo pouca diferença entre o que todas queremos para nós e para nossos filhos. Queremos que as crianças estejam em segurança, sejam saudáveis, felizes, saiam-se bem na escola, realizem seu potencial, cresçam e tenham famílias e meios de vida – que amem e sejam amadas. Quanto a nós, queremos ter saúde, desenvolver nossos talentos e compartilhá-los com a comunidade.

O planejamento familiar é fundamental para satisfazer cada uma dessas necessidades, não importa onde se viva. Foi preciso uma mulher corajosa para gravar essa mensagem a ferro e fogo em mim, e sua dor se tornou um divisor de águas no meu trabalho. Quando uma pessoa me diz uma dura verdade, posso ter certeza de que ela está falando por outras que não são tão ousadas. Isso me faz prestar mais atenção, e então percebo que outras vinham dizendo a mesma coisa o tempo todo, só que mais baixo. Não escutei porque na verdade não estava prestando atenção.

Pouco depois de conversar com Meena, viajei ao Malawi e visitei um centro de saúde. O centro tinha uma sala para vacinação, uma para crianças doentes, uma para pacientes com HIV e uma para planejamento familiar. Havia uma longa fila de mulheres esperando para entrar na sala de planejamento familiar. Conversei com algumas, perguntando de onde vinham, quantos filhos tinham, quando tenham começado a fazer uso de anticoncepcionais e que tipo usavam. Minha curiosidade era equivalente à ansiedade daquelas mulheres para falar sobre a vida delas. Uma me contou que tinha ido para receber a injeção, mas não sabia se estaria disponível, e todas as outras fizeram que sim com a cabeça. Disseram que andavam 15 quilômetros até a clínica sem saber se haveria o contraceptivo, e muitas vezes não havia; nesses casos, ofereciam a elas outros métodos. Podiam levar preservativos, por exemplo, que as clínicas costumavam ter em grande quantidade por causa da epidemia de aids. Porém, quase sempre a camisinha é inútil para mulheres que tentam evitar a gravidez. Muitas me disseram: "Se eu pedir para o meu marido usar, ele vai bater em mim. É como se eu o acusasse de ser infiel e de ter HIV, ou então dissesse que eu fui infiel e peguei HIV." Ou seja, os preservativos eram inúteis para a maioria das mulheres. Muitas clínicas diziam que tinham estoques de contraceptivos quando, na verdade, tudo o que possuíam eram camisinhas.

Depois de ouvir a maioria das mulheres contar a mesma história, que percorriam longas distâncias e não conseguiam receber a injeção, entrei na sala e descobri que, de fato, a clínica *não* tinha o anticoncepcional que todas tinham ido tomar. Essa não era uma inconveniência pequena para as mulheres. Não era só uma questão de ir de carro até a farmácia mais próxima. Não existia farmácia. E elas tinham andado quilômetros a pé. E não havia outros contraceptivos que pudessem usar. Não faço ideia do número de mulheres que conheci naquele dia que engravidaram porque o centro de saúde não tinha injeções anticoncepcionais.

Uma gravidez não planejada pode ser devastadora para mulheres sem condições de alimentar os filhos que já têm, velhas demais, novas demais ou doentes demais. Minha visita a Meena abriu meus olhos para as mulheres que não conheciam os anticoncepcionais. Minha visita ao Malawi abriu meus olhos para as mulheres que sabiam sobre os anticoncepcionais e queriam obtê-los, mas não conseguiam.

Para mim não tinha sido uma revelação o fato de as mulheres quererem anticoncepcionais. Eu sabia disso por experiência própria, e essa era uma das causas que apoiávamos na fundação. Depois dessas viagens, porém, comecei a ver isso como um ponto central, como a prioridade número um para as mulheres.

Quando as mulheres podem decidir o momento de engravidar e espaçar os partos, a mortalidade materna cai, a mortalidade neonatal e infantil cai, mães e bebês são mais saudáveis, os pais têm mais tempo e energia para cuidar de cada filho e as famílias dispõem de mais recursos para a alimentação e a educação de cada um. Não havia intervenção mais poderosa – e nenhuma que tivesse sido mais negligenciada.

Em 1994, a Conferência Internacional sobre População e Desenvolvimento no Cairo atraiu mais de 10 mil participantes de todo o mundo. Foi a maior cúpula que já houve sobre o tema e dela emergiu uma declaração histórica sobre os direitos das mulheres e das meninas. Falou-se da urgência do empoderamento das mulheres; estabeleceram-se objetivos para a saúde e a educação feminina e afirmou-se que o acesso aos serviços de saúde reprodutiva, inclusive ao planejamento familiar, é um direito humano básico. No entanto, as verbas para financiar programas de planejamento familiar tinham se reduzido significativamente desde o encontro no Cairo.

Esse é um grande motivo pelo qual os anticoncepcionais foram prioridade para mim em 2010 e 2011. E o assunto pipocava em todos os lugares aonde eu ia. Em outubro de 2011, Andrew Mitchell, o secretário de Estado do Reino Unido para o desenvolvimento internacional, estava em Seattle participando de uma cúpula sobre malária organizada por nossa fundação. Naquela ocasião, ele me procurou com uma ideia: será que estaríamos interessados em organizar outra cúpula para o ano seguinte, desta vez sobre planejamento familiar? (Sim, estávamos, e foi a que descrevi no Capítulo 1.)

A ideia de uma cúpula internacional sobre planejamento familiar me pareceu ao mesmo tempo assustadora e emocionante, um projeto gigantesco. Eu sabia que precisaríamos enfatizar a definição de objetivos, melhorar os dados e ser mais estratégicos. Mas também sabia que, se quiséssemos estabelecer objetivos ambiciosos e alcançá-los, haveria um desafio muito maior: seria necessário mudar todo o tom da conversa sobre planejamento familiar. Um diálogo sensato, racional e prático sobre os anticoncepcionais tinha se tornado impossível por causa da história dolorosa em torno do conceito de controle da natalidade. Os defensores do planejamento familiar precisavam deixar claro que não estávamos falando de controle populacional. Não estávamos falando de coação. A agenda da cúpula não era sobre aborto; era sobre contemplar as necessidades contraceptivas das mulheres e permitir que *elas* escolhessem se e quando teriam filhos. Precisávamos fazer com que a conversa incluísse as mulheres que eu vinha conhecendo. Precisávamos trazer as vozes *delas*, as vozes que tinham sido excluídas.

Foi por isso que, pouco antes da cúpula, visitei o Níger, país que detém um dos maiores índices de pobreza do mundo. Nessa sociedade patriarcal, a taxa de uso de anticoncepcionais é extremamente baixa e as mulheres têm em média mais de sete filhos. Há leis de casamento que permitem aos homens ter várias esposas e leis sobre herança que legam às filhas metade do que é entregue aos filhos e nada às viúvas sem filhos. Segundo o programa Save the Children, o Níger era "o pior lugar do mundo para ser mãe". Fui até lá para ouvir as mulheres e conhecer essas mães.

Viajei até uma aldeia a cerca de uma hora e meia a noroeste da capital, onde conheci uma mulher, plantadora de quiabo, chamada Sadi Seyni (também falei dela no Capítulo 1). Sadi casou-se aos 19 anos – velha para o Níger, onde quase 76% das jovens com menos de 18 anos são casadas. Sete meses depois de dar à luz o primeiro filho, engravidou outra vez. Só aprendeu sobre planejamento familiar depois do terceiro, quando um médico na clínica local, que tinha apenas uma sala, lhe falou sobre anticoncepcionais. Ela começou a espaçar os nascimentos. Quando a conheci, Sadi estava com 36 anos e tinha seis filhos.

Conversamos na casa dela. Sadi sentou-se à minha frente, em sua cama, com duas crianças ao lado, outra aninhada no colo, uma de pé atrás dela e duas filhas mais velhas acomodadas perto. Todos vestiam tecidos coloridos, cada um com uma estampa diferente, e a mãe e as garotas mais velhas usavam turbante; o de Sadi era roxo. O sol penetrava pelas janelas, sua luz filtrada parcialmente por um lençol que elas haviam pendurado, e Sadi respondeu às minhas dúvidas com uma energia que deixava bem claro: estava feliz por estarem lhe perguntando.

– Quando a gente não faz planejamento familiar – disse –, todo mundo na família sofre. Eu tinha um bebê nas costas e outro na barriga. Meu marido precisava se endividar para pagar o básico, mas nem isso bastava. É um sofrimento completo não programar a gravidez, e eu vivi isso na pele.

Perguntei se ela queria ter outro filho, e Sadi respondeu:

– Não até que a pequenina esteja com pelo menos 4 anos. Com essa idade, ela poderá brincar com o irmãozinho ou irmãzinha; poderá carregá-lo nas costas. Mas se eu arranjasse um irmãozinho para ela agora, seria o mesmo que castigá-la.

Quando perguntei como as mulheres ficavam sabendo sobre os anticoncepcionais, ela disse:

– O bom de ser mulher aqui é que a gente se reúne sempre e conversa muito. Conversamos quando nos encontramos embaixo de uma árvore para bater o painço. Conversamos nas festas quando um bebê nasce, e é aí que eu falo com as outras sobre a injeção e sobre como é muito mais fácil tomar a injeção do que a pílula. Digo que elas devem tomar para dar uma folga a elas mesmas e aos filhos.

Que mãe não entenderia isto: dar uma folga a ela própria e aos filhos?

No dia seguinte visitei o Centro Nacional para a Saúde Reprodutiva em Niamei, a capital. Depois de conhecermos o lugar, cinco mulheres se juntaram a nós em uma conversa. Duas jovens nos contaram sobre a vida delas e em seguida ouvimos uma expansiva mãe de 42 anos chamada Adissa. Adissa tinha se casado aos 14 anos, dado à luz dez filhos e perdido quatro. Depois da décima gravidez foi ao centro de planejamento familiar para colocar um DIU e desde então não engravidou mais. Isso fez com que seu marido e sua cunhada a olhassem com suspeitas e perguntassem por que não tinha tido filhos recentemente. "Estou cansada", respondeu a eles.

Quando perguntei a Adissa por que ela decidiu usar um DIU, ela parou para pensar.

– Quando eu tinha dois filhos, ainda conseguia comer – respondeu. – Agora não posso.

Ela recebe do marido o equivalente a pouco mais de um dólar por dia para cuidar de toda a família.

Perguntei a Adissa se ela teria algum conselho para as mulheres mais jovens que estavam ali, e ela falou:

– Quando você não tem condição de cuidar dos próprios filhos, só os está ensinando a roubar.

Alguns minutos depois, todas nos levantamos para ir embora. Adissa foi até a travessa de comida que ninguém tinha tocado, colocou a maior parte dentro da bolsa, enxugou uma lágrima e saiu da sala.

Enquanto eu assimilava tudo o que havia escutado, senti uma vontade imensa de que todo mundo ouvisse Adissa. Queria uma conversa conduzida por mulheres que tivessem sido excluídas: mulheres que querem anticoncepcionais e precisam deles, e cuja família sofre porque elas não conseguem obtê-los.

A velha conversa – que deixa as mulheres de fora

Mudar a conversa tem sido muito mais difícil do que eu esperava, porque a discussão é muito antiga, baseada em preconceitos que não desaparecem com facilidade. Esse debate, em parte, representa uma resposta ao trabalho de Margaret Sanger, que deixou um legado controverso.

Em 1916, Sanger inaugurou a primeira clínica a oferecer contraceptivos nos Estados Unidos. Dez dias depois foi presa. Pagou fiança, voltou ao trabalho e foi presa de novo. Era ilegal distribuir anticoncepcionais. Também era ilegal receitá-los, fazer propaganda ou falar sobre eles.

Sanger nasceu em 1879. Sua mãe engravidou 18 vezes e cuidou de 11 filhos antes de morrer de tuberculose e câncer de colo do útero aos 50 anos. Sua morte encorajou Sanger a se tornar enfermeira e trabalhar nas favelas de Nova York com mães imigrantes pobres que não utilizavam nenhum método contraceptivo.

Em seus discursos, ela contava a história de quando foi chamada ao apartamento de uma mulher de 28 anos que, desesperada para evitar outro filho, induziu um aborto e quase morreu. Percebendo que tinha sobrevivido por pouco, a mulher perguntou ao médico como poderia impedir outra gravidez. O médico sugeriu que ela mandasse o marido dormir no telhado.

Três meses depois a mulher estava grávida de novo. Mais uma tentativa de aborto, e Sanger foi chamada pela segunda vez ao apartamento. Dessa vez a mulher morreu logo depois de sua chegada. Ela contou que isso a impeliu a abandonar a enfermagem, jurando que "nunca pegaria outro caso até tornar possível às mulheres trabalhadoras dos Estados Unidos conhecer o controle da natalidade".

Sanger acreditava que as mulheres só mudariam seu status social se pudessem evitar a gravidez indesejada. Além disso, via o planejamento familiar como uma questão de liberdade de expressão. Dava palestras. Fazia lobby com políticos. Publicava colunas, panfletos e um jornal falando sobre contraceptivos. Todas essas atitudes eram ilegais na época.

Sua prisão em 1916 a transformou numa celebridade, e nas duas décadas seguintes mais de um milhão de mulheres escreveram para ela desesperadas, implorando sua ajuda para obter contraceptivos. Uma escreveu: "Eu faria qualquer coisa para ajudar meus dois filhos a ter uma vida decente. Vivo com medo constante de engravidar cedo demais outra vez. Minha mãe deu à luz 12 filhos."

Outra carta: "Tenho problema cardíaco e preferiria estar aqui para criar esses quatro a ter mais filhos e talvez morrer."

Uma agricultora do sul do país escreveu: "Preciso carregar meus bebês para a plantação e o sol queima a pele do rosto deles até formar bolhas... Meu marido disse que pretende ensinar nossas meninas a arar, e não quero mais filhos para serem escravos." Essas cartas foram publicadas em um livro chamado *Motherhood in Bondage* (Maternidade na escravidão). Sanger escreveu: "Elas abriram a alma para mim, uma estranha, porque em sua fé intuitiva confiam que eu possa dar uma ajuda que é negada por maridos, sacerdotes, médicos e vizinhos." Quando li algumas dessas cartas, me veio à mente uma canção que lembro em momentos nos quais estou envolvida no trabalho – uma canção que eu escutava sempre na igreja quando era criança e ia à missa cinco vezes por semana na escola católica. É profundamente triste, linda e pungente, e o refrão era assim: "O Senhor ouve o clamor dos pobres." As freiras nos diziam que o papel dos fiéis era atender a esse clamor.

Os pedidos de ajuda nessas cartas guardam fortes semelhanças com as vozes de Meena, Sadi, Adissa e muitas outras com quem conversei nas clínicas de saúde e na casa delas. Estão todas distantes no tempo e no espaço, mas têm em comum o esforço para serem ouvidas e a relutância de suas comunidades em escutar.

Em muitas culturas, a oposição aos contraceptivos traz implícita uma hostilidade velada em relação às mulheres. O juiz que condenou Margaret Sanger declarou que as mulheres não tinham "o direito de copular com um sentimento de segurança de que não haverá uma concepção resultante".

Verdade? Por quê?

Esse juiz, que condenou Sanger a trinta dias de trabalho em um reformatório, expressava a visão disseminada de que a atividade sexual da mulher era imoral quando apartada de sua função de ter filhos. Uma mulher que obtivesse contraceptivos para *evitar* filhos estaria agindo de modo ilegal nos Estados Unidos graças ao empenho de Anthony Comstock.

Comstock, que nasceu em Connecticut e serviu à União na Guerra Civil, foi o fundador, em 1873, da Sociedade Nova-Iorquina para a Supressão do Vício; ele fazia pressão pela aprovação de leis – mais tarde batizadas com seu nome – que tornavam ilegal, entre outras coisas, enviar pelos correios informações ou anúncios de contraceptivos ou os próprios. As Leis Comstock também estabeleceram o novo posto de agente especial dos Correios, cujo ocupante tinha autorização para andar com algemas e uma arma e para prender quem violasse a lei – um cargo criado para o próprio Comstock, que adorava representar esse papel. Ele alugou uma caixa postal e mandava anúncios falsos a pessoas das quais suspeitava. Quando recebia uma resposta, ia atrás da remetente e efetuava a prisão. Algumas mulheres apanhadas nessa armadilha cometeram suicídio, preferindo a morte à vergonha de um julgamento público.

Comstock era produto de seu tempo, e seus pontos de vista eram amplificados pelas pessoas que estavam no poder. O congressista que apresentou a lei argumentou durante o debate: "Os bons homens deste país [...] agirão com energia absoluta para proteger o que têm de mais precioso na vida: a santidade e a pureza de seus lares."

A lei foi aprovada facilmente e as assembleias legislativas dos estados aprovaram versões próprias, quase sempre mais rígidas. Em Nova York era ilegal falar sobre contraceptivos, até mesmo com os médicos. Claro, nenhuma mulher votou nessa lei e nenhuma mulher votou nos homens que a aprovaram. O voto feminino só seria possível décadas mais tarde. A decisão de criminalizar os anticoncepcionais foi tomada por homens, para as mulheres.

Comstock falava abertamente de suas motivações. Dizia estar em uma cruzada pessoal contra "a luxúria, amiga íntima de todos os outros crimes". Depois de comparecer a uma recepção na Casa Branca e ver mulheres com maquiagem, cabelo empoado e "vestidos cavados", declarou que elas eram "absolutamente abomináveis para todos aqueles que amam as mulheres puras, nobres e recatadas". "Como podemos respeitá-las?", escreveu. "Elas desgraçam nossa terra." Aos olhos de Comstock e de seus aliados, as mulheres podiam representar poucos papéis na vida: casar-se e servir ao homem, parir e cuidar dos filhos dele. Qualquer desvio desses deveres trazia desonra – porque a mulher não era um ser humano com o direito de estar no mundo por si mesma; não podia estudar nem alcançar a realização profissional, muito menos buscar o próprio prazer. O prazer feminino, sobretudo o de caráter sexual, era aterrorizante para os mantenedores da ordem social. Se as mulheres fossem livres para buscar o próprio prazer, isso atacaria o cerne do código masculino não verbalizado: "Você existe para o *meu* prazer!" E os homens achavam que precisavam controlar a fonte de seu prazer. Assim, Comstock e outros se esforçavam ao máximo para transformar o estigma em arma e usá-lo para manter as mulheres no lugar onde estavam. O valor delas decorria apenas do serviço prestado aos homens e aos filhos.

A necessidade masculina de regular o comportamento sexual das mulheres persistiu nos Estados Unidos mesmo depois de 1936, quando a Corte do Segundo Circuito autorizou os médicos a aconselhar pacientes sobre métodos anticoncepcionais e prescrevê-los. Apesar desse avanço, muitas restrições perduraram em todo o país até 1965, quando a Suprema Corte decidiu, no processo *Griswold versus Connecticut*, que as limitações contraceptivas eram uma intromissão na privacidade conjugal, *derrubando as restrições apenas para pessoas casadas!* A resolução não mencionava os direitos dos não casados, de modo que em muitos estados os métodos anticoncepcionais foram negados para as solteiras. Isso não faz tanto tempo assim. Mulheres na faixa dos 70 anos ainda me procuram nos eventos e contam: "Eu precisava enganar meu médico para ele pensar que eu era casada, caso contrário não conseguiria obter contraceptivos." As mulheres solteiras só tiveram o direito legal a esses métodos em 1972, depois do caso *Eisenstad versus Baird*.

Esse entrave no debate sobre planejamento familiar se baseia no desconforto da sociedade em relação à sexualidade feminina e perdura até hoje. Se uma mulher defender publicamente a oferta de contraceptivos pelo plano de saúde, sempre haverá uma voz masculina misógina tentando envergonhá-la com argumentos como: "Não vou subsidiar a vida sexual de uma mulher."

Envergonhar as mulheres por sua sexualidade é uma prática padrão para abafar as vozes daquelas que querem decidir se e quando terão filhos. Mas não é a única discussão que sufocou a voz feminina. Muitos interesses tentaram controlar a natalidade de maneiras que tornaram difícil um debate sensato sobre contracepção hoje em dia.

Em um esforço para controlar suas populações, China e Índia adotaram programas de planejamento familiar na década de 1970. A China criou a política do filho único e a Índia deu ênfase à prática da esterilização. Nas décadas de 1960 e 1970 a política externa norte-americana abraçou o controle populacional por acreditar que a superpopulação levaria à fome em massa e, possivelmente, a uma migração em grande escala devido à falta de alimentos.

No início do século XX os defensores do controle da natalidade nos Estados Unidos também tinham lutado por suas ideias, muitos esperando ajudar os pobres a evitar filhos indesejados. Alguns eram eugenistas que buscavam eliminar os "inadequados" e instigavam certos grupos a ter menos filhos ou filho nenhum.

A própria Sanger defendia algumas posições eugenistas. A eugenia é moralmente inaceitável, além de desacreditada pela ciência. Mas essa história está sendo usada para confundir o debate sobre os anticoncepcionais hoje em dia. Os opositores da contracepção tentam desacreditar os anticoncepcionais modernos trazendo à tona a história da eugenia, argumentando que, como foram usados com alguns objetivos imorais, deveriam ser banidos, mesmo no caso de mulheres que desejassem espaçar gestações.

Há outra questão que impediu uma discussão clara e sensata sobre os anticoncepcionais: o aborto. Nos Estados Unidos e ao redor do mundo, o debate emocional e pessoal sobre o aborto pode obscurecer os fatos sobre o poder da contracepção para salvar vidas.

Os métodos contraceptivos salvam vidas. Além disso, reduzem o número de abortos. Graças ao uso de anticoncepcionais, em apenas um ano foi possível evitar 26 milhões de abortos inseguros nos países mais pobres do mundo, segundo dados mais recentes.

Em vez de reconhecer o papel dos contraceptivos na redução do aborto, alguns opositores os confundem com ele. A simples ideia de permitir que as mulheres escolham se ou quando terão filhos é tão ameaçadora que seus oponentes se esforçam para fazer com que pareça tratar-se de outra coisa. E tentar transformar o debate sobre contraceptivos em um debate sobre aborto é um modo muito eficaz de sabotar a conversa. O aborto é um tema tão polêmico que pessoas com pontos de vista diferentes sobre a questão não costumam falar umas com as outras sobre a saúde das mulheres. Não é possível dialogar quando não há interlocução do outro lado.

A poderosa oposição da Igreja Católica aos anticoncepcionais também afetou o debate sobre planejamento familiar. Depois dos governos, a Igreja é o maior provedor de educação e serviços médicos no mundo, o que lhe dá ampla presença e garante alto impacto na vida dos pobres. Isso é positivo em muitos sentidos, mas não quando essa instituição desencoraja as mulheres de obter os anticoncepcionais necessários para retirar a própria família da miséria.

Essas são algumas discussões que mobilizaram o mundo nos últimos cem anos ou mais. Cada uma delas ajudou a abafar as vozes e as necessidades de mulheres, meninas e mães, o que nos ofereceu um propósito crucial para organizar a primeira cúpula em 2012: abrir uma nova discussão, dessa vez conduzida pelas mulheres que tinham sido deixadas de fora. Mulheres que queriam tomar a própria decisão sobre ter filhos sem a interferência de políticos, demógrafos ou teólogos cujos pontos de vista as forçariam a ter mais ou menos filhos do que elas queriam.

Em minha palestra de abertura naquele dia em Londres perguntei aos delegados: "Estamos facilitando para as mulheres o acesso aos anticoncepcionais de que elas precisam, quando precisam?" Falei sobre a viagem que tinha feito alguns anos antes ao bairro pobre de Korogocho (palavra que significa "ombro a ombro"), em Nairóbi. Estava discutindo métodos contraceptivos lá com um grupo de mulheres quando uma jovem mãe chamada Marianne perguntou:

– Quer saber por que eu uso anticoncepcionais? – Então ela levantou seu bebê e disse: – Porque quero proporcionar *todas as coisas boas* a esta criança antes de ter outra.

Esse desejo é universal, mas o acesso ao planejamento familiar não é. Lembrei a todo mundo na conferência que era por isso que estávamos ali.

Então, para deixar claro que naquela cúpula as mulheres dominariam a conversa, saí de cena e convidei outra mulher para subir ao palco e completar minha palestra.

A oradora era Jane Otai, que tinha atuado como minha tradutora no dia em que conversei com Marianne. Criada em Korogocho, em uma família com sete filhos, Jane tinha saído de lá e obtido um diploma universitário. Então voltou para ajudar as meninas que enfrentavam os mesmos problemas pelos quais havia passado.

Jane falou sobre como era crescer pobre, e enfatizou:

– Minha mãe dizia: "Você pode ser o que quiser. Só precisa estudar muito. E esperar. Não tenha filhos cedo, como eu."

Ela encerrou a palestra, dizendo:

– Como alguém me falou muito cedo sobre planejamento familiar, pude adiar a primeira gravidez e espaçar meus filhos. É por isso que estou aqui. Se não fosse o planejamento familiar, eu seria como qualquer outra criança em Korogocho.

Depois da cúpula – um pouco da velha discussão

A cúpula foi considerada um sucesso, com um número sem precedentes de promessas de apoio financeiro e parceria de organizações e governos em todo o globo, mas logo descobri que ainda seria difícil mudar o rumo da conversa.

Logo depois da cúpula, fui alvo de críticas em uma matéria de primeira página do *L'Osservatore Romano*, o jornal oficial do Vaticano. Eu tinha "me desviado do bom caminho", dizia a reportagem, e havia me deixado levar "por informações equivocadas". O texto falava ainda que qualquer fundação é livre para financiar a causa que quiser, mas não "para persistir na desinformação e apresentar as coisas de modo falso". Segundo o artigo, eu estava desconsiderando ou distorcendo o valor do planejamento familiar natural; havia ainda uma sugestão de que eu estivesse sendo manipulada por corporações que queriam lucrar com a venda de anticoncepcionais. O movimento que tínhamos iniciado na cúpula para expandir o acesso aos métodos contraceptivos se baseava "em uma compreensão infundada e insuficiente". Observei que a matéria se concentrava em mim, nas corporações e nos ensinamentos da Igreja, mas não nas necessidades das mulheres.

Tempos depois, a propósito da reportagem dessa publicação do Vaticano, a revista *Forbes* escreveu que se tratava de uma prova de que eu era "capaz de aguentar um soco". Eu esperava o soco – também esperava os comentários na internet que se referiam a mim como "a ex-católica Melinda Gates" ou "a supostamente católica Melinda Gates" –, mas mesmo assim doeu. Minha primeira reação foi: "Não *acredito* que eles diriam isso!" (Provável reação típica de uma iniciante na vida pública!) Depois de alguns dias, porém, me acalmei e entendi a posição da Igreja. Não concordei, mas entendi.

Desde a conferência tenho me reunido com altas autoridades eclesiásticas, mas nossos encontros não giram em torno da doutrina nem das diferenças. Conversamos sobre o que poderíamos fazer juntos pelos pobres. Eles sabem que eu compreendo a base da oposição da Igreja aos anticoncepcionais, mesmo não concordando. Também sabem que compartilhamos algumas preocupações semelhantes. Ambos combatemos qualquer esforço para coagir as mulheres a limitar o tamanho de suas famílias; da mesma forma, nos opomos a que países ricos imponham a sociedades tradicionais sua preferência cultural por famílias pequenas. Se uma mulher não quiser usar anticoncepcionais por causa de sua fé ou de seus valores, eu respeito. Não tenho interesse em dizer quantos filhos ela deve ter nem desejo estigmatizar famílias grandes. Nosso trabalho com planejamento familiar delega a decisão às mulheres às quais servimos. É por isso que acredito no planejamento familiar voluntário e apoio uma grande variedade de métodos, inclusive os naturais, desde que seja a escolha da mulher.

Obviamente, senti necessidade de expressar minhas diferenças em relação à Igreja. Os anticoncepcionais salvam a vida de milhões de mulheres e evitam que crianças nasçam em situações de risco. Esse é um fato médico. É por isso que acredito que todas as mulheres, em todos os lugares e de qualquer crença religiosa, devem ter informação sobre como programar a gravidez, sobre o intervalo entre uma gestação e outra e o acesso aos anticoncepcionais, se quiserem.

Mas há uma grande diferença entre acreditar no planejamento familiar e assumir um papel de liderança na defesa de uma causa que vai contra os ensinamentos da minha igreja. Não é algo que eu estivesse ansiosa por fazer. Enquanto eu refletia sobre abraçar ou não essa causa, conversei com meus pais, com padres e freiras que conheço desde a infância, com alguns professores católicos e com Bill e as crianças. Uma das minhas perguntas era: "É possível agir em conflito com um ensinamento da Igreja e ainda fazer parte da Igreja?" Me disseram que isso depende de sermos fiéis à própria consciência e de nossa consciência ter sido moldada pela Igreja.

No meu caso, para começo de conversa, os ensinamentos da Igreja Católica ajudaram a formar minha consciência e me levaram a esse trabalho. Para mim, a fé em ação significa ir às margens da sociedade, procurar os segregados e trazê-los de volta. Eu estava pondo minha fé em ação quando saí em campo e conheci mulheres que me perguntavam sobre anticoncepcionais.

Portanto, sim, a Igreja prega contra os anticoncepcionais – mas também nos ensina a amar o próximo. Quando uma mulher que deseja que seus filhos cresçam felizes e saudáveis me pede contraceptivos, seu apelo coloca esses dois ensinamentos da Igreja em conflito, e minha consciência me diz para apoiar o desejo da mulher de manter os filhos vivos. Para mim, isso está em harmonia com o ensinamento cristão de amar o próximo.

Ao longo da última década, tentei compreender o pensamento de alguns dos maiores opositores dos anticoncepcionais na Igreja e, da mesma forma, desejei que eles pudessem entender o que se passa na minha mente. Acredito que, diante do apelo de uma mãe de 37 anos com seis filhos, que não tem saúde para ter outra criança e cuidar dela, eles encontrariam em seu coração argumentos para abrir uma exceção. É isso que acontece quando escutamos de verdade. Nosso coração se abre. A escuta extrai o amor que há dentro de nós – e o amor é mais urgente do que a doutrina.

Assim, não creio que minhas ações me coloquem em confronto com a Igreja; sinto que estou seguindo o ensinamento mais elevado de Cristo. Nesse sentido, recebi grande apoio por parte de padres, freiras e leigos; essas pessoas me asseguraram que caminho sobre sólido terreno moral quando falo em defesa de mulheres no mundo em desenvolvimento que precisam de anticoncepcionais para salvar a vida dos filhos. Aceito essa orientação, e para mim é reconfortante saber que a imensa maioria das mulheres católicas usa anticoncepcionais e acredita que isso é moralmente aceitável. Também sei que, em última instância, as questões morais são questões pessoais. O pensamento da maioria não importa nas questões de consciência. Independentemente do ponto de vista dos outros, quem precisa responder pelos meus atos sou eu, e essa é a minha resposta.

A nova conversa – acontecendo em Nairóbi

Como mencionei antes, quando começamos a planejar a cúpula, decidimos que ela deveria se concentrar em objetivos e estratégias; assim, concordamos em disponibilizar anticoncepcionais para mais 120 milhões de mulheres nos 69 países mais pobres do mundo até 2020, chegando ao acesso universal em 2030. Esses eram os objetivos. Quatro anos depois, nossos dados indicavam que havia 30 milhões de novas usuárias de anticoncepcionais; isso significava um total de 300 milhões de mulheres utilizando contraceptivos modernos. O número redondo parecia bom, mas estava 19 milhões abaixo do que havíamos projetado.

Aprendemos duas lições importantes em 2016. Primeiro: precisávamos de dados melhores. Isso era crucial para nos ajudar a prever a demanda, ver o que havia funcionado e ajudar as empresas farmacêuticas a desenvolverem produtos com menos efeitos colaterais, mais fáceis de usar e mais baratos.

Em segundo lugar, aprendemos de novo que as mulheres não tomam decisões em um vácuo; elas são influenciadas pelos pontos de vista do marido e da sogra – e essas tradições não mudam com facilidade. Assim, além de reunir mais informações, precisávamos compreender melhor como nossos parceiros trabalham em comunidades que podem ser hostis aos anticoncepcionais e como abordam a questão sensível da oferta de contraceptivos para jovens solteiras.

Para entender os fatores por trás de alguns casos de grande sucesso nessa área, fui à África Ocidental no verão de 2016. O Quênia havia superado seus objetivos e eu queria ver por quê.

Na primeira parada, em Nairóbi, visitei as mulheres que coletam os dados. Nós as chamamos de enumeradoras residentes, ou ER. Elas vão de porta em porta nas suas comunidades, entrevistando mulheres e anotando as respostas no celular. São treinadas para fazer perguntas muito pessoais: "Quando foi a última vez que você teve relações sexuais?" "Você usa contraceptivos? De que tipo?" "Quantas vezes você deu à luz?" Na maioria das vezes as mulheres que elas abordam estão ansiosas para responder. Há algo empoderador em ser entrevistada. A mensagem implícita é: *a sua vida importa*.

As enumeradoras residentes descobrem muita coisa sobre a vida das entrevistadas, informações que elas não sabem como transformar em dados. Uma ER me disse que foi à casa de uma mulher que morava com o marido e 12 filhos. O marido se opunha ao planejamento familiar e mandou a ER embora. Porém, mais tarde, a mulher a encontrou por acaso – as ERs moram nas comunidades onde trabalham – e pediu que ela fosse falar com suas nove filhas quando o marido não estivesse em casa. Infelizmente, não sabemos como transformar em dado a história do marido controlador que mandou a ER embora.

Presenciei esse desafio em relação aos dados quando acompanhei Christine, uma ER, durante uma visita. Quando ela estava quase concluindo a pesquisa, me entregou o celular e pediu que eu terminasse. Perguntei à mãe quantos filhos ela tinha, e a mulher respondeu que tinha duas filhas. Quando indaguei quantas vezes ela tinha dado à luz, ela respondeu três – e começou a chorar. Falou sobre o filho, que havia morrido no dia em que nasceu, e contou uma história dolorosa: após a morte do bebê, o marido ficou violento, espancando-a e destruindo todas as cadeiras e produtos do salão de cabeleireiro que ela montara. Ela saiu de casa com a filha e foi morar com a mãe.

Teve uma segunda filha com outro homem, mas jamais conseguiu ganhar o suficiente para pagar as mensalidades escolares e os custos médicos para as meninas. Às vezes não tinha dinheiro para comprar comida.

Enquanto eu ouvia essa história de partir o coração, tentava inserir as informações no celular. Foi frustrante, pois a narrativa daquela mulher ia muito além do sistema criado para capturar os fatos da sua vida. Como o casamento abusivo afetou seus rendimentos? Como seus rendimentos afetavam o uso dos anticoncepcionais e a saúde das filhas? Mesmo se eu tivesse feito essas perguntas, não teria onde colocar as respostas.

O que seria necessário para obter um quadro mais completo da vida dela? Não é possível atender a uma necessidade que não conhecemos. Mais tarde levantei essa questão quando falei com as mulheres que tinham ido de porta em porta comigo. Todas concordaram. Absolutamente todas queriam fazer mais perguntas a suas entrevistadas: sobre água potável, saúde dos filhos, educação, violência doméstica. Christine me disse:

– Se pudéssemos perguntar sobre violência doméstica, sinalizaríamos à mulher que esse comportamento é inaceitável.

Ela tem toda a razão, e este é um projeto atual nosso: melhorar os sistemas de dados para poder perguntar mais, obter mais informações e capturar a textura das histórias das mulheres. Nunca haverá um sistema que permita descobrir tudo, ou seja, nunca haverá um substituto para ouvi-las. Mas precisamos continuar trabalhando para coletar dados mais conclusivos, de modo a entender a vida das pessoas às quais servimos.

Vamos planejar

Eu também estava ansiosa pela visita ao Quênia porque desejava conhecer um programa chamado Tupange, gíria que significa "Vamos planejar". O Tupange fez um trabalho maravilhoso para ampliar o uso de anticoncepcionais em três das maiores cidades do Quênia, e logo entendi o motivo. Meus anfitriões me levaram a um evento comunitário de divulgação que tinha um clima de parque de diversões. Representantes do Tupange cantavam e dançavam do lado de fora para ajudar a atrair os passantes para a feira, e do lado de dentro voluntários caminhavam usando grandes aventais enfeitados com imagens de anticoncepcionais: os métodos mais eficazes em cima e os menos eficazes embaixo. Havia barraquinhas oferecendo aconselhamento sobre HIV, HPV, planejamento familiar e alimentação. Era um modo fantástico de facilitar o entendimento e combater o estigma do cuidado com a saúde e do planejamento familiar. Havia uma transparência impressionante no ambiente e nas conversas – um feito espantoso quando se trata de promover um tema que em muitos sentidos ainda é tabu. O Tupange tem muitas iniciativas, mas cada uma delas, de um modo ou de outro, desafia o preconceito e as normas sociais. Essa é a chave para o sucesso do programa.

Uma das primeiras líderes do Tupange com quem falei foi Rose Misati, que na infância morria de medo toda vez que sua mãe engravidava. Para Rose, cada bebê novo significava mais uma criança de quem cuidar, mais tarefas em casa e menos tempo para estudar. Ela começou a faltar à escola e a ficar para trás em relação aos colegas. Quando estava com 10 anos, logo depois de a mãe dar à luz o oitavo filho, uma profissional do serviço de saúde foi à sua casa. Depois disso, todos os dias Rose se lembra da mãe pedindo que ela trouxesse um copo d'água e um comprimido. Não houve mais irmãozinhos de quem cuidar.

Às vezes a melhor coisa que uma mãe pode fazer pelos filhos é não ter outro filho.

Rose retomou os estudos, saiu-se bem nas provas e conseguiu entrar na Universidade de Nairóbi. Agora é farmacêutica e diz que deve isso ao planejamento familiar feito pela mãe. Assim, quando o programa Tupange pediu sua ajuda, ela aproveitou a oportunidade e se tornou uma voz importante em defesa das profissionais de saúde que vão de porta em porta.

– Eu sei que isso funciona – afirmou. – Foi assim que elas encontraram minha mãe.

Rose derruba o estigma pelo modo como fala sobre os anticoncepcionais. Quando abre um encontro, diz seu nome, sua profisssão e o método de planejamento familiar que usa. Depois pede que outras mulheres façam o mesmo. Na primeira vez em que experimentou fazer isso, as pessoas ficaram chocadas; agora elas abraçam o modelo e o estigma está cada vez mais fraco. Aprendi que o estigma é sempre um esforço para suprimir a voz de alguém.

Ele obriga as pessoas a se esconderem, envergonhadas. O melhor modo de contra-atacar é declarando abertamente o ponto que os outros estigmatizam. É um ataque direto à autocensura da qual o estigma precisa para sobreviver.

Rose enfraquece outro preconceito aproximando-se dos homens e falando com eles sobre "um assunto de mulher".

– Quando a gente coloca os homens na roda – diz ela –, o uso de contraceptivos pelas esposas é quase universal.

Ela diz aos homens que o planejamento familiar vai tornar seus filhos mais saudáveis, mais fortes e mais inteligentes – e como os pais consideram que filhos inteligentes são prova de sua própria inteligência, acatam esse argumento.

Aliados do sexo masculino são essenciais. É especialmente benéfico quando são líderes religiosos, como o pastor David Opoti Inzofu. David cresceu no oeste do Quênia, filho de pais conservadores que não usavam planejamento familiar nem tocavam no assunto. Quando jovem ele achava que o uso de anticoncepcionais era uma conspiração para o controle populacional. Mas começou a escutar depois de conhecer trabalhadores do Tupange; eles argumentavam que escolher a hora e espaçar as gestações poderia melhorar a saúde da mãe e do filho e permitir que as famílias tivessem apenas as crianças de quem pudessem cuidar. Isso o convenceu: não somente ele e a esposa utilizam anticoncepcionais, mas David usa o púlpito para compartilhar essa mensagem com sua congregação. Ele cita 1 Timóteo 5:8: "Se alguém não cuida dos seus, sobretudo os de sua casa, negou a fé e se tornou pior do que um descrente." Fiquei entusiasmada ao ver o Tupange dar tanta atenção ao papel masculino no planejamento familiar. Os homens não deveriam querer mais filhos além daqueles de que pudessem cuidar. Não deveriam se opor ao desejo das mulheres de espaçar os partos dos filhos. Os interesses dos homens e das mulheres deveriam estar alinhados, e os que percebem isso são os que queremos liderando as discussões de planejamento familiar com outros homens.

Conheci outro aliado que se tornou defensor depois que uma gestação não planejada quase arruinou sua vida. Shawn Wambua tinha apenas 20 anos quando Damaris, sua namorada, engravidou. Sua igreja estava a ponto de excomungá-lo, a família da namorada enfureceu-se com ele e Shawn não tinha a quem pedir ajuda – seus pais tinham morrido.

Ele então visitou um centro de saúde, onde ficou sabendo sobre os anticoncepcionais. Depois pediu Damaris em casamento e ela colocou um DIU para adiar o próximo filho até eles terem certeza de que poderiam sustentar dois. Shawn se ligou ao Tupange e criou um grupo chamado Ndugus for Dadas ("irmãos para irmãs"). Toda semana ele reúne um grupo de cerca de vinte rapazes e eles falam sobre contraceptivos e outras questões. Além disso, Shawn está levando sua militância para a igreja que quase o expulsou. Quando os líderes religiosos criticaram uma lei de saúde reprodutiva, argumentando que a educação sexual encorajaria a promiscuidade, ele os questionou publicamente. Shawn acredita que a igreja está errada ao pensar que os jovens não fazem sexo ou que os anticoncepcionais darão aos jovens ideias que eles já não tinham antes.

– Nós dormimos no mesmo quarto que nossos pais – disse. – Sabemos o que eles estão fazendo.

Hoje os presbíteros da igreja permitem que Shawn fale com os jovens membros da congregação sobre saúde reprodutiva, desde que não seja dentro da igreja. Acho que essa é uma metáfora perfeita para os dilemas dos guardiões da velha ordem. Eles sabem que, do outro lado, existe uma verdade que não admitem; ainda que não possam se obrigar a expressar pessoalmente essa verdade, percebem que é possível permitir que a mensagem seja divulgada por outras pessoas. Presenciar esse mecanismo e conhecer as pessoas cujas histórias são envolventes a ponto de convencer os presbíteros a relevar seus pontos de vista são uma experiência especial.

Quando as normas sociais ajudam todo mundo a prosperar, elas recebem apoio natural porque servem ao interesse coletivo. Mas quando protegem o poder de determinados grupos e proíbem ou negam elementos que são parte natural da experiência humana, não conseguem se manter por si mesmas; precisam ser impostas por alguma sanção ou algum estigma.

O estigma é uma das maiores barreiras para a saúde das mulheres, e o pessoal do Tupange deduziu que, algumas vezes, o melhor modo de enfraquecê-lo é desafiá-lo abertamente. Essa estratégia pode ser arriscada quando a sociedade não está madura. Mas o Tupange conhecia a cultura local e sabia que sua coragem e seu desafio forçariam uma discussão pública capaz de expor as falhas e a injustiça do estigma. À medida que mais pessoas desafiavam o estigma, houve uma mudança, o estigma perdeu força e a cultura mudou. Isso pode funcionar com uma norma social ou uma lei nacional.

Quando o estigma é lei

O Tupange demonstra o poder da ação coletiva, mas um grupo precisa de indivíduos para existir.

Pia Cayetano é um desses indivíduos. Quando foi eleita para o Senado das Filipinas em 2004, não havia lei nacional garantindo acesso aos anticoncepcionais. As jurisdições locais podiam fazer o que quisessem. Algumas exigiam receita médica para se obter um preservativo. Outras obrigavam as farmácias a manter um registro de toda compra de anticoncepcional. Havia ainda as que proibiam totalmente os contraceptivos. Os legisladores tinham esboçado uma lei para legalizar os anticoncepcionais em todo o país, mas a Igreja Católica se opôs e a lei ficou parada por mais de uma década.

A consequência disso é que a taxa de mortalidade materna estava subindo nas Filipinas – ao mesmo tempo que declinava ao redor do mundo. Em 2012, 15 mulheres filipinas morriam no parto todos os dias. Ao contrário da maioria dos seus colegas, Pia tinha conhecimento das maravilhas e dos riscos de dar à luz. Quando estava grávida de seu filho Gabriel, um ultrassom revelou que o bebê tinha anomalias cromossômicas. Ela levou a gravidez até o final e cuidou de Gabriel durante nove meses até que ele morreu em seu colo. Essa perda lhe permitiu ouvir com compaixão especial as histórias de mulheres filipinas que não podiam comprar anticoncepcionais. Uma delas era Maria, que sofria de hipertensão, tivera três gestações não planejadas seguidas e morreu durante a terceira. Havia Lourdes, incapaz de cuidar dos oito filhos, três dos quais lhe foram tirados e entregues a famílias adotivas.

Quando um presidente simpático à causa, Benigno Aquino III, assumiu o cargo em 2010, Pia decidiu pressionar pela lei no Senado, enfatizando a tragédia das mortes de mães e dizendo: "Nenhuma mulher deveria morrer dando a vida." Disseram que não havia esperança, que seus colegas proporiam tantas emendas que a lei se tornaria irreconhecível e, de qualquer modo, ela jamais conseguiria os votos para aprová-la. Outros senadores levantavam dúvidas com relação às suas estatísticas sobre mortalidade materna e minimizavam a importância dessas mortes; argumentavam que mais homens morriam em acidentes de trabalho, de modo que as mulheres não tinham do que reclamar. Nenhum colega do sexo masculino cogitava apoiá-la, até que um senador veio em defesa de Pia: seu irmão mais novo, Alan Cayetano.

Quando Alan entrou no debate ao lado da irmã, os homens começaram a reconhecer o sofrimento que a legislação da época impunha aos pobres. À medida que o projeto de lei ganhava ímpeto, os bispos católicos intensificaram sua oposição. Pia e outros apoiadores foram vítimas de ataques pessoais.

Uma congregação católica pendurou um cartaz do lado de fora da igreja com os nomes dos legisladores que votaram pela lei de saúde reprodutiva. O título do cartaz era: TIME DA MORTE. Nos sermões os padres incluíam o nome de Pia na lista de pessoas que iriam para o inferno. Ela parou de levar seus filhos à missa para evitar que ouvissem aquilo.

Ao mesmo tempo, contou ela, alguns líderes católicos a procuraram oferecendo orientação política e criando uma ponte de cooperação silenciosa em torno de objetivos comuns, como amparar os pobres e reduzir as mortes de mães e bebês. Com muito esforço e diplomacia, a lei foi aprovada – e imediatamente questionada no tribunal.

Um ano depois, em maio de 2013, encontrei Pia na conferência Women Deliver, na Malásia. Ela me contou que tivera de adiar uma visita havia muito planejada aos Estados Unidos para estar nas Filipinas e apresentar uma defesa oral de sua lei à Suprema Corte. Na primavera seguinte, vi o nome de Pia na minha caixa de entrada, com uma mensagem alegre e um link para a seguinte matéria de jornal:

> *MANILA, Filipinas (ATUALIZADO) – Depois de enfrentar a cólera e o desprezo de alguns colegas do sexo masculino por defender a controvertida legislação de saúde reprodutiva, a senadora Pia Cayetano saudou a decisão da Suprema Corte que confirmou a legalidade das cláusulas principais da lei.*
>
> *"Esta é a primeira vez que posso dizer honestamente que amo o meu trabalho", disse ela.*

> *"Muitas mulheres que questionaram a lei, e até mesmo homens, são pessoas que têm acesso [à saúde reprodutiva]; portanto, ela atende aos pobres, especialmente às mulheres pobres, que não conseguem acesso a serviços nem informações."*

Para mim, é fácil sentir uma conexão profunda com pessoas que trabalham pela causa do planejamento familiar, e sempre gostei de acompanhar e aplaudir o sucesso daqueles a quem admiro, mesmo de longe. No entanto, aprecio de maneira especial a oportunidade de demonstrar meu amor e meu respeito pessoalmente. Quando Pia veio aos Estados Unidos para uma convenção em Seattle, em 2014, pude lhe dar um grande abraço, e isso me lembrou de quanto todos nós, nesse trabalho, precisamos uns dos outros. Nós incentivamos uns aos outros. Nós elevamos uns aos outros.

Os Estados Unidos

O trabalho de Pia e de outros nas Filipinas foi um sucesso gigantesco. Em outro caso bem-sucedido, a Grã-Bretanha reduziu pela metade sua taxa de gravidez na adolescência – uma das maiores na Europa Ocidental – nas últimas duas décadas. Os especialistas atribuem esse resultado a ações que conectaram os jovens a orientação de alta qualidade e sem julgamentos.

Os Estados Unidos também conseguiram reduzir as taxas de gravidez na adolescência, que atingiram os níveis mais baixos de sua história. O número de gestações não planejadas é o menor dos últimos trinta anos. O progresso se deve sobretudo ao uso crescente de anticoncepcionais, que se acelerou graças a duas iniciativas da administração anterior: o Programa de Prevenção à Gravidez na Adolescência, que investe 100 milhões de dólares por ano para alcançar adolescentes de baixa renda em comunidades de todo o país, e o benefício de métodos contraceptivos disponível na Lei do Cuidado Acessível, que permite às mulheres obter anticoncepcionais sem pagar por eles diretamente.

Infelizmente esse avanço corre risco – tanto a queda no número de gravidezes não planejadas quanto as políticas que contribuíram para que isso se tornasse realidade. A administração atual está trabalhando para desmantelar programas que oferecem planejamento familiar e serviços de saúde reprodutiva.

Em 2018 a administração determinou novas diretrizes para o Título X, o programa nacional de planejamento familiar que atende a 4 milhões de mulheres de baixa renda por ano. As diretrizes indicam basicamente quais programas o governo vai financiar, e a versão em vigor não menciona nenhum dos métodos contraceptivos modernos aprovados pela Food and Drug Administration. Cita apenas o planejamento familiar natural, ou o método da tabela, ainda que *menos de 1%* das mulheres de baixa renda que recorrem a esse programa federal usem a tabelinha.

A administração também propôs eliminar o Programa de Prevenção à Gravidez na Adolescência, o que acabaria com a disponibilização crucial de anticoncepcionais para adolescentes que precisam. Estamos falando de jovens que moram em áreas pobres e têm poucas opções, como as adolescentes da nação indígena Choctaw, em Oklahoma, e as que moram em lares adotivos no Texas. No lugar desses serviços, a administração quer oferecer apenas programas de abstinência.

De modo geral, o objetivo dessas mudanças parece ser substituir programas que funcionam comprovadamente por programas que comprovadamente *não* funcionam. Na prática, significa que as mulheres pobres dos Estados Unidos terão menos acesso a anticoncepcionais eficientes, e muitas darão à luz mais filhos do que querem só porque são pobres.

Outra ameaça terrível ao planejamento familiar no país vem de uma política que a administração atual propôs, mas ainda não concretizou: uma diretriz que proibiria a destinação de verbas federais a serviços de saúde que realizam, ou mesmo indicam, abortos. Isso equivale às leis já aprovadas no Texas e em Iowa, e lá o efeito sobre as mulheres foi devastador. Se essa política for implantada nacionalmente, mais de um milhão de mulheres de baixa renda que agora contam com as verbas do Título X para obter métodos contraceptivos, exames de câncer ou exames anuais da Planned Parenthood (organização sem fins lucrativos que oferece cuidados de saúde reprodutiva nos Estados Unidos e em todo o mundo) perderão seu serviço de saúde. Meio milhão, ou mais, poderiam ser privadas de atendimento; não existem clínicas comunitárias em quantidade suficiente para servir às mulheres que seriam afetadas por essa política. Se você é uma mulher pobre, talvez não tenha a quem recorrer.

Fora dos Estados Unidos, a administração propôs cortar pela metade a contribuição para o planejamento familiar internacional e reduzir a zero as verbas para o Fundo de População das Nações Unidas – apesar de ainda haver mais de 200 milhões de mulheres no mundo em desenvolvimento que querem usar métodos contraceptivos, mas não conseguem obtê-los. Até agora o congresso defendeu as mulheres pobres e manteve grande parte das verbas para o planejamento familiar internacional. Mas o mundo precisa que a administração dos Estados Unidos seja uma liderança em favor dos direitos das mulheres, e não um oponente.

As novas políticas da administração não buscam atender às necessidades femininas. Não existe nenhuma pesquisa confiável afirmando que as mulheres se beneficiam ao ter filhos que não se sentem em condições de criar. As evidências dizem o contrário: quando elas podem decidir se e quando serão mães, isso salva vidas, promove a saúde, expande a educação e gera prosperidade – não importando de que país no mundo estejamos falando.

Os Estados Unidos estão fazendo o oposto do que as Filipinas e o Reino Unido fizeram. Estão adotando políticas para *encolher* o debate, suprimir vozes e permitir que os poderosos imponham seus pontos de vista aos pobres.

A maior parte dos trabalhos que faço me eleva, alguns me deixam de coração partido, mas essa postura simplesmente me deixa com raiva. Essas políticas prejudicam as mulheres pobres. As mães que lutam contra a pobreza precisam de tempo, dinheiro e energia para cuidar de cada filho. Precisam ser capazes de adiar as gestações, espaçar os partos e ganhar algum dinheiro enquanto criam os filhos. Os métodos contraceptivos ajudam cada um desses passos, enquanto as políticas da atual administração os prejudicam. Mulheres que estão bem de vida não serão prejudicadas, e as que têm um rendimento estável sempre terão alternativas. Mas as pobres ficam presas. As que mais sofrem com essas mudanças são as que têm menos instrumentos para impedi-las. Quando os políticos elegem como alvo pessoas que não podem lutar contra eles, estão fazendo bullying.

É especialmente irritante quando algumas pessoas que desejam cortar as verbas para os métodos contraceptivos citam a moralidade. Para mim, não existe moralidade sem empatia, e se há algo que essas políticas não têm, é empatia. Moralidade é amar o próximo como a si mesmo, e isso resulta de cada pessoa *ver* o próximo como vê a si mesma, de tentar aliviar seu fardo – e não torná-lo mais pesado.

Os que pressionam por essas políticas tentam usar os ensinamentos da Igreja sobre planejamento familiar como proteção moral, mas não têm nem um pouco da compaixão e do compromisso da Igreja com os pobres. Em vez disso, trabalham para impedir o acesso aos métodos contraceptivos *e* cortar as verbas destinadas aos pobres. Essas pessoas me trazem à mente as palavras de Cristo no Evangelho de Lucas (11:46): "Quanto a vocês, peritos na lei, ai de vocês também, porque sobrecarregam os homens com fardos que dificilmente eles podem carregar, e vocês mesmos não levantam sequer um dedo para ajudá-los."

É marca de uma sociedade atrasada – ou em retrocesso – que as decisões para as mulheres sejam tomadas pelos homens. É isso que está acontecendo agora nos Estados Unidos. Essas políticas não existiriam se as mulheres estivessem decidindo por si mesmas. Por isso é animador ver o surgimento de ativistas do sexo feminino em todo o país; elas estão batendo de porta em porta, apoiando o planejamento familiar e mudando de vida para se candidatar a cargos eletivos.

Esses esforços recentes para revogar direitos femininos pode ter sido um impulso para a luta pelos direitos das mulheres. Tomara que isso esteja mesmo acontecendo agora, e que o fogo que impele a defesa do planejamento familiar alimente uma campanha destinada a fazer avançar *todos* os direitos femininos, em todo o mundo – de modo que no futuro, em um país após o outro, mais e mais mulheres sentadas à mesa estejam no comando da conversa quando o tema são as políticas que afetam sua vida.

CAPÍTULO QUATRO

Olhando para o alto

Meninas nas escolas

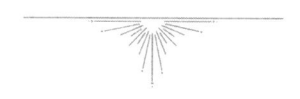

Quando Meena me pediu que levasse seus filhos comigo, percebi que precisávamos fazer mais do que ajudar as mães a dar à luz em segurança; precisávamos ver o quadro geral. Foi por isso que ampliamos o trabalho da nossa fundação com planejamento familiar. Mas toda vez que pensei: "Certo, *agora* estamos vendo o quadro geral", conhecia outra mulher ou menina que me mostrava um quadro ainda *maior*. E meus mestres mais importantes não foram os especialistas com quem nos reuníamos em Seattle; foram mulheres e meninas que nos encontravam em suas cidades e falavam sobre seus sonhos.

Uma das nossas mestras foi Sona, uma menina de 10 anos que vinha de uma comunidade muito pobre em uma aldeia no distrito de Kanpur, território de uma das castas mais baixas da Índia. As pessoas dali viviam rodeadas de lixo por causa do trabalho que faziam. Elas recolhiam o lixo de outras áreas, o levavam para sua aldeia, separavam o que tivesse valor e vendiam – deixando o restante espalhado no chão em volta. Era assim que ganhavam a vida.

Gary Darmstadt, meu colega na fundação, conheceu Sona em uma visita que fez a Kanpur em 2011 para falar sobre planejamento familiar. Na manhã da visita ele se encontrou com nossos parceiros do projeto Iniciativa de Saúde

Urbana e caminharam juntos pelo povoado até o local onde ocorriam as reuniões. Assim que o grupo parou, várias mulheres se aproximaram, e Sona – a única menina entre elas – entregou a Gary um papagaio de brinquedo. O presente era feito de material reciclado encontrado no lixo, dobrado e esculpido até ganhar a forma de um pássaro. Quando Gary agradeceu, Sona olhou nos olhos dele e disse:

– Quero um professor.

Gary ficou meio abalado com isso. Tinha ido a Kanpur para discutir planejamento familiar com as mulheres da aldeia, não para abrir uma escola. Na hora, deixou de lado o comentário de Sona e começou a conversar com as mulheres, que estavam muito satisfeitas com o programa. Pela primeira vez, elas acreditavam ter algum controle, mesmo que incipiente, sobre a própria vida. É sempre gratificante ouvir boas notícias. Durante a reunião, porém, Gary podia ver Sona parada ali perto, esperando; sempre que havia uma pausa ela dizia a ele:

– Quero um professor. Você pode me ajudar.

Ao longo de três horas ela olhou para Gary umas cinquenta vezes e disse: "Quero um professor."

Depois que o grupo terminou a conversa, Gary perguntou a uma das mães sobre Sona. A mulher disse:

– Sabe, nós contamos ao senhor como o planejamento familiar nos ajudou. Teve um impacto tremendo na nossa vida. Mas a verdade é que, a não ser que nossos filhos estudem, vão continuar aqui, vivendo no lixo como nós. É bom poder controlar o tamanho da minha família, mas continuo pobre e ainda cato lixo. Se não puderem frequentar a escola, nossos filhos terão a mesma vida que nós.

É preciso coragem para pedir o que queremos – especialmente se for mais do que as pessoas acham que merecemos. Sona tinha uma combinação mágica de coragem e autoestima que lhe permitia pedir um professor mesmo sendo uma menina de casta baixa cujos pais catavam lixo para sobreviver. Provavelmente nem sabia quão ousada estava sendo. Mas as mulheres em volta sabiam – e não mandaram que se calasse, o que de certa forma fez de Sona a porta-voz do grupo, dizendo algo em que as mães acreditavam, mas não se atreviam a falar.

Ela não tinha influência sobre ninguém; tinha apenas a inocência de uma criança revelando sua verdade e o poder moral de uma menina cuja mensagem era: "Por favor, me deixem crescer." Esse poder a guiou na direção certa porque, mais do que praticamente qualquer coisa que a sociedade e o governo possam oferecer, a educação determina quem prospera.

A educação é um passo vital no caminho para empoderar as mulheres – um caminho que começa com a boa saúde, a alimentação e o planejamento familiar e prepara a pessoa para ganhar dinheiro, abrir um negócio, criar uma organização e liderar. Neste capítulo, quero apresentar alguns heróis meus, pessoas que geraram oportunidades para estudantes até então tratados como párias e privados de educação.

Mas primeiro deixe-me dizer o que aconteceu com Sona. Nossos parceiros que se encontraram com Gary para aquela conversa sobre planejamento familiar conhecem bem a região e suas leis. Quando escutaram Sona dizer "Quero um professor" e ouviram uma das mulheres falando com Gary sobre educação, juntaram-se e esboçaram um plano. A terra em que Sona vivia com sua família não estava registrada no governo; na verdade, eles não tinham direito legal de ocupá-la. Assim, nossos parceiros procuraram a autoridade local e tomaram todas as providências para que a menina e seus vizinhos fossem registrados como moradores, o que foi uma conquista espantosa; os funcionários do governo poderiam ter usado todo tipo de truque para impedir a mudança, mas escolheram apoiá-la. Quando as famílias tornaram-se moradoras legítimas da terra, tiveram direito a uma gama de serviços públicos – inclusive escolas. Sona conseguiu um professor. Conseguiu livros. Conseguiu um uniforme. Conseguiu uma educação. E não apenas Sona, mas todas as crianças da aldeia, e tudo isso foi desencadeado por uma criança pequena e valente que, olhando um visitante nos olhos, ofereceu-lhe um presente e disse repetidamente: "Quero um professor."

A incomparável capacidade da escola para elevar

Mandar meninas como Sona para a escola produz um avanço maravilhoso; para elas, para as famílias e para a comunidade. Quando enviamos uma menina para a escola, a boa ação não termina nunca: continua por gerações, levando progresso a cada esfera pública, desde a saúde até o ganho econômico, a igualdade de gênero e a prosperidade nacional. Eis aqui apenas alguns dados que conhecemos pelas pesquisas.

Uma menina na escola resulta em maior nível de alfabetização, salários mais altos, maior crescimento de rendimentos e agricultura mais produtiva. Reduz o sexo antes do casamento, diminui a chance de um casamento precoce, adia a primeira gestação e ajuda as mulheres a planejar quantos filhos terão e quando. Mães que estudaram sabem mais sobre alimentação, vacinas e outros comportamentos necessários para criar crianças saudáveis.

Metade da queda na mortalidade infantil nas últimas duas décadas pode ser atribuída ao aumento no número de mães que estudaram. E as mães que estudaram têm mais do que o dobro de possibilidade de mandar os filhos para a escola.

A educação das meninas pode ter efeitos transformadores na saúde, no empoderamento e no avanço econômico das mulheres. Porém ainda não entendemos exatamente por quê. O que *acontece* na mente e na vida das meninas, levando a esses benefícios? As mudanças são provocadas pela alfabetização, pelos modelos de comportamento, pela prática do aprendizado ou apenas por saírem de casa?

Várias das principais explicações que ouvi fazem muito sentido intuitivamente: as mulheres que sabem ler e escrever conseguem se orientar melhor pelos meandros do sistema de saúde. A escola ajuda as meninas a aprender a relatar os problemas de saúde de suas famílias aos profissionais da área. Aprender com professores ajuda as mães a ensinar aos filhos. Além disso, quando as meninas estão na sala de aula e descobrem que são capazes de aprender, começam a se enxergar de modo diferente, e isso lhes dá uma noção do próprio poder.

Essa última ideia é especialmente fascinante para mim – significa que as mulheres podem usar as habilidades aprendidas na escola para derrubar as regras que as oprimem. Quando visito escolas e falo com estudantes sinto quão poderoso é esse trabalho. Essas conversas me fazem lembrar do ensino médio, quando trabalhei como voluntária em uma apinhada escola pública ensinando matemática e inglês. Ao aprender algo novo, as crianças veem que podem crescer; isso é capaz de elevar sua autoestima e mudar seu futuro.

Pessoas que foram vítimas de exclusão frequentemente chegam à escola achando que não merecem e não devem exigir mais porque não vão conseguir. Boas escolas mudam essa visão. Elas instilam nos alunos um sentimento audacioso sobre quem eles são e o que podem fazer. O ponto é que expectativas altas assim estão em conflito direto com as baixas expectativas da sociedade em relação a essas crianças. As escolas que capacitam os estudantes excluídos são organizações subversivas. Elas estimulam nos alunos uma autoimagem que é uma crítica direta ao desprezo social que tem o objetivo de mantê-los em seu lugar.

Essa missão socialmente desafiadora está presente nas boas escolas em toda parte – nos Estados Unidos, no Sul da Ásia ou na África subsaariana. Essas escolas mudam a vida de estudantes a quem um dia disseram que não eram importantes, que não mereciam uma chance integral.

Escolas que elevam os estudantes

Há cerca de dez anos, durante uma viagem a Los Angeles, eu conversava com uma centena de jovens afro-americanos e latinos de bairros violentos quando uma garota me perguntou:

– Você já se sentiu como se nós fôssemos apenas os filhos de outras pessoas, de pais que se esquivaram das responsabilidades? Que todos nós somos só a escória?

Essa pergunta me chocou. Fez com que eu quisesse abraçar aquela menina e convencê-la de que sua vida tinha um valor infinito, que ela tinha os mesmos direitos e merecia as mesmas oportunidades que qualquer outra pessoa. Mas na mesma viagem entendi por que ela não pensava assim. Conversei com outra jovem cuja trajetória escolar, mesmo se ela tirasse as notas máximas, não iria prepará-la para a faculdade ou para qualquer outra coisa. Olhei seu currículo. Uma lição pedia para ler o rótulo de uma lata de sopa em uma mercearia e identificar o conteúdo; aquilo contava como uma aula de matemática. E isso não era raro. Já vi a mesma coisa em muitos distritos escolares nos Estados Unidos: um grupo de alunos estudando álgebra II enquanto outros aprendiam a fazer o balanço de um talão de cheques. O primeiro grupo iria para a faculdade e teria uma carreira profissional, enquanto o segundo lutaria para ganhar a vida.

Bill e eu direcionamos a maior parte da nossa filantropia nos Estados Unidos para a educação. Acreditamos que um sistema forte de escolas e faculdades é a melhor iniciativa que nosso país já teve para promover oportunidades iguais. Concentramo-nos em aumentar o número de estudantes negros, latinos e pobres que terminam o ensino médio e continuam a formação *depois* dessa etapa escolar – tanto meninos quanto meninas. (Estou trabalhando para abrir espaço para as garotas, especificamente as negras, no ramo da tecnologia, por meio da Pivotal Ventures – empresa que abri para fomentar o progresso social nos EUA.) As melhores escolas elevam estudantes que jamais acreditaram na própria ascensão. E quando vemos isso acontecer, é de chorar de alegria.

Em 2015 Bill e eu visitamos a escola Betsy Layne, de ensino médio, no condado de Floyd, Kentucky, uma comunidade rural na região dos Apalaches que foi devastada pelo declínio da indústria do carvão. O *The New York Times* chamou essa área de um dos lugares mais difíceis para viver em todo o país. Seis condados da região estão entre os dez piores dos Estados Unidos em renda, educação, desemprego, obesidade, deficiências e expectativa de vida. Porém, nos últimos dez anos, ao mesmo tempo que a região entrou em declínio econômico, o desempenho dos estudantes no condado de Floyd subiu do 145º para o 12º lugar no estado. Queríamos ver como eles estavam fazendo isso.

Vicki Phillips, na época chefe do departamento de ensino fundamental e médio na nossa fundação, nos acompanhou nessa viagem. Vicki conhecia os desafios daqueles estudantes e professores porque os tinha vivido na pele. Quando ela era pequena, sua mãe e seu padrasto se casaram e pagaram os 500 dólares em taxas devidas para comprar uma casa de quatro quartos com chão de terra batida e janelas quebradas em uma propriedade rural que a família ainda possui no Kentucky. Foi onde Vicki cresceu, ajudando a criar porcos, plantar legumes e conseguir a caça para o jantar. Tinham uma bomba manual em casa e uma latrina nos fundos, e não se consideravam pobres porque nenhum vizinho tinha mais do que eles.

Vicki disse que seus professores eram extremamente dedicados aos estudantes, mas, olhando para trás, percebia que a formação que estava recebendo não a preparava para a faculdade, mas para ficar onde estava.

– Onde eu cresci – dizia ela – ninguém *queria* escolas excelentes. Isso amedrontava as pessoas. Meus pais esperavam que eu me formasse no ensino médio, permanecesse na comunidade, me casasse e tivesse filhos. No dia em que cheguei em casa e disse a eles "Vou para a faculdade", meu padrasto avisou: "E deixará de ser minha filha. Se fizer isso, nunca mais volte. Nem *pense* em voltar, porque seus valores não são os nossos."

Vicki e seu pai brigaram por causa disso até o dia em que ela foi embora. Ele dizia:

– Esta é uma comunidade segura. Você é minha filha. Por que eu me sentiria confortável vendo você partir?

Então, segundo Vicki, ele abordou o ponto mais sensível:

– Por que você quer sair de casa, afinal? Tudo de que você precisa está aqui. O que nós temos não basta? Está dizendo que nós não somos bons o suficiente para você?

Essas são perguntas comuns em famílias para as quais ir para a faculdade significa partir e nunca mais voltar. Essas famílias não percebem que sua cultura mantém as pessoas no atraso; elas acham que as mantém unidas. Aos seus olhos, buscar a excelência pode ser uma forma de renegar as próprias origens.

– Era assim no lugar onde cresci – dizia Vicki.

Na cultura dela não havia nada que a motivasse a ir para a faculdade. Ela mudou esse cenário quando conheceu uma garota da parte rica do condado que um dia lhe disse:

– Como *assim*, você não vai para a faculdade?!? Você é tão inteligente quanto eu.

Ela começou a pressionar Vicki a fazer aulas avançadas, submeter-se a testes e buscar pequenas bolsas de estudo. Foi assim, aderindo à cultura da amiga, que Vicki superou a dela, que tentava impedi-la de cursar uma faculdade. Se você quer vencer, diz ela, precisa do apoio de quem está em volta. Poucas pessoas conseguem fazer isso sozinhas.

Vicki estava disposta a enfrentar o conflito resultante de desafiar sua cultura e trabalhou isso com a família, até mesmo com o pai. Um ano depois de sair de casa, ela recebeu um telefonema na faculdade. A voz masculina familiar do outro lado disse:

– Vicki, isso não está dando certo. Me deixe ir buscar você para nos fazer uma visita.

Seu pai foi pegá-la e a levou para casa, e todo mundo se reconectou. Os dois se entenderam. Permaneceram honestos com relação às diferenças e ele continuou a provocá-la, de modo afetuoso, pelo resto da vida, chamando-a (naquela família de republicanos empedernidos) de "nossa pequena democrata".

Vicki se tornou professora de educação especial, superintendente de escola e uma secretária estadual de educação que trabalhou para mudar as normas e empoderar pessoas que tinham sido excluídas. O mesmo impulso que encontramos nos professores da escola Betsy Layne.

Lá conhecemos personalidades exuberantes e inesquecíveis – a começar por Cassandra Akers, a diretora. Cassandra apaixonou-se por Betsy Layne há muito tempo; foi oradora da turma de 1984. Ainda mora na casa onde cresceu, que comprou de seus pais quando começou a dar aulas. É a mais velha de sete filhos e a única da família a se formar em uma faculdade, por isso conhece a comunidade e as dificuldades que os jovens enfrentam.

– Nossos estudantes precisam saber que temos grandes expectativas em relação a eles – disse ela. – Mas também que vamos ajudá-los a conseguir tudo o que precisarem: ensino, orientação, ajuda extra, comida, roupas, uma cama, qualquer coisa. Cuidamos de todos eles.

Um dos maiores desafios na mudança de cultura é melhorar a autoimagem dos jovens. A sociedade, a mídia e até pessoas da família plantaram dúvidas em relação a eles mesmos. Mães e pais que jamais alcançaram seus objetivos podem facilmente inculcar as próprias inseguranças na mente dos filhos. Quando essas dúvidas entram na cabeça dos jovens, é difícil combatê-las. As vítimas de dúvidas costumam se sentir condenadas; a psicóloga da Betsy Layne relatou que muitos estudantes achavam que o mundo não somente não se importava com eles, mas que todos estavam mancomunados contra eles.

Quanto maiores forem os desafios dos indivíduos, mais importante é oferecer a eles uma cultura nova e um novo conjunto de expectativas. Uma das professoras de matemática que conheci, Christina Crase, me contou que no primeiro dia de aula pede aos alunos: "Me deem duas semanas!" Ela não quer saber dos fracassos anteriores ou de quanto eles odeiam matemática, nem de quanto estão atrasados no aprendizado. Ela diz: "Me deem uma chance de mostrar o que vocês são capazes de fazer!"

Um dos seus projetos consiste em ajudar as crianças a construir rodas-gigantes em pequena escala. Ao apresentar a ideia à sua turma pela primeira vez, os alunos acharam que ela era maluca, mas concordaram, felizes. Era mais fácil do que aprender matemática! Por isso se envolveram nos projetos e fizeram as rodas-gigantes. Quando a Sra. Crase explicou as funções de seno e cosseno, só precisou conectar o raciocínio ao brinquedo feito por elas, e todos entenderam.

Os alunos fixaram essa informação com tanta propriedade que uns poucos entraram correndo na sala de aula depois de visitar um parque de diversões na localidade e disseram:

– Sra. Crase, nós não andamos na roda-gigante.

– Por quê? – perguntou ela.

– Não confiamos na integridade estrutural.

Então eles começaram a explicar isso usando a linguagem do cálculo e da trigonometria.

Depois de visitar as salas de aula, Bill e eu nos juntamos a alguns estudantes para uma pizza no refeitório. Vários deles admitiram que antes tinham medo de frequentar as aulas de ensino avançado porque "isso é para os alunos inteligentes". Mesmo assim fizeram esses cursos e aprenderam muito. O aprendizado mais importante foi: *Nós somos os alunos inteligentes.*

As melhores escolas não ensinam simplesmente; elas mudam as pessoas.

Meninas nas escolas

A educação igualitária leva as pessoas ao empoderamento, mas a educação desigual faz o contrário. De todos os instrumentos alienantes usados para marginalizar, a educação desigual é o mais danoso e duradouro. A não ser que haja um esforço explícito para incluir todo mundo, as escolas jamais serão um remédio para a exclusão; serão o motivo.

Apesar dos benefícios extraordinários que surgem quando as meninas estudam, mais de 130 milhões delas em todo o mundo estão fora da escola. Esse número costuma ser associado a um avanço – mas apenas porque as barreiras para as estudantes do sexo feminino eram ainda piores. Nos meus anos de escola, no mundo inteiro, muito mais meninos do que meninas estudavam. Essa disparidade era comum em países que não exigiam que as crianças frequentassem escolas.

Nas décadas passadas, porém, os governos fizeram um grande esforço para reverter isso, e em grande parte tiveram sucesso. A maioria dos países matricula um número igual de meninos e meninas nas escolas. O objetivo, claro, é remover todas as barreiras que impedem as crianças de estudar, e em alguns lugares essas barreiras ainda são mais significativas para as meninas do que para os meninos. Isso é particularmente verdadeiro no ensino médio.

Na Guiné, apenas uma em cada quatro meninas está matriculada no ensino médio, enquanto quase 40% dos meninos estão. No Chade, menos de um terço das meninas tem acesso a esse grau de instrução; os meninos são mais de dois em cada três. No Afeganistão, também, pouco mais de um terço das meninas está no ensino médio, em comparação com quase 70% dos meninos. Essas barreiras continuam na universidade. Em países pobres, para cada cem meninos que avançam nos estudos depois do ensino médio, apenas 55 meninas fazem o mesmo.

Por que existem menos meninas do que meninos nessa faixa escolar? Economicamente, colocar meninas na escola é um investimento de longo prazo, e para famílias em situação de extrema pobreza o foco está na sobrevivência; elas não podem abrir mão da mão de obra nem pagar a escola. Do ponto de vista social, mulheres e meninas não precisam de estudo para representar os papéis que as sociedades tradicionais reservaram para elas. De fato, o estudo é uma ameaça ao papel tradicional das mulheres. Politicamente é esclarecedor observar que as forças mais extremistas do mundo, como o Boko Haram, que sequestrou 276 meninas estudantes no nordeste da Nigéria em 2014, são especialmente hostis à educação feminina. (Basta dizer que o nome Boko Haram signica "A educação ocidental é proibida".) A mensagem dos extremistas às mulheres é: "Vocês não precisam ir à escola para serem quem queremos que sejam." Por isso queimam escolas e sequestram meninas, esperando que as famílias mantenham as filhas em casa por medo.

Mandar as garotas para a escola é um ataque direto à crença de que o dever da mulher é servir ao homem. Uma jovem que desafiou essa visão é Malala Yousafzai, a paquistanesa que levou um tiro do Talibã em 2012, quando tinha 15 anos. Malala já era conhecida no mundo antes disso, desde que seu pai, administrador de uma rede de escolas, incentivou-a a fazer um blog relatando sua vida de menina que frequentava a escola sob o governo talibã. As postagens tiveram ampla repercussão, e o arcebispo Desmond Tutu indicou-a para o Prêmio Internacional da Criança.

Assim, quando atiraram em Malala, não foi um ataque aleatório a uma menina que frequentava a escola; era um atentado contra uma ativista conhecida, cometido por pessoas que queriam silenciá-la e amedrontar quem compartilhasse seu ponto de vista. Porém ela não se calou. Nove meses depois do atentado ela fez um discurso nas Nações Unidas.

– Vamos levar nossos livros e lápis – disse –, que são as nossas armas mais poderosas. Uma criança, um professor, um livro e um lápis podem mudar o mundo.

Um ano depois, em 2014, Malala se tornou a pessoa mais jovem a receber um Prêmio Nobel da Paz. (Ela ficou sabendo que tinha ganhado o prêmio durante uma aula de química!)

Conheci Malala depois de ela ganhar o prêmio e, como todo mundo, fui tocada por sua história. Mas quando a recebi em um evento em Nova York em 2017 me senti ainda mais inspirada pelo modo como ela *contou* sua história. Malala não concentrou a narrativa em si mesma. Ela disse:

– Acredito que viverei o suficiente para ver *todas as meninas na escola*, porque confio nos líderes locais.

Então ela nos disse que estava apoiando ativistas cujo trabalho era colocar meninas do mundo inteiro na escola – e, de surpresa, chamou ao palco os ativistas presentes. Eles se apresentaram e Malala entregou o microfone para as pessoas que a inspiravam.

Hoje a fundação de Malala investe em ativistas-educadores em todo o mundo. Um deles está no Brasil, ensinando a professores sobre igualdade de gênero. Outro está fazendo campanha para acabar com a cobrança de mensalidade nas escolas da Nigéria. Outra, no Paquistão, país natal de Malala, organiza fóruns para convencer os pais a mandar as filhas para a escola.

Vou seguir o exemplo de Malala e falar de algumas pessoas e organizações que me inspiraram. Alguns governos, do Quênia a Bangladesh, destinaram enormes recursos financeiros para oferecer ensino gratuito às meninas. A ONU e o Banco Mundial têm importantes programas de educação feminina. E existem organizações, como a Campanha para a Educação Feminina, que estão viabilizando o estudo para as mais pobres. Entre todos os grandes programas, quero me concentrar em três que me impressionam em particular: um de um governo nacional, um de uma organização global e um de uma jovem mulher massai que se rebelou e mudou séculos de tradição.

"Agentes de desenvolvimento"

Uma das iniciativas mais inspiradoras sobre a educação de meninas vem do México. Observo que algumas das melhores ideias para o desenvolvimento são simples – *depois* que as conhecemos; no entanto, é preciso um visionário para sonhar com elas e fazer com que funcionem. No México, na década de 1990, muitas famílias ainda não podiam mandar os filhos para a escola porque precisavam de sua mão de obra para se sustentar. Em 1997 um homem chamado José Gómez de León e alguns colegas puseram em prática uma nova ideia. Eles acreditavam que as mulheres e as meninas eram "agentes de desenvolvimento", e transformaram essa crença em realidade.

A proposta era a seguinte: o governo trataria a educação como um emprego e pagaria para as famílias mandarem os filhos à escola. O valor se baseava no que eles ganhariam se estivessem trabalhando: uma criança do terceiro ano poderia receber 10 dólares por mês, um aluno do ensino médio ganharia 60 dólares. Chamaram o programa de Oportunidades.

Garantiram que os pagamentos às crianças fossem entregues diretamente às mães. E, como as meninas tinham uma probabilidade maior de abandonar os estudos do que os meninos, elas recebiam um pouco mais do que eles para permanecer na escola.

Depois que o programa decolou, as meninas que participavam do Oportunidades tiveram uma probabilidade 20% maior de estar na escola do que as que não participavam. Não somente mais meninas passaram a estudar, mas as que o fizeram permaneceram na escola por mais tempo. O programa ajudou quase 6 milhões de famílias.

Passados apenas vinte anos do início do programa, o México alcançou a paridade de gêneros na educação – não somente no ensino fundamental, mas também no ensino médio e na faculdade. E se tornou o país com a maior porcentagem de mulheres com diploma em ciência da computação. O Banco Mundial afirmou que o programa mexicano foi o primeiro a direcionar esforços para lares extremamente pobres e considerou-o um modelo para o mundo. Hoje, 52 países contam com programas que se espelham no Oportunidades.

Um grande avanço em Bangladesh

Eu conhecia o trabalho do Comitê de Progresso Rural em Bangladesh (da sigla em inglês BRAC, Bangladesh Rural Advancement Committee) desde que a iniciativa ganhou o Prêmio Gates de Saúde Global em 2004; no ano seguinte, visitei seu fundador, Fazle Hasan Abed, em Bangladesh. Além de realizar um trabalho visionário nas áreas de saúde e microcrédito, o BRAC é a maior organização de educação privada secular no mundo e concentra seus esforços na educação de meninas.

Na década de 1970, quando Bangladesh estava se recuperando da guerra de independência, a maioria das famílias cuidava de pequenas propriedades rurais, lutando para sobreviver e dependendo muito dos filhos, especialmente das filhas. Em consequência disso, na década de 1980, menos de 2% das meninas do país estavam na escola no sexto ano, e no ensino médio elas representavam metade do número de meninos. Foi então que Fazle Hasan Abed, um cidadão de Bangladesh que se tornara empresário de sucesso na Europa, decidiu voltar ao país, fundar o BRAC e começar a construir escolas.

Quando o programa nasceu, em 1985, cada uma das suas escolas precisava ter pelo menos 70% de meninas. Todos os professores tinham que ser do sexo feminino e todas precisavam vir da comunidade, para os pais não temerem pela segurança das filhas. Cada escola do BRAC estabelecia a própria programação para se acomodar à época do plantio, de modo que as famílias que dependessem do trabalho das meninas pudessem mandá-las à escola. Além disso, ao fornecer livros e material escolar de graça, garantia que o custo jamais fosse uma desculpa para manter uma menina fora da escola.

À medida que o número de escolas do BRAC foi crescendo, os extremistas religiosos do país – reconhecendo que as escolas melhoravam a condição de vida das mulheres – começaram a incendiá-las. Abed as reconstruía. Dizia que o objetivo do programa era desafiar a cultura que mantinha as mulheres sob opressão, e os incendiários eram a maior prova de que estava dando resultado. Hoje Bangladesh tem mais meninas do que meninos cursando o ensino médio. O BRAC administra 48 mil escolas e centros de aprendizado em todo o mundo. A organização de Abed vai aos lugares mais perigosos do planeta para assegurar que as meninas frequentem a escola. Pouco a pouco contribuindo para mudar essas culturas.

Desafiando séculos de tradição

Em muitas áreas rurais da África subsaariana espera-se que as meninas obedeçam aos costumes de sua cultura, que não os desafiem e certamente que não os mudem.

O futuro de Kakenya Ntaiya, como o da maioria das garotas de 13 anos na comunidade massai do Quênia, foi traçado no segundo em que ela nasceu. Frequentaria a escola até chegar à puberdade. Então se submeteria ao corte genital feminino, abandonaria os estudos e se casaria com o menino de quem ficaria noiva aos 5 anos. Desse dia em diante pegaria água, cataria lenha, limparia a casa, faria comida e trabalharia na terra. Tudo estava planejado, e quando a vida de uma menina está traçada, o plano serve a todo mundo, menos a ela.

A mudança começa quando alguém diz: "Não!"

Conheci essa corajosa garota massai quando nossa fundação ajudou a financiar um concurso de documentários sobre pessoas que estavam mudando o mundo e o vencedor foi um filme que contava a história de Kakenya.

Kakenya queria ser professora. Isso significava que não poderia abandonar os estudos quando chegasse à puberdade. Não poderia se casar, cozinhar ou limpar a casa de sua nova família. Precisaria ficar na escola. Nem consigo imaginar tamanha ousadia. Fui uma boa menina na época do ensino fundamental. Queria a aprovação de todo mundo. Tive sorte porque o que eu desejava para a minha vida combinava com o que meus pais e professores queriam, mas, se meus sonhos fossem diferentes dos deles, não sei se eu os teria enfrentado.

Aparentemente Kakenya não tinha esse tipo de dúvida. Quando completou 13 anos, propôs ao pai um acordo: iria se submeter ao corte genital, mas só se ele concordasse que ela permanecesse solteira e continuasse frequentando a escola. O pai de Kakenya sabia que, se ela não permitisse o corte, a reputação dele na comunidade ficaria manchada. Sabia que a filha era corajosa o suficiente para desafiar a tradição. Aceitou o trato.

No dia combinado, Kakenya entrou em um curral perto de casa e, sob os olhares de toda a comunidade, uma anciã da tribo cortou seu clitóris com uma faca enferrujada. Ela sangrou profusamente e desmaiou de dor. Três semanas depois estava de volta à escola, decidida a se tornar professora. Quando se formou, ganhou uma bolsa integral para frequentar uma faculdade nos Estados Unidos.

Infelizmente a bolsa não incluía a passagem aérea, e as pessoas da aldeia não pareciam dispostas a pagar sua viagem. Quando ela dizia que tinha conseguido uma bolsa, ouvia como resposta: "Que desperdício de oportunidade! Deveria ter sido dada a um garoto."

Kakenya tinha coragem para desafiar a tradição, mas também tinha a sabedoria necessária para usá-la a seu favor. Na comunidade massai há a crença de que as boas notícias chegam de manhã. Assim, todas as manhãs Kakenya batia à porta de um dos homens influentes da aldeia. Prometia que, se eles a ajudassem a obter o diploma, voltaria e faria a diferença.

Acabou conseguindo que a aldeia bancasse sua passagem de avião.

Nos Estados Unidos, ela não somente conseguiu seu diploma de faculdade, como também um Ph.D. em educação. Trabalhou para a ONU. Aprendeu sobre os direitos de mulheres e meninas. E o mais importante, segundo ela: "Aprendi que não precisava negociar uma parte do meu corpo para obter uma formação. Eu tinha esse direito."

Quando voltou para sua aldeia, cumprindo a promessa que fizera, pediu aos anciãos que a ajudassem a construir uma escola para meninas.

– Por que não uma escola para meninos? – perguntaram.

Um deles disse que não via necessidade de as meninas estudarem, mas respeitava o fato de ela ter voltado para a aldeia.

– Vários filhos desta aldeia foram estudar nos Estados Unidos – disse ele. – Mas Kakenya é a única que voltou para ajudar.

Kakenya enxergou uma oportunidade. Se os garotos não voltam para ajudar e a garota volta, argumentou, faz mais sentido educar as garotas.

O ancião então disse:

– O que ela fala nos toca... Ela trouxe uma escola e uma luz, e está tentando mudar velhos costumes para oferecer às meninas uma vida melhor.

Os anciãos doaram o terreno para a nova escola e, em 2009, o Kakenya Center for Excellence abriu as portas. A escola atende meninas nos últimos anos do ensino fundamental, quando elas provavelmente interromperiam os estudos para se casar, e as ajuda na transição para o ensino médio. O Kakenya Center fornece uniformes, livros e auxílio educacional. Em troca, os pais devem concordar que suas filhas não serão submetidas ao corte genital e não serão forçadas a se casar enquanto ainda estiverem estudando. Algumas alunas do Kakenya Center estão entre os 2% com notas mais altas nos exames nacionais do Quênia e ingressaram em faculdades no país e no exterior.

Não faço ideia de como as pessoas encontram coragem para enfrentar tradições tão arraigadas, porém, quando o fazem, elas sempre ganham seguidores que possuem a mesma convicção, mas talvez não a mesma coragem. É assim que nascem os líderes. Eles dizem o que os outros querem dizer, e então os demais se juntam a eles. É assim que uma garota pode mudar não somente sua vida, mas também sua cultura.

Mudando o modo como uma menina se vê

Todas as mulheres com quem conversei e todos os dados que vi me convenceram de que a força mais transformadora da educação feminina é a mudança da autoimagem da garota que frequenta a escola. É aí que está o impulso para levantar voo. Se a autoimagem não mudar, frequentar a escola não mudará a cultura, porque essa menina colocará sua capacidade a serviço das normas sociais que a oprimem.

Esse é o segredo de uma educação empoderadora: a menina descobre que não é a pessoa que dizem que ela é. Que é igual a todo mundo e tem direitos que precisa afirmar e defender. É assim que os grandes movimentos de mudança social ganham força: quando os excluídos rejeitam a autoimagem ruim que a sociedade lhes impôs e começam a criar uma nova.

A irmã Sudha Varghese sabe disso melhor do que qualquer outra pessoa que conheço. Quando Sudha era menina e estudava em uma escola católica no sul da Índia, leu uma reportagem sobre freiras e padres que trabalhavam com os pobres e soube na hora que tinha sido chamada para uma vida dedicada a esse serviço. Entrou para uma ordem religiosa, virou freira e começou sua obra. Mas esse trabalho não a inspirou. O convento era confortável demais. As pessoas a quem ela servia não eram suficientemente pobres.

– Eu queria estar com os pobres – contou –, e não apenas com os pobres, mas com os mais pobres entre os pobres. Por isso busquei os musahar.

Sua fé lhe dizia para procurar os marginalizados. Ela escolheu os que estavam nas condições mais extremas. Musahar significa "comedores de rato". São "intocáveis" na Índia: pessoas nascidas em um sistema de castas que as considera menos do que humanas. Elas não podem entrar nos templos nem usar o caminho do povoado. Não podem comer à mesma mesa nem usar os mesmos utensílios que os outros. Os musahar são considerados tão inferiores que mesmo outros "intocáveis" os desprezam.

Quando Sudha decidiu que queria trabalhar com eles, não havia um modo de fazer isso, nenhuma organização a que ela pudesse se juntar. Por isso viajou sozinha até uma comunidade musahar no nordeste da Índia e pediu às pessoas um local onde ficar. Conseguiu um espaço em um armazém de grãos e começou imediatamente a trabalhar para melhorar a vida dos mais relegados entre os musahar: as mulheres e as meninas.

Sudha me disse que uma vez, falando a um grupo de mulheres musahar, pediu que levantasse a mão quem nunca tinha apanhado do marido. Nenhuma ergueu o braço. Ela achou que não haviam entendido a pergunta, por isso tentou de outro jeito:

– Levante a mão se o seu marido já bateu em você.

Todas as mulheres levantaram a mão. Todas tinham sido espancadas na própria casa.

Fora de casa era pior. As mulheres musahar vivem sob ameaça constante de violência sexual e enfrentam um desprezo permanente. Se as meninas saem da aldeia, as pessoas sibilam *musahar* e lembram a elas que são intocáveis. Se riem ou agem com liberdade demais, alguém as agarra pelo braço e diz que seu comportamento é inaceitável para uma menina musahar.

Desde o nascimento, a sociedade lhes diz o tempo todo que elas são completamente inúteis.

Depois de trabalhar mais de vinte anos para melhorar a vida das mulheres musahar – enfrentando o escárnio porque vivia com "intocáveis" e recebendo ameaças de morte por seu esforço para levar a julgamento os casos de estupro –, em 2005 Sudha decidiu que o melhor que poderia fazer seria abrir um colégio interno gratuito para meninas musahar.

Eis o que ela diz:

– Tudo que elas conheceram, ouviram e viram foi: "Você é um lixo." Elas internalizaram isso. "É a parte que me cabe. Esse é o meu lugar. Meu lugar não é na cadeira. Vou me sentar no chão, e então ninguém poderá me dizer para ficar abaixo disso." Durante toda a vida dizem a elas: "Você é a última. Você é a menos importante. Você não merece ter." Elas aprendem muito depressa a se calar, não esperar mudanças e não pedir mais.

Com sua escola, o objetivo da irmã era provocar uma reviravolta nessa autoimagem.

Um dos meus versículos prediletos das escrituras está no Evangelho de Mateus: "Os últimos serão os primeiros e os primeiros serão os últimos." Para mim, isso captura a missão da irmã Sudha, e ela começa ensinando às suas alunas que, não importa o que a sociedade lhes diga, elas jamais devem se colocar em último lugar.

Ela batizou a nova escola de Prerna, que significa "inspiração" em híndi. Quando a visitei lá, me pegou pela mão e me apresentou a todas as alunas que encontramos, chamando-as pelo nome. Com frequência as garotas sentem saudade de casa quando chegam, e a irmã parou para consolar uma menina que estava chorando, acariciando sua cabeça enquanto falava. Sudha tocava todas as meninas ao conversar com elas, pondo a mão em um ombro, dando um tapinha nas costas de outra, derramando seu amor sobre todas. Quando se machucam, ela mesma faz curativos – porque as garotas não estão acostumadas a ter alguém que cuide delas caso estejam feridas. A irmã quer acabar com o sentimento de que são intocáveis.

– Quando elas chegam aqui ficam olhando para o chão o tempo todo. Fazer com que levantem os olhos é algo incrível.

As meninas que conheci ficavam de cabeça erguida e me olhavam nos olhos. Eram respeitosas, curiosas, confiantes, com brilho no olhar – até um pouco petulantes. Uma garota ficou sabendo que eu era casada com Bill Gates e perguntou quanto dinheiro eu levava comigo. Virei os bolsos vazios pelo avesso enquanto a irmã e eu ríamos.

Todas as meninas na Prerna estudam as matérias convencionais, como inglês, matemática, música e informática. Mas a irmã também oferece um currículo especial, algo que ela vinha tentando ensinar aos musahar desde o momento em que chegou. Insiste que cada menina conheça seus direitos: o direito de estudar, de brincar, de andar livremente, de estar em segurança, de falar por si mesma.

Durante toda a vida elas ouviram que são as mais inferiores entre os inferiores, mas lá aprendem: "Você tem os mesmos direitos das outras pessoas. E precisa usar sua capacidade para defendê-los."

Defender-se não é apenas uma lição abstrata. A irmã Sudha faz as meninas aprenderem caratê. Frequentemente elas são alvo de violência sexual em casa ou no campo; por isso a irmã quer que saibam que têm o direito de não ser atacadas – e o poder de se defender dos agressores. (Sabe-se que ensinar táticas de defesa pessoal ajuda a reduzir a violência contra meninas adolescentes.) A irmã me contou com prazer a história de uma de suas meninas que deu um chute na barriga de um bêbado interessado em favores sexuais. Ele saiu cambaleando e nunca mais voltou.

Aprender caratê – ou qualquer forma de defesa pessoal – foi desconcertante para garotas que tinham sido preparadas para aceitar abusos. Mas elas se esforçaram muito, e seu progresso foi tão impressionante que o professor de caratê sugeriu que a escola Prerna mandasse uma equipe para a competição nacional de caratê. A irmã concordou; achou que a viagem seria uma boa experiência. As meninas ganharam medalhas de ouro e prata em quase todos os eventos dos quais participaram. O governador do estado de Bihar pediu para conhecê-las e se ofereceu para pagar as passagens para o campeonato mundial no Japão. *Os últimos serão os primeiros.*

A irmã conseguiu passaportes, passagens e documentos de viagem. Parecia uma boa oportunidade de ver o mundo. As meninas voltaram com sete troféus – e algo mais: o sentimento de estar em uma cultura que não as olha de cima para baixo.

– Elas ficaram muito perplexas com o respeito que as pessoas demonstravam – explicou a irmã. – Diziam: "Imagine só, fazendo reverência para mim, falando comigo desse jeito."

Pela primeira vez aquelas meninas estiveram em uma sociedade que não as desprezava. Isso as ajudou a ver que, em seu próprio país, elas eram tratadas com desconsideração não por algum defeito que tivessem, mas por um defeito da sociedade.

Uma autoimagem ruim e costumes sociais opressivos são versões internas e externas da mesma força, mas a ligação entre ambos oferece aos excluídos a chave para mudar. Se uma menina é capaz de elevar a visão que tem de si mesma, pode começar a mudar a cultura que a mantém oprimida. Mas isso não é algo que a maior parte consiga fazer sozinha. Elas precisam de apoio. A primeira defesa contra uma cultura de ódio é o amor.

O amor é a força mais poderosa e subutilizada para a mudança no mundo. Não se ouve falar disso em discussões políticas ou em debates políticos, porém Madre Teresa, Albert Schweitzer, Mohandas Gandhi, Dorothy Day, Desmond Tutu e Martin Luther King fizeram um trabalho obstinado, duro, em nome da justiça social, e todos colocaram ênfase no amor.

Uma das marcas do desconforto da nossa cultura em relação ao amor é o fato de que os políticos jamais falam dele como uma qualificação para exercer um cargo público. No meu ponto de vista, o amor é uma das competências mais elevadas que alguém pode ter. Como diz um dos meus mestres espirituais prediletos, o padre franciscano Richard Rohr: "Só o amor pode usar o poder com segurança." Para mim, o amor é o esforço para ajudar os outros a prosperar – e com frequência isso começa elevando a autoimagem da pessoa.

Testemunhei o poder da autoimagem em meus colegas de trabalho e de estudos, nas escolas de ensino fundamental, nas universidades e nas maiores empresas do mundo. E também em mim mesma. Na época do ensino médio, em Dallas, tive uma reunião com uma orientadora vocacional que eu conhecia e que queria me dar alguns conselhos. Quando eu lhe disse quais eram as faculdades onde eu queria estudar, ela respondeu que eu não conseguiria entrar em nenhuma daquelas e que deveria reduzir minhas ambições. O melhor seria buscar algum lugar mais perto de casa, disse.

Se eu não estivesse cercada por pessoas que me incentivavam, poderia ter aceitado o conselho dela e me vendido barato. No entanto, saí furiosa daquela conversa e duplamente decidida a alcançar meus objetivos. Esse poder não era *meu*; era o poder daqueles que tinham me mostrado meus dons e queriam que eu prosperasse. Por isso sou tão apaixonada por professores capazes de acolher as meninas e elevá-las: eles mudam o curso da vida de suas alunas.

Uma menina que recebe amor e apoio pode começar a derrotar a autoimagem que a mantém prisioneira. À medida que ganha autoconfiança, vê que pode aprender. À medida que aprende, enxerga os próprios dons. À medida que desenvolve esses dons, compreende o poder que tem e se torna capaz de defender os próprios direitos. É isso que acontece quando oferecemos amor, e não ódio, às meninas. Levantamos o olhar delas e elas ganham voz própria.

CAPÍTULO CINCO

A desigualdade silenciosa
Trabalho não remunerado

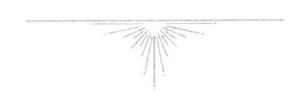

Há quatro ou cinco anos, antes de concentrar meus esforços nas dificuldades domésticas das mulheres mais pobres do mundo, ouvi a história de Champa.

Champa era uma mãe de 22 anos. Morava em uma área tribal no centro da Índia, em uma cabana de dois cômodos que dividia com o marido, os sogros e os três filhos. Ashok Alexander, o primeiro diretor do nosso escritório na Índia, visitou-a um dia de manhã, acompanhado de um grupo de profissionais de saúde. Haviam dito a eles que Champa tinha uma filha de 2 anos, chamada Rani, que sofria de desnutrição aguda, condição que leva rapidamente à morte se não for tratada.

Quando os visitantes chegaram, Champa saiu de casa com a filha em um dos braços e o rosto coberto por um *pallu* – espécie de véu usado pelas mulheres hindus mais conservadoras para limitar o contato com homens. Champa tinha um maço de papéis médicos que não sabia ler. Colocou-os nas mãos de Ashok.

Enquanto pegava os papéis, Ashok olhou para Rani. A menina estava tão desnutrida que suas pernas pareciam gravetos, e a mãe não tinha como fazer nada a respeito: Rani não podia ingerir alimentos comuns. Precisava de um tratamento especial: uma dieta rica em nutrientes administrada com cuidado, em doses pequenas, que não poderia ser oferecida ali no povoado. Ela só sobreviveria se fosse levada ao Centro de Tratamento de Desnutrição do distrito, onde poderia recuperar a saúde em poucas semanas. Mas o centro ficava a duas horas, de ônibus, Rani e Champa precisariam ficar lá durante duas semanas, e o sogro de Champa tinha dito:

– Ela não pode ir. Precisa ficar e cozinhar para a família.

Champa explicou tudo isso às profissionais de saúde enquanto mantinha o rosto coberto, mesmo diante de outras mulheres. Não tinha oferecido qualquer resistência ao sogro, nem mesmo para salvar a vida da filha.

Ashok pediu para falar com o sogro. Encontraram-no deitado num campo, bêbado de aguardente feita em casa. Ashok disse:

– Sua neta vai morrer se não for tratada.

– Ela não pode ir – disse o sogro. – Sair por duas semanas está fora de questão.

Quando Ashok repetiu que Rani morreria, o homem disse:

– Se Deus leva uma criança, sempre manda outra. Deus é muito grande e generoso em relação a isso.

Ninguém tinha se oferecido para fazer o serviço de Champa e cozinhar. Ela não tinha apoio, ninguém da família estava disposto a assumir essas tarefas ou era capaz de realizá-las. Nem mesmo em se tratando de um caso de vida ou morte.

Rani foi salva porque os profissionais de saúde intervieram, levando a menina para o centro de tratamento enquanto Champa ficava em casa para cozinhar. A criança teve sorte. Existem muitas outras como ela cujas mães estão de tal modo acorrentadas pelas tarefas domésticas e pelas normas sociais que não têm como proteger os filhos.

Mais tarde Ashok nos contou:

– Esse não foi um caso isolado. Vi isso repetidamente. As mulheres não têm direitos, nenhum poder. Tudo que fazem é cozinhar, limpar e deixar os filhos morrerem em seu colo. Nem mesmo podem mostrar o rosto.

O equilíbrio desigual do trabalho não remunerado

Para mulheres que passam o dia todo realizando tarefas não remuneradas, os afazeres cotidianos matam os sonhos de toda uma vida. O que quero dizer com trabalho não remunerado? É o trabalho doméstico: cuidar dos filhos ou de outras pessoas, cozinhar, limpar, fazer compras e outras tarefas cumpridas por um membro da família que não está sendo pago. Em muitos países, quando as comunidades não dispõem de eletricidade nem de água corrente, o trabalho não remunerado também compreende o tempo e o serviço de mulheres e meninas que carregam água e catam lenha.

Essa é a realidade de milhões de mulheres, especialmente nos países mais pobres, onde cabe a elas uma parte muito maior do trabalho não remunerado que faz uma casa funcionar.

Em média, as mulheres ao redor do mundo dedicam o dobro das horas dos homens ao trabalho não remunerado, mas o tamanho da disparidade varia. Na Índia elas passam seis horas *por dia* realizando tarefas não remuneradas, enquanto os homens passam menos de uma. Nos Estados Unidos as mulheres cumprem em média mais de quatro horas de trabalho não remunerado diariamente; os homens, duas horas e meia. Na Noruega essa proporção é de três horas e meia para as mulheres contra cerca de três para os homens. Não existe nenhum país onde a diferença seja zero. Isso significa que, em média, as mulheres cumprem sete anos de trabalho não remunerado a mais do que os homens durante a vida. É mais ou menos o tempo necessário para terminar uma faculdade *e* um mestrado.

Quando as mulheres conseguem reduzir o tempo de trabalho não remunerado, aumentam o tempo de trabalho remunerado. De fato, reduzir o trabalho não remunerado das mulheres, de cinco para três horas por dia, aumenta em 20% a participação feminina na força de trabalho.

Isso é muito significativo porque é o *trabalho remunerado* que eleva as mulheres em direção à igualdade com os homens e lhes dá poder e independência. É por isso que o desequilíbrio de gêneros no trabalho não remunerado é tão relevante. O trabalho não remunerado que a mulher faz em casa é uma barreira para as atividades que podem fazê-la avançar: melhorar sua formação, obter renda fora de casa, conhecer outras mulheres, tornar-se politicamente ativa. O trabalho não remunerado desigual obstrui o caminho da mulher para o empoderamento.

Claro, existem algumas categorias de trabalho não remunerado que podem tornar a vida profundamente significativa, inclusive cuidar dos familiares. Porém, a importância e o valor do cuidado com os familiares não se reduzem quando afirmamos que todos os membros da família – tanto os que cuidam quanto os que são cuidados – se beneficiam da divisão dessas tarefas.

Em janeiro de 2014 me hospedei com minha filha Jenn em uma casa de família na Tanzânia – em Mbuyuni, uma aldeia a leste de Arusha, perto do monte Kilimanjaro.

Era a primeira vez que eu ficava na casa de uma família. Com isso, esperava obter uma compreensão da vida das pessoas que não estava disponível nos livros e relatórios que eu lia, ou mesmo nas conversas francas que tinha com mulheres que conhecia durante as viagens.

Fiquei empolgada em fazer essa visita com Jenn, que tinha 17 anos e estava no último ano do ensino médio. Desde que as crianças eram bem pequenas eu quis expô-las ao mundo – não somente como uma retribuição às pessoas que conheciam, mas para se *conectarem* com elas. Se há na vida algum significado maior do que se conectar com outros seres humanos, eu ainda não o encontrei.

Depois disso, também me hospedei com meu filho Rory no Malawi, onde um casal amoroso, Chrissy e Gawanani, e seus filhos nos acolheram durante vários dias. Gawanani ensinou Rory a depenar um galo para o jantar. Depois mostrou os animais de criação a Rory e disse:

– Aquele porco ali representa os estudos do meu filho.

Rory entendeu que o modo como as pessoas economizam para pagar os estudos dos filhos varia de acordo com a cultura, mas que o impulso para ajudá-los a ter sucesso na vida é o mesmo.

Phoebe, nossa filha mais nova, fez trabalho voluntário em escolas e hospitais na África Ocidental e, no futuro, gostaria de passar boa parte do tempo morando na África. Espero que o contato com outras pessoas e outros lugares seja decisivo para o que meus filhos fazem. Porém, mais ainda, quero que isso determine quem eles são. Quero que vejam que todos somos iguais no desejo humano universal de ser feliz, desenvolver nossos dons, contribuir para os outros, amar e ser amados. Ninguém é melhor do que ninguém e a felicidade ou a dignidade humana de ninguém importa mais do que a de qualquer outra pessoa.

Essa foi uma lição que ressoou durante minha estadia com Jenn na Tanzânia, com Anna e Sanare, um casal massai que vivia em um pequeno complexo familiar construído por eles ao longo dos anos. Os dois nos instalaram no que tinha sido originalmente um barracão para cabras. Eles tinham ocupado esse mesmo barracão quando se casaram. Mais tarde construíram uma casa maior e se mudaram para outro cômodo, e as cabras ocuparam o espaço. Quando Jenn e eu chegamos, os animais foram tirados de lá por alguns dias (pelo menos se mantínhamos a porta fechada!). Aprendi mais durante aquela estadia do que em qualquer outra visita anterior que fiz pela fundação, especialmente sobre os fardos que a mulher carrega para fazer com que a casa e a propriedade rural funcionem.

Sanare saía de manhã e trabalhava na pequena barraca de comércio da família, a uma hora de caminhada pela estrada principal. Em geral ia a pé, mas às vezes pegava uma carona de motocicleta com o vizinho. Anna ficava e trabalhava em casa e na propriedade rural, e Jenn e eu pudemos ajudá-la com as atividades domésticas.

Eu viajava para comunidades pobres desde que tínhamos iniciado nossa fundação e não me surpreendia mais ao ver mulheres fazendo todo o trabalho de cozinhar, limpar e cuidar da família. Mas nunca tinha sentido todo o peso de seus dias – o que elas faziam desde o momento em que acordavam, antes do amanhecer, até a hora em que iam para a cama, muito depois de anoitecer.

Jenn e eu ajudamos Anna a rachar lenha usando machados cegos em tocos de madeira cheios de nós. Caminhávamos trinta minutos para pegar a água que levávamos de volta em baldes na cabeça. Usávamos a lenha para acender o fogo e ferviamos a água para o chá. Depois começávamos a preparar a comida – pegando ovos, catando feijão, preparando batatas e cozinhando tudo no fogão a lenha. Toda a família se reunia para o jantar, e então ajudávamos as mulheres a lavar os pratos às dez da noite em meio à poeira do pátio. Anna ficava em movimento durante 17 horas por dia. O número de horas e a intensidade do trabalho foram uma revelação para mim. Não descobri isso em livro nenhum. Senti no corpo. Anna e Sanare tinham um relacionamento amoroso e se esforçavam para torná-lo igualitário. Mesmo assim, Anna e as outras mulheres da aldeia tinham que lidar com um fardo gigantesco de trabalho não remunerado, distribuído de modo desigual entre os sexos. Isso não apenas afetava a vida das mulheres; tornava seu futuro sombrio.

Conversei muito com Anna enquanto cozinhávamos e perguntei o que ela faria se tivesse mais tempo. Ela disse que sonhava em abrir um negócio, para criar uma nova raça de galinhas e vender os ovos em Arusha, a uma hora e meia de carro. O dinheiro mudaria a vida deles, mas era apenas um sonho. Anna não tinha tempo para administrar um negócio; passava suas horas de vigília ajudando a família a cumprir todas as tarefas de cada dia.

Também tive oportunidade de conversar com Sanare. Ele me disse que o casal estava aflito com a filha, Grace, que não tinha passado na prova para uma escola de ensino médio do governo. Grace teria uma nova chance, mas, se não fosse aprovada, a única possibilidade seria um internato particular, muito caro. Caso Sanare e Anna não conseguissem o dinheiro, Grace perderia a chance de uma vida melhor.

– Estou preocupado com a hipótese de a vida da minha filha ser igual à da minha mulher – disse ele. – Se Grace não estudar, vai ficar em casa e começar a passar o tempo com outras meninas que também não frequentam escola. As famílias vão começar a casar as meninas, e todas as esperanças dela vão por água abaixo.

A situação de Sanare e Anna era mais complicada porque seu filho, Penda, havia passado no teste para uma escola do governo, que não é gratuita, mas é relativamente barata. Assim, os estudos dele estavam garantidos, mas os de Grace continuavam incertos.

Penda e Grace são gêmeos. Estão no mesmo ano na escola. Os dois são inteligentes. Mas Grace tem mais trabalho em casa do que Penda. Quando ela está fazendo as tarefas domésticas, ele tem tempo para estudar.

Uma noite, quando Jenn saiu de nosso barracão usando sua lanterna de cabeça, Grace correu até ela e pediu:

– Posso ficar com sua lanterna de cabeça quando você for embora, para eu estudar à noite depois de fazer as tarefas de casa?

Grace era uma menina muito tímida, de apenas 13 anos. Mas tinha ousadia suficiente para pedir a lanterna a Jenn, como presente. Isso dá uma ideia de como a questão era importante para ela.

Existem milhões de meninas como Grace, e sua cota extra de trabalho não remunerado poderia significar a diferença entre uma vida brilhante e próspera e uma vida cozinhando e limpando, sem tempo para aprender e crescer.

Quando voltei da Tanzânia, estava claro para mim que o trabalho não remunerado era mais do que um sintoma da desigualdade de gênero. Era um terreno onde a mudança poderia promover o empoderamento das mulheres, e eu queria saber mais.

Os pioneiros

Durante muito tempo os economistas não admitiam que trabalho não remunerado era trabalho. Também não reconheciam vários preconceitos: de que havia tarefas "de mulher"; de que essas tarefas eram desvalorizadas; de que o trabalho era dividido de modo desigual entre homens e mulheres. Por muitos anos, quando avaliavam a produtividade de uma propriedade rural familiar, os economistas contabilizavam as horas dos que trabalhavam na propriedade, mas não as horas das mulheres cujo serviço cozinhando, lavando e cuidando da família permitiam que os trabalhadores rurais fossem produtivos. Mesmo análises muito sofisticadas desprezavam esse tipo de trabalho durante anos. Não o enxergavam ou desconsideravam sua importância, argumentando que é assim que o mundo funciona: as mulheres têm fardos adicionais, como o de dar à luz.

A incapacidade dos economistas em reconhecer o trabalho não remunerado ficou ainda mais inaceitável à medida que mais mulheres engrossavam as fileiras do trabalho formal. Uma mulher trabalhava o dia inteiro. Quando terminava as tarefas remuneradas, ajudava os filhos com os deveres de casa, passava o aspirador de pó na sala, lavava as roupas, preparava o jantar e colocava as crianças na cama – horas e horas de trabalho que passavam despercebidas e não eram contabilizadas.

Uma economista chamada Marilyn Waring compreendeu esse preconceito profundo e começou a procurar meios de combatê-lo. Eleita para o parlamento da Nova Zelândia em 1975, quando tinha apenas 23 anos, ela sabia o que era ser uma mulher trabalhadora; sabia também como era ser ignorada pelos homens que criavam as regras. Porém, quando foi buscar pesquisas sobre o trabalho feminino não remunerado, não conseguiu encontrar nada. Pediu ajuda a um colega economista, que lhe disse:

– Ah, Marilyn, não existe nenhuma pesquisa relevante sobre isso. Você sabe o suficiente; escreva você.

Assim Waring viajou pelo mundo estudando o trabalho não remunerado – e calculou que, se um empregador contratasse trabalhadores pelo valor de mercado para fazer todas as tarefas que as mulheres realizam sem receber nada por isso, o trabalho não remunerado seria o maior setor da economia global. No entanto, os economistas ainda não consideravam que isso fosse trabalho.

Waring explicou o seguinte: você paga um preço de mercado para alguém cuidar das crianças. Paga o gás para o fogão funcionar. Paga a uma fábrica para fazer comida a partir dos grãos. Paga pela água que sai da torneira. Paga pelo prato servido em um restaurante. Paga para lavar as roupas em uma lavanderia. Mas se uma mulher fizer tudo isso sozinha – cuidar dos filhos, rachar lenha, moer o grão, pegar água, cozinhar as refeições e lavar as roupas – ninguém paga pelo serviço. Ninguém sequer o leva em consideração, porque é "trabalho doméstico" e é "gratuito".

Waring publicou o livro *If Women Counted: A New Feminist Economics* (Se as mulheres contassem: Uma nova economia feminista) em 1988. Como observou a economista americana Julie Nelson, "O trabalho de Marilyn Waring acordou as pessoas".

Em 1985 a ONU tinha adotado uma resolução pedindo que os países começassem a contabilizar o trabalho não remunerado feminino no ano 2000. Depois de Waring publicar seu livro, o prazo foi antecipado para 1995.

Em 1991 uma congressista dos Estados Unidos apresentou uma lei exigindo que o Bureau de Estatísticas do Trabalho computasse o trabalho doméstico, o cuidado com as crianças e outros serviços não remunerados em suas pesquisas sobre o uso do tempo. A lei não foi aprovada (na época as mulheres compunham apenas 6% do congresso). Ela foi reapresentada em 1993 e de novo em 1995. Foi rejeitada todas as vezes.

Como escreveu Waring: "Os homens não vão abrir mão facilmente de um sistema em que metade da população do mundo trabalha em troca de quase nada", ainda mais por reconhecerem que "exatamente *porque* essa metade trabalha em troca de tão pouco, não lhe resta energia para lutar por mais nada".

Foi somente em 2003 que o Bureau de Estatísticas do Trabalho começou a medir as horas de trabalho doméstico e de cuidado dos filhos em sua pesquisa nacional de uso do tempo. Ela mostra que os homens têm mais tempo para atividades recreativas, como participar de jogos e fazer exercícios, ao passo que as mulheres não apenas fazem mais trabalho não remunerado, como *trabalham mais* – em todos os sentidos.

O reconhecimento desse problema levou a alguns esforços para resolvê-lo. Depois de Waring publicar seu livro, a economista Diane Elson pensou em uma estrutura tripartite para diminuir a diferença entre o tempo que homens e mulheres passavam fazendo trabalho não remunerado. Ela a chamou de 3Rs: reconhecer, reduzir, redistribuir.

Elson afirma que o primeiro passo é *reconhecer* que alguém está fazendo o trabalho não remunerado. É por isso que precisamos que os governos contem as horas que as mulheres passam nessa jornada. Depois podemos *reduzir* o número de horas de trabalho não remunerado por meio da tecnologia, com melhores fogões, máquinas de lavar ou bombas para tirar leite materno. Por fim podemos *redistribuir* o trabalho que não é possível reduzir, de modo que homens e mulheres o dividam de modo mais equitativo.

Pensar no conceito de trabalho não remunerado determina o modo como vejo o que acontece na nossa casa. Quero ser honesta: tive uma ajuda fantástica, de longo prazo, para criar nossos filhos e cuidar das tarefas domésticas. Não conheço todas as lutas pessoais de outros casais que precisam equilibrar o trabalho com responsabilidades da família e do lar. Não posso falar por eles e jamais compararia minha situação com a deles. Mas sei reconhecer um desequilíbrio no trabalho não remunerado quando acontece em minha própria casa: e acontece! Criar filhos dá um bocado de trabalho: levar à escola, ao médico, aos treinos esportivos e às aulas de teatro; supervisionar o dever de casa; compartilhar refeições; manter a família conectada com amigos em festas de aniversário, casamentos e formaturas.

Isso toma bastante tempo. E em diferentes momentos, exausta, abordei Bill e disse: "Me ajuda!"

Quando Jenn começou no jardim de infância, no outono de 2001, encontramos uma escola ideal para ela, mas ficava a trinta ou quarenta minutos de nossa casa, do outro lado de uma ponte, e eu sabia que percorreria o caminho de casa à escola duas vezes por dia. Quando reclamei com Bill sobre o tempo que iria passar no carro, ele disse:

– Eu posso dividir com você.

Perguntei:

– Sério? Você faria isso?

– Claro. Isso vai me dar tempo para conversar com Jenn.

Assim Bill começou a levá-la também. Saía de casa, deixava Jenn na escola, dava meia-volta, passava de novo pelo nosso bairro e ia para a Microsoft. Fazia isso duas vezes por semana. Depois de umas três semanas, nos meus dias de levá-la, comecei a notar um monte de pais deixando os filhos. Perguntei a uma das mães:

– Ei, o que está acontecendo? Tem um monte de pais aqui.

Ela respondeu:

– Quando vimos o Bill trazendo a menina, fomos para casa e dissemos aos nossos maridos: "Se Bill Gates pode levar a filha para a escola, você também pode."

Uma noite, alguns anos depois, eu era (de novo) a última a restar na cozinha depois do jantar, lavando a louça de nós cinco. Tive um ataque:

– Ninguém sai da cozinha até a mamãe terminar!

Não há nada no fato de ser mãe que me obrigue a lavar a louça sozinha. Bill apoiou isso – ainda que eu tenha de admitir que ele é o tipo de cara que prefere lavar os pratos porque ninguém faz isso direito.

Se eu tentasse ler a mente dos meus leitores agora, alguns poderiam pensar: *Ah, não... a dama privilegiada está cansada de ser a última na cozinha, sozinha. Mas ela não precisa se levantar antes do sol. Seus filhos não vão pegar o ônibus. Ela conta com ajuda confiável para cuidar das crianças. Tem um companheiro disposto a levar os filhos para a escola e lavar os pratos.* Eu sei de tudo isso. Eu sei. Não estou descrevendo minha cena porque ela seja um problema, e sim porque é meu ponto de observação do problema.

Todas as famílias têm seu modo de lidar com o dia a dia, e todas se beneficiariam de alguma ajuda para criar filhos e cuidar da casa. No verão de 2018 me reuni com pesquisadores que estou financiando e pedi a eles que fossem a dez comunidades espalhadas pelos Estados Unidos estudar como as famílias se organizam para cuidar de seus membros – que aparelhos ou eletrodomésticos usam para poupar trabalho, como dividem as tarefas, como as políticas públicas as ajudam e de que modo a renda afeta seu jeito de fazer isso.

Os pesquisadores falaram de seu trabalho de uma maneira muito comovente para mim. Cuidar dos outros é humano – e cuidar de crianças ou pais idosos deveria ser uma expressão de amor. Isso pode nos presentear com alguns dos momentos mais valiosos da vida. Porém, quando se parte do princípio de que essas são tarefas femininas, cuidados que deveriam trazer alegria se tornam fardos, e o trabalho que deveria ser compartilhado acaba por isolar a mulher. Espero que essa pesquisa nos dê uma boa ideia dos compromissos que os americanos assumem. O que motiva algumas pessoas a abrir mão de um salário para criar filhos e cuidar da casa? O que instiga umas a trabalhar em casa e outras a trabalhar *fora* de casa? Quais são os preconceitos de gênero entranhados nessas decisões? Explorar essas questões poderia levar a políticas públicas e a abordagens de mercado que ajudem as pessoas a administrar as tarefas inerentes aos cuidados familiares – de modo que todos possamos fazer mais daquilo que torna a vida significativa.

Descobrindo preconceitos ocultos

Não será possível resolver a desigualdade no trabalho não remunerado enquanto não enxergarmos os preconceitos de gênero que estão por trás dela. Expor esses preconceitos é uma experiência espantosa para pessoas que subitamente enxergam seus pontos cegos – não importa onde vivam.

Há alguns anos fui a uma área rural do Malawi e observei homens e mulheres envolvidos em um diálogo que fora criado por um grupo local para expor preconceitos ocultos. Lembro-me de estar sentada em círculo com homens e mulheres sob uma árvore grande perto de uma plantação. Diante de nós, uma lavradora chamada Ester levantou um grande pedaço de cartolina onde tinha desenhado um relógio. Ela pediu que os homens sentados no círculo relatassem como era um dia comum em sua vida. Eles falaram sobre o tempo que passavam na plantação, dormindo, comendo e relaxando.

Então Ester fez o mesmo pedido às mulheres. O dia típico delas era muito mais ocupado. Antes de pôr os pés na lavoura, já tinham carregado lenha e água, cozinhado, cuidado dos filhos, enfim, realizado um trabalho de tempo integral. Com isso, tinham menos tempo para cuidar de suas plantações – ainda que as famílias contassem com o que elas produziam para sobreviver.

Houve, por parte dos homens, muitos risos e piadas, motivados quase totalmente pelo incômodo que sentiram ao descobrir que suas mulheres trabalhavam muito mais do que eles. Os homens ficaram obviamente surpresos. Disseram nunca ter notado como suas mulheres eram ocupadas.

Em outro treinamento que vi no mesmo dia, homens e mulheres representaram um jantar típico. No Malawi, a tradição determina que os homens comam antes, separados do resto da família. Eles são os primeiros a escolher a comida: as mulheres e os filhos ficam com o que sobra. Alguns voluntários representaram essa cena para o grupo: um homem devorando a comida enquanto sua mulher e os filhos olhavam, famintos. A seguir, outro grupo de voluntários encenou uma família conversando e comendo à mesa, todos juntos, cada um pegando seu quinhão.

Fizeram ainda um terceiro exercício, o meu predileto, chamado Pessoa versus Coisa. Neste, mulher e marido trocam de lugar. Ela começa a dar ordens, mandando-o cumprir tarefas que são consideradas responsabilidade dela. Ele precisa imaginar a quantidade de trabalho da mulher e colocar-se na posição de quem recebe ordens. Pessoas da aldeia com quem conversei e que tinham feito esse exercício com os cônjuges meses antes me disseram que foi um ponto de virada em seu casamento.

Depois dos exercícios, perguntei a um grupo de homens que já tinham completado o treinamento como isso os havia afetado. Um deles me disse que costumava esconder a maior parte do dinheiro que ganhava para que a mulher não o pressionasse a gastá-lo com a família. Outro falou de como costumava forçar a esposa a fazer coisas que eram "trabalho de mulher". Explicou:

– A princípio a palavra "gênero" não significava nada para mim. Minha mulher tentou explicar, mas eu não conseguia ver como um homem poderia fazer o trabalho de uma mulher ou como uma mulher poderia fazer o trabalho de um homem.

Os exercícios de gênero mudaram tudo isso. Os homens falaram de como agora participam das tarefas domésticas, e eles e as esposas tomam decisões juntos. Um homem me disse que gosta de como sua mulher questiona suas decisões porque "o que ela diz é sensato".

Perguntei se ficou mais difícil para os homens controlar as finanças agora que as esposas têm direito a opinar. Todos admitiram que sim. Mas disseram que valia a pena porque, como explicou um deles, "trabalhamos no que será bom para nós dois".

Os diálogos sobre as questões de gênero no Malawi me encheram de entusiasmo porque mostraram que os preconceitos de gênero podiam ser mudados mesmo em culturas muito tradicionais. Frequentemente eles são inconscientes. Vejamos o que acontece quando permitimos que venham à tona. Analisemos os dados. Vamos contar as horas. Vamos repartir o trabalho e criar um sentimento de parceria. Vejamos como a vida melhora quando acabamos com a falsa separação entre o trabalho dos homens e o das mulheres.

O MenCare, um grupo comandado por Gary Barker, incentiva homens em todo o mundo a assumir tarefas no cuidado dos filhos – e reuniu dados convincentes para que eles próprios queiram se dedicar a isso. Homens que compartilham os cuidados são mais felizes. Quando os pais assumem pelo menos 40% das responsabilidades de cuidar dos filhos, o risco de desenvolver depressão e usar drogas é muito menor; os filhos, por sua vez, tiram notas mais altas nas provas, têm maior autoestima e menos problemas de comportamento. Ainda segundo o MenCare, pais que ficam em casa apresentam as mesmas alterações nos hormônios cerebrais que as mães que não trabalham fora. Ou seja: a ideia de que as mães são mais adequadas para cuidar das crianças do ponto de vista biológico não é necessariamente verdadeira.

Equilibrando o trabalho não remunerado e os relacionamentos

É verdade que as mulheres são cuidadoras por natureza e donas de casa competentes. Mas os homens também são. Quando as mulheres assumem essas tarefas com exclusividade, os homens deixam de desenvolver as capacidades para desempenhar esses papéis; da mesma forma, as mulheres também deixam de fortalecer suas capacidades para tarefas consideradas "masculinas". À medida que os homens ampliam essa característica, o número de cuidadores capazes dobra. Dedicar-se aos filhos ajuda-os a construir laços fortes com eles, o que traz alegria e dura a vida inteira. E impulsiona homens e mulheres a desenvolverem uma ampla gama de habilidades. Melhor ainda, a mudança melhora os relacionamentos ao diminuir a dominação masculina. Sempre que temos uma categoria de tarefas consideradas "trabalho de mulher", que os homens não compartilham, isso reforça uma falsa hierarquia que impede a realização conjunta de um trabalho produtivo. Romper essa hierarquia leva ao empoderamento *dos homens*, porque permite que eles descubram o poder da parceria e desenvolvam seu lado de cuidador.

Em *Journey of the Heart*, um livro extraordinário sobre relacionamentos, o escritor John Welwood observa o que ele chama de "processo de equilíbrio natural" entre parceiros. Ele escreve: "Qualquer coisa que um parceiro ignore, o outro sentirá mais necessidade de enfatizar. Qualquer qualidade do ser que eu negue, como o poder, a suavidade ou a capacidade de brincar, minha parceira sentirá uma ânsia de expressar mais fortemente."

É essa dinâmica que permite a alguns parceiros deixar de lado coisas com as quais se importam, porque sabem que o outro fará o trabalho pelos dois. Um exemplo comum pode ser o do homem que aprecia atividades sociais, mas não faz nada para planejá-las porque sabe que sua parceira se importa mais com elas e irá cuidar do assunto se ele não o fizer.

No entanto, deixar o companheiro fazer algo de que você *também* gosta leva à separação. Quando um parceiro delega o cuidado das crianças ao outro ou quando transfere o papel de ganhar dinheiro para o outro, está abrindo mão de seu poder – ou dos filhos. Talvez o maior custo seja que os dois estão abrindo mão um do outro.

Existe uma abordagem muito melhor. Em vez de um parceiro ignorar uma necessidade e o outro enfatizá-la, nós a compartilhamos. Não fazemos questão de que o tempo passado no trabalho seja matematicamente igual, mas ambos reconhecemos as necessidades da família e nos organizamos para cuidar delas. Não é mais "esse trabalho é meu, aquele é seu". As tarefas domésticas tornam-se nossas.

Casais que dividem rigidamente as tarefas reduzem as áreas de compartilhamento, e isso pode prejudicar a parceria. Melhor seria pressionar por um fluxo onde repartem tudo, porém com intensidades diferentes. Assim, desenvolvem uma parceria íntegra e complementar, com uma hierarquia natural baseada no talento e na experiência; dessa forma, cada um pode ensinar e aprender, comandar e seguir, e dois podem se tornar um.

Claro, se você abandonar a mecânica de "um parceiro faz essas tarefas e o outro faz aquelas", talvez precise passar mais tempo conversando sobre elas, mas esse é o caminho do crescimento. Como diz Welwood, "o calor e o atrito das diferenças entre duas pessoas as impelem a explorar novos modos de ser".

Boa parte das pesquisas sobre trabalho não remunerado em que me baseei refere-se a lares formados por um homem, uma mulher e filhos. E não podemos esperar que os padrões de trabalho não remunerado em um lar composto por um casal heterossexual se apliquem também a outras situações familiares. Precisamos estar alertas para os preconceitos e reunir mais dados; assim saberemos o que é comum a muitas famílias, o que é característico de determinados grupos e reverenciar as diferentes formas que as famílias assumem – seja com duas mães, dois pais, pais separados que compartilham a guarda dos filhos, casais sem filhos ou lares com avós e famílias ampliadas.

Parceria igualitária – o tema oculto no trabalho não remunerado

O desequilíbrio de gênero no trabalho não remunerado é um tema tão envolvente para mim porque é um fardo comum a muitas mulheres e também porque suas causas são profundas demais para serem resolvidas com uma solução técnica. É preciso repactuar o relacionamento. Para mim, nenhuma questão é mais importante do que esta: seu relacionamento tem amor, respeito, reciprocidade e um sentimento de trabalho de equipe, pertencimento e crescimento mútuo? Acredito que todos nós nos fazemos essa pergunta de um modo ou de outro – porque acho que é um dos maiores desejos da vida.

Anos atrás eu estava conversando com minha amiga Emmy Neilson sobre vida, casamento e algumas dificuldades que eu vinha enfrentando em casa e no trabalho. Emmy é uma das minhas amigas mais íntimas. Era casada com John Neilson, um dos meus melhores amigos na Microsoft. Ela e John eram o casal com o qual Bill e eu tínhamos maior amizade até que John morreu aos 37 anos, de câncer; desde então, Emmy e eu nos aproximamos mais ainda. Eu estava contando a ela alguns desafios de estar casada com Bill, como o fato de me sentir invisível às vezes, mesmo em projetos nos quais trabalhávamos juntos. Emmy disse:

– Melinda, você se casou com um homem que tem voz forte.

Essa frase calou fundo em mim, e desde então agradeço a ela, porque esse comentário me deu outra perspectiva sobre o meu relacionamento. Eu tentava encontrar minha voz enquanto falava ao lado de Bill – e pode ser difícil ser ouvida nesse contexto.

Teria sido mais fácil para mim deixar que Bill falasse por nós dois. Mas se eu aceitasse essa situação, algumas coisas importantes não seriam ditas e eu não estaria desafiando a mim nem a ele. Queria encontrar minha voz e queria uma parceria igualitária, e não conseguiria uma sem a outra; por isso precisava descobrir como obter as duas coisas lidando com um homem que estava acostumado a ser o chefe. Obviamente eu não seria igual ao Bill em tudo, e ele não seria igual a mim em tudo, mas será que eu conseguiria uma parceria igualitária? E será que Bill *quereria* uma parceria igualitária? O que ele ganharia com isso?

Essas são algumas questões que enfrentei no início do nosso casamento, e desejo compartilhar algumas histórias e reflexões sobre como Bill e eu construímos uma parceria igualitária – que, em última instância, é o tema oculto de qualquer discussão sobre o trabalho não remunerado.

Quando Jenn nasceu, eu me senti muito sozinha no nosso casamento. Na época, Bill era CEO da Microsoft e provavelmente vivia o auge de seu comprometimento com a empresa. Estava mais do que ocupado; todo mundo queria a atenção dele e eu pensava: *Ok, talvez ele quisesse ter filhos em teoria, mas não na prática*. Não estávamos avançando como casal para tentar descobrir quais eram os nossos valores e como iríamos ensiná-los às crianças que tivéssemos. Por isso precisei refletir sozinha sobre muitos assuntos.

No início, nos instalamos em uma bela casa de bom tamanho que eu havia escolhido depois de ficarmos noivos. Bill gostava do lugar. Um ano depois, porém, mudamos para uma casa enorme que Bill tinha começado a construir quando ainda era solteiro. Eu não estava animada para aquela mudança. Na verdade, não sentia que Bill e eu sequer concordávamos sobre o que queríamos, e tínhamos pouco tempo para falar disso. Assim, em meio a tudo aquilo, acho que tive uma crise de identidade. Quem eu quero ser neste casamento? E isso me pressionou a descobrir quem eu era e o que queria fazer. Eu não era mais uma executiva de TI; era uma mãe com uma filha pequena e um marido ocupado que viajava muito. Estávamos prestes a nos mudar para uma casa gigantesca, e eu me perguntava o que as pessoas pensariam de mim, porque aquela casa não tinha nada a ver comigo.

Foi então que comecei a escalada rumo a uma parceria igualitária. Percorremos uma longa jornada nos vinte e poucos anos desde então. Estava claro para nós dois que queríamos essa parceria, e com o tempo demos os passos necessários para alcançá-la.

Bill vive dizendo em entrevistas que sempre teve parceiros em tudo o que fez. Isso é verdade, mas ele nem sempre teve parceiros *em pé de igualdade*. Ele precisava aprender a ser igualitário e eu tinha que aprender a me impor e ser igualitária. Precisávamos descobrir quem era bom em quê e depois nos certificarmos de que cada um fizesse mais do que sabia fazer melhor, sem ficar questionando o outro em relação a algo em que não era talentoso. Mas também foi necessário descobrir o que faríamos em áreas nas quais ambos temos segurança e convicções opostas. Não é algo de que possamos fugir, pois compartilhamos cada decisão importante; assim, se não aprendermos a administrar as grandes discordâncias ouvindo e respeitando o outro, até mesmo as menores discordâncias ficarão grandes.

Um dos nossos passos mais importantes para desenvolver uma parceria igualitária veio depois do nascimento da nossa filha mais nova, Phoebe, em 2002. Eu estava trabalhando nos bastidores da fundação e me sentia feliz assim. Bill era menos presente do que eu no dia a dia da fundação – ele continuava em tempo integral na Microsoft –, mas, quando aparecia em público, os repórteres lhe faziam perguntas sobre ela. Dessa forma, ele acabou se tornando a voz e o rosto desse nosso projeto, e a imprensa começou a escrever e falar sobre a "fundação de Bill". Isso não era verdade, e também não era como pensávamos nela, mas assim parecia porque ele falava publicamente sobre a fundação e eu, não. Bill e eu discutimos o assunto e concordamos que eu deveria me apresentar em público como cofundadora e copresidente, porque queríamos que as pessoas soubessem que nós dois estávamos determinando a estratégia e fazendo o trabalho. Essa decisão nos colocou no caminho da parceria igualitária.

Bill e eu enfrentamos uma segunda decisão muito cedo, uma decisão que reforçou nossa parceria e continua a nos ajudar hoje. Tínhamos começado a contratar a equipe da fundação, e algumas pessoas diziam: "Melinda está dedicando mais tempo à educação, às bibliotecas e ao trabalho na região noroeste dos Estados Unidos, Bill está interessado na saúde global. Sendo assim, por que eles não dividem os papéis: Bill fica com saúde global, Melinda com educação e os programas no país?"

Discutimos essa opção como casal e concordamos que não era o que queríamos. Em retrospecto, seria uma perda gigantesca se separássemos nossos papéis, porque hoje compartilhamos tudo. Trocamos ideias sobre tudo o que aprendemos, lemos e vemos. Se tivéssemos segmentado as atribuições de cada um estaríamos trabalhando em mundos separados e raramente nos encontraríamos. Poderia ser uma decisão igualitária, mas não uma *parceria* igualitária. Seria mais como um jogo paralelo: eu não mexo nas suas coisas e você não mexe nas minhas. Essa foi outra decisão que apoiou nossa mudança rumo a uma parceria igualitária.

Talvez o maior apoio que tive para a tese de que um casamento pode amadurecer e evoluir veio do meu pai, que foi para mim um modelo de como um homem pode cultivar o relacionamento.

Quando ele e minha mãe ainda eram pais jovens, meu pai recebeu um telefonema de um amigo que disse:

– Você e Elaine (*minha mãe!*) precisam participar de um Encontro de Casais em um fim de semana. Acredite em mim. Vão. Nós cuidamos das crianças.

O amigo dele, também católico, tinha acabado de voltar de um desses encontros patrocinados pela Igreja e estava eufórico. Meu pai gostou da ideia, por isso discutiu o assunto com minha mãe e ela concordou, animada. *Claro* que concordou. Minha mãe acredita no casamento, em retiros e na Igreja. Por isso, naturalmente participaria de um retiro sobre casamento organizado pela paróquia. Durante muitos anos, minha mãe fez mais do que qualquer outra pessoa para estimular e inspirar minha vida espiritual. Ela vai à missa cinco vezes por semana. Lê, vai a retiros onde se faz votos de silêncio e explora ideias espirituais com paixão, abertura e curiosidade, e sempre me encorajou a fazer o mesmo. Por isso não foi surpresa para mim que estivesse ansiosa para ir a um retiro de casais com meu pai. A novidade era que *ele* estava empolgado para ir a um retiro com *ela*. Os dois viajaram em um fim de semana e voltaram para casa mais próximos ainda, dizendo que foi uma das melhores coisas que tinham feito juntos. A moral da história para mim foi que um homem pode ligar para outro e dar conselhos sobre como melhorar o casamento – ou seja, que os homens podem atuar como guardiões e incentivadores da relação.

Assim, eu me casei com a expectativa de que Bill trabalharia para fortalecer nosso casamento. Felizmente para mim, ele também tinha um bom modelo em casa. O pai de Bill sempre acreditou muito na igualdade de direitos entre homens e mulheres, o que era óbvio para qualquer pessoa que o conhecesse, mas descobrimos novas provas disso há alguns anos. Bill pai estava participando de um projeto de história oral, e o historiador mostrou um texto acadêmico que ele havia escrito em 1946, logo depois de terminar o serviço militar e voltar à faculdade. O texto era datado de 12 de dezembro de 1946, quando Bill pai tinha 21 anos, e traz a seguinte passagem: "A ideia mais importante na Gateslândia é a do estado perfeito, em que as mulheres terão os mesmos direitos dos homens. A presença delas nas profissões e nos negócios seria tão comum quanto a dos homens, e os homens aceitariam a entrada das mulheres nesses campos como um acontecimento normal, e não anormal."

Essa é a visão do homem que ajudou a criar meu marido. (Nos últimos anos tenho dito com orgulho que criei um filho feminista; talvez o avô dele tenha tido mais a ver com isso do que eu.)

Bill também se beneficiou da presença de mulheres fortes e ativas em sua família. Ele cresceu em um lar no qual a mãe tinha voz. O casal estava construindo a carreira do pai, mas ambos também apoiavam o trabalho da mãe no serviço público. Mary Maxwell Gates serviu no conselho da Universidade de Washington, onde estudou. Enquanto estudava lá, ela conheceu o homem que se tornaria seu marido. No início, quando os dois mal se conheciam, Mary pediu que Bill pai a apoiasse na candidatura para secretária do corpo estudantil, e ele disse que votaria em outro candidato! (Mas acabou fazendo a escolha certa.)

Como membro do conselho da Universidade de Washington, Mary comandou o esforço para desocupar as propriedades da universidade na África do Sul. Também serviu em numerosas diretorias corporativas em uma época na qual poucas mulheres faziam isso. Foi a primeira mulher a trabalhar na diretoria do First Interstate Bank of Washington, e ainda a primeira a dirigir o comitê executivo da National United Way.

Mary atuou na United Way durante anos, em vários cargos. Quando Bill era adolescente, estava no comitê de alocação, e ela e o filho tinham longas discussões durante o jantar, falando sobre estratégias de doação. Ela lhe deu as primeiras lições de filantropia e depois o convenceu a lançar a primeira campanha da United Way na Microsoft. Quando Bill e eu nos casamos, sua mãe, que na época estava muito doente de câncer, leu em voz alta na minha despedida de solteira uma carta que tinha escrito para mim. A última frase era: "Daqueles a quem muito é dado, muito é esperado." Mary tinha uma enorme influência sobre Bill. E ele sentia imensa admiração por ela.

A avó de Bill, que também ajudou a criá-lo, frequentou a Universidade de Washington e jogou basquete em uma época na qual as mulheres não faziam essas coisas. Bill descende de mulheres fortes, inteligentes e bem-sucedidas. As impressões com as quais crescemos têm grande impacto.

Quando nos casamos, os pais de Bill nos deram de presente uma escultura de dois pássaros olhando atentos para um local desconhecido, seus olhares misteriosamente alinhados. Para mim, isso diz muito sobre os valores do lar onde ele cresceu. Coloquei a escultura perto da nossa porta da frente porque gosto demais dela. Acredito que representa o foco único de um casal contemplando, juntos, o futuro.

Portanto, acho que Bill queria uma parceria igualitária porque foi o que ele teve em casa enquanto crescia. E há outro motivo, também: ele é aprendiz voraz e adora ser desafiado. Quando duas pessoas desafiam uma à outra e aprendem uma com a outra, isso tem um efeito equalizador. Converso sempre com Bill sobre minhas frustrações diante da lentidão enlouquecedora das mudanças. Ele é bom em analisar os eventos inserindo-os em um cenário amplo e em planejar a mudança no contexto da história, da ciência e das instituições. E eu ensino a ele algumas lições sobre temperamento. Ele estava em um evento na Caltech em 2016, e o moderador lhe perguntou:

– Sua forma de administrar o trabalho com outras pessoas ainda está evoluindo?

Bill respondeu:

– Bom, espero que sim. Minha mulher sempre me chama a atenção quando sou enérgico demais. Sabe, uma pessoa pode não ser suficientemente enérgica ou pode ser enérgica demais. Raramente cometo o erro de não ser enérgico o suficiente. Estou esperando que um dia ela me diga: "Ei, você foi amistoso demais hoje. Qual é! Deixou aqueles caras se livrarem muito facilmente, eles estão desperdiçando o nosso dinheiro; você deveria ter levantado a voz." Boa parte do que faz nossa parceria igualitária ser tão atraente para Bill é o fato de oferecer a ele um modo muito mais divertido e desafiador de estar no mundo. No fim das contas, porém, acho que Bill estava destinado a firmar uma parceria igualitária porque isso combina com seus valores mais profundos. Quando começamos nosso trabalho juntos, percebemos que havia uma ética subjacente à nossa filantropia: a premissa de que todas as vidas têm o mesmo valor. Isso explica *tudo*. Essa perspectiva deixou de ser uma ideia abstrata e revelou-se uma marca honesta da nossa forma de enxergar o mundo quando vi que o sofrimento dos outros pode levar Bill às lágrimas.

Esse lado "mole" do Bill pode surpreender as pessoas, especialmente quem conhece sua personalidade competitiva e combativa. Isso é real; Bill tem essas qualidades. Mas também pode ser suave, gentil, muito terno.

A grande riqueza pode causar muita confusão. Pode inflar e distorcer nosso ego – ainda mais se acreditamos que o dinheiro é sinônimo de mérito. Mas Bill é uma das pessoas mais pé no chão que conheço, e isso resulta de uma perspectiva clara sobre como ele chegou aonde está.

Bill trabalhou incansavelmente, se arriscou e fez sacrifícios para ser bem-

-sucedido. Mas sempre entendeu que há outro ingrediente no sucesso: a sorte. Sorte absoluta e total. Quando você nasceu? Quem eram seus pais? Onde você cresceu? Que oportunidades lhe foram oferecidas? Nenhum de nós fez por merecer essas coisas; elas nos foram dadas.

O papel da sorte na vida não é apenas algo que Bill admite nos momentos privados. Foi o que ele disse a Malcolm Gladwell quando este lhe perguntou a que atribuía seu sucesso:

– Na juventude, acho que tive um contato maior com o desenvolvimento de softwares do que qualquer pessoa naquela época, e tudo isso por causa de uma série fortuita de acontecimentos.

Bill tem um sentimento de humildade. Não o tempo todo – posso dar exemplos opostos. Mas esse é o caminho do crescimento dele. Quando reflete sobre a vida e se conecta com seu eu mais profundo, sabe que não é especial; sabe que suas *circunstâncias* foram especiais – e alguém com essa compreensão consegue enxergar além da hierarquia, honrar a igualdade e deixar que seu coração sensível se revele.

Se Bill gostou de mim por causa do meu entusiasmo pela vida, pelos softwares, pelas pessoas, pelos quebra-cabeças e por F. Scott Fitzgerald, eu gostei dele porque vi o homem suave e sensível que havia dentro dele, a princípio escondido, mas claramente emergindo – o homem que se revolta porque algumas vidas são consideradas dignas de ser salvas e outras não. Alguém que se considera melhor do que os outros não poderia dedicar a vida ao princípio de que todas as vidas têm o mesmo valor. No âmago, Bill é assim, e essa é uma das qualidades que mais amo nele.

Eu queria isso

Todas essas marcas de temperamento e do passado prepararam Bill para uma parceria igualitária. Mesmo assim, acho que não teríamos caminhado muito nessa direção se eu não tivesse feito disso uma prioridade. Às vezes eu pedia. Às vezes precisava pressionar.

Quero falar sobre o momento em que eu soube que de fato queria uma parceria igualitária com Bill na fundação.

Em 2006, Warren Buffett anunciou a maior doação que um único indivíduo já fez a alguém por uma causa. Ele entregou o grosso de sua fortuna à nossa fundação, dobrando nossa verba e abrindo novas oportunidades para investirmos ao redor do mundo. Ficamos pasmos com sua generosidade e tocados por sua confiança. Warren estava entregando a Bill e a mim as decisões sobre como gastar o dinheiro. Nós dois ficamos muito entusiasmados em relação ao destino que daríamos ao presente de Warren, mas também me senti esmagada pela responsabilidade de decidir como investiríamos sua fortuna de modo a apresentar um resultado em vidas salvas e ganho de qualidade.

Nós três estávamos planejando uma entrevista coletiva na Biblioteca Pública de Nova York para anunciar a doação. Na época Bill dirigia a Microsoft e Warren dirigia a Berkshire Hathaway. Eu concentrava minhas atividades na fundação, viajando bastante para visitar nossos programas, porém ainda não falava muito em público. Essa seria a primeira coletiva que eu faria em nome da fundação, e me preparei intensamente para ela. Pensei muito no que desejava dizer e no que tinha aprendido e visto ao redor do mundo. Queria homenagear Warren e estar preparada para falar com inteligência sobre o que poderíamos fazer com seu dinheiro.

Na coletiva, Bill, Warren e eu respondemos a muitas perguntas com profundo conhecimento de causa. Quando os repórteres indagavam como planejávamos expandir nosso trabalho, eu tinha respostas. Queríamos investir na melhoria da produção agrícola; queríamos investir em microcrédito e na luta contra mais doenças infecciosas. Quando os repórteres tinham questões mais específicas, eu respondia, oferecendo lições aprendidas nas viagens.

Para mim, foi um divisor de águas. Honestamente, eu não tinha percebido como era apaixonada pelo trabalho até me ouvir falando em público ao lado de Bill e Warren. Naquele momento, pareceu óbvio para mim que essa parceria precisava ser igualitária. Não era só porque eu precisava disso e Bill também; a *fundação* precisava que fosse assim. E foi então que eu soube que realmente queria isso. Jamais revelei a Warren o efeito que sua doação teve sobre mim, mas deveria ter contado, muito tempo atrás. Ele é um mentor incomparável, e sua generosidade provocou uma virada surpreendente no meu crescimento.

A entrevista coletiva teve um efeito semelhante em Bill. Ficou claro para ele, também, que precisávamos ser parceiros igualitários, e isso significava que eu deveria falar mais em público. Obviamente, isso também significava que eu precisaria contar com a orientação de Bill, porque ele tinha muito mais experiência como figura pública. Ele poderia ter sido condescendente em relação a isso, mas nunca foi; sempre me apoiou. Francamente, duvido que Bill estivesse muito preocupado com o apoio de que eu precisaria depois da entrevista coletiva – porque ele havia atendido a necessidades maiores da minha parte antes, quando fiz meus primeiros discursos na fundação.

Um desses discursos me deixou mais tensa do que de costume. Bill e eu deveríamos falar no Centro de Convenções em Seattle. Naqueles primeiros dias, eu ficava muito desconfortável em discursar sobre o trabalho da nossa fundação, *especialmente* na frente de Bill. Por isso eu disse a ele:

– Olha, eu quero muito fazer a palestra, mas estou supernervosa e não quero que você esteja presente. Preciso que você saia depois de falar.

Hoje dou risada quando penso nisso, mas não era brincadeira. Aquilo era mesmo importante para mim! Sabendo disso, Bill fez seu discurso, saiu discretamente do salão, entrou no carro, rodou durante quinze minutos, voltou, me pegou e fomos para casa. E não fez com que eu me sentisse nem um pouco sem graça por ter pedido para ele sair. Nunca mais fiz nada parecido, mas houve vezes em que disse a ele:

– Olha, mesmo que eu esteja me saindo muito mal, quero que você pareça maravilhado com cada palavra.

Eu era muito sincera com ele sobre como me sentia vulnerável, e ele nunca zombou de mim nem se aproveitou das minhas inseguranças. Bill jamais achou que meus antigos sentimentos de inadequação tivessem qualquer coisa a ver com alguma incapacidade inata de minha parte. Ele via a pessoa que eu estava me tornando, e quase sempre dava o apoio que eu pedia.

Mas houve uma vez em que pedir ajuda não bastou. Tive que pressionar.

Há alguns anos, Bill e eu passamos uma tarde com Jimmy e Rosalynn Carter na casa deles em Plains, Georgia. Alguns dias depois, Bill e eu estávamos de férias na praia, lendo, e ele parecia encantado com o livro de Jimmy, *A Full Life: Reflections at Ninety*. Ele começou a rir e eu perguntei:

– O que há de tão engraçado?

Bill respondeu:

– Quer saber o que provocou a maior briga no casamento deles nos últimos vinte anos?

– *Quero!*

Fiquei curiosíssima para saber, porque eles eram casados havia setenta anos e eu queria conhecer todos os segredos daquela união tão duradoura.

– A maior briga deles aconteceu quando tentaram escrever um livro juntos – disse Bill.

Caí na gargalhada e brinquei:

– Estou me sentindo *muito* melhor agora!

Na primeira vez em que Bill e eu nos sentamos para escrevermos juntos nossa Mensagem Anual, achei que íamos matar um ao outro. Pensei: "Bom, talvez nosso casamento acabe aqui mesmo." Tudo começou no outono de 2012, quando Bill estava começando a trabalhar na Mensagem Anual que sairia no início de 2013. Bill passara a escrever a tal carta, um relato sobre o trabalho da fundação, cinco anos antes. Warren havia sugerido que nós dois o fizéssemos juntos, mas na época eu achava que não tinha tempo, com três crianças pequenas em casa. Em 2007, nossa filha Phoebe estava entrando na escola, Rory tinha 8 anos, Jenn, 11, e eu andava ocupada com outros trabalhos da fundação, por isso não escrevi a carta com Bill naquele primeiro ano nem nos seguintes. Ele não pediu. Eu não pensei no assunto. Em 2012, porém, eu tinha me tornado muito mais ativa na fundação, tanto nos bastidores quanto em público. Aquele foi o ano da Cúpula de Planejamento Familiar em Londres, quando lançamos nosso movimento para aumentar o acesso aos anticoncepcionais para mais 120 milhões de mulheres. Naturalmente, o planejamento familiar seria um dos assuntos que Bill abordaria na carta.

Eu tinha um forte envolvimento com aquele tema, ele sabia disso e apoiava. Apesar de termos concordado que não separaríamos nossas tarefas na fundação e ambos nos engajaríamos em todas as questões, cada um assumiria a liderança em determinadas áreas com base em nossos conhecimentos e interesses. Concordamos na época que planejamento familiar ficaria sob os meus cuidados. Assim, se Bill escreveria sobre isso na Mensagem Anual, não deveríamos redigir a carta juntos, ou será que eu não deveria escrever essa parte?

É verdade que a Mensagem Anual tinha se tornado um projeto de Bill, mas ela seria enviada no boletim da fundação, por meio dos canais da fundação, para parceiros da fundação, e ele estava escrevendo sobre um projeto da fundação. Eu tinha bons argumentos para querer escrevê-la com ele. Havia argumentos do lado dele, também, e precisei me perguntar: "Será que eu quero transformar isso em um problema?"

Decidi puxar o assunto. Não sabia no que aquilo iria dar. Nem sabia o que ia recomendar, mas a situação estava me incomodando tanto que eu soube que seria errado não falar a respeito. Assim, Bill e eu nos sentamos para conversar.

Eu disse que entendia o lado dele (ou ao menos achava que entendia). Fiz uma lista dos motivos pelos quais Bill sentia que escrever a carta sozinho era tarefa dele. Mas também expliquei que muitas ideias sobre as quais ele escreveria eram coisas que nós dois tínhamos aprendido juntos, que tinham surgido por tentativa e erro no trabalho da fundação e a partir dos sucessos dos nossos parceiros em campo. Então levantei um argumento mais delicado. Disse que existem algumas questões em que minha voz pode causar maior impacto, e que nesses casos eu é que deveria estar falando – separadamente ou com ele. Isso reforçaria minha posição, fortaleceria nossa parceria e impulsionaria nossos objetivos.

Esses foram os argumentos que levantei na discussão. (Provavelmente não com tanta calma quanto parece neste relato!) Bill respondeu que o processo que tínhamos para a Mensagem Anual da fundação estava funcionando bem havia anos e que ele não via motivos para mudar. O clima ficou tenso. Nós dois sentimos raiva. Foi um grande teste para nós: não para descobrir como chegar a um acordo, mas para saber o que fazer quando não há acordo. E demoramos muito tempo para concordar. Até que isso acontecesse, ficamos estremecidos.

No final, Bill pediu que eu redigisse um artigo sobre anticoncepcionais para ser incluído na carta. Assim, a Mensagem Anual de 2013 saiu com o título: "Mensagem Anual de Bill Gates para 2013" e trazia um ensaio escrito por mim sobre minha viagem ao Níger e ao Senegal e a cúpula em Londres.

A Mensagem Anual do ano seguinte era intitulada "Mensagem Anual Gates 2014" e tratava de "Três mitos que impedem o progresso dos pobres". Bill escreveu sobre dois mitos. Eu escrevi sobre um.

A Mensagem Anual seguinte se chamava "Mensagem Anual Gates 2015 – Nossa grande aposta para o futuro – Bill e Melinda Gates".

E assim a Mensagem Anual evoluiu de "dele" para "nossa".

Fizemos muitas coisas que nos ajudaram a avançar, e certamente a Mensagem Anual foi uma das mais importantes. No entanto, se eu pudesse destacar um episódio que captura o apoio profundo e intuitivo de Bill à nossa parceria igualitária, resgataria algo que aconteceu há vários anos, quando uma pessoa próxima de nós perguntou se eu era o "fiscal do tempo" na família. Minha resposta foi sim. Eu *era* o fiscal do tempo. Tinha passado *anos* garantindo que tudo na casa funcionasse bem, que as crianças se vestissem, fizessem o dever de casa e estivessem presentes onde fosse necessário. Mas tinha havido muitas mudanças desde os primeiros dias, quando essas tarefas eram apenas minhas; meus filhos começaram a assumir mais responsabilidades e Bill também. Por isso, pedi ao nosso amigo para fazer a mesma pergunta ao Bill e ver o que ele diria. A resposta dele foi mais sutil do que a minha e mais sábia. Ele disse:

– Tentamos fazer com que ninguém seja o policial do tempo para outra pessoa. Claro que conversamos sobre o cronograma, mas não queremos um esquema no qual um de nós faça o papel de despreocupado e o outro esteja no papel do chato. É melhor que seja um desafio mútuo.

Essa foi uma das mensagens mais afirmativas que já ouvi de Bill sobre parceria igualitária. Tentamos compartilhar os papéis, especialmente os desagradáveis. Tentamos garantir que não haverá apenas uma pessoa fazendo o trabalho sujo. Uma das características definidoras da hierarquia é que alguém fica com as tarefas emocionantes e vinculadas ao poder enquanto impõe as chatas aos outros. Esse é um *propósito* da hierarquia. Assim, quando pessoas se unem para compartilhar o trabalho desagradável, a hierarquia fica sob ataque. Afinal, qual é o objetivo da hierarquia, senão obrigar alguém a fazer o que a gente não quer fazer? O que é a hierarquia senão um modo de escapar do nosso quinhão das responsabilidades?

Algumas vezes fiquei surpresa ao descobrir que amigos nossos presumiam que meu casamento teria papéis de gênero tradicionais por causa da posição de Bill na Microsoft. A verdade é que ele e eu trabalhamos duro para eliminar qualquer hierarquia, a não ser aquela natural, flexível, alternada, baseada no talento, no interesse e na experiência. Concordamos que nossos vários papéis na vida, passados ou presentes, não deveriam ter influência sobre uma parceria igualitária em nosso casamento ou na fundação.

Eu levo isso para o lado pessoal

Para mim este é o capítulo mais pessoal do livro, e achei doloroso escrevê-lo. Sou uma pessoa discreta, o que equivale a dizer que prefiro não revelar determinados fatos para não ser julgada. Houve ocasiões em que decidi incluir alguma coisa no livro e depois fiquei alarmada quando imprimi o texto e reli. Mas deixei tudo – por dois motivos. Primeiro, acredito que as mulheres obtêm a igualdade não de casal a casal, e sim mudando a cultura, e só podemos mudar a cultura compartilhando nossas histórias. Por isso estou contando a minha.

Segundo, exponho minhas histórias porque me parece falso trabalhar com certas questões no mundo e fingir que as resolvi na minha própria vida. Preciso ser honesta em relação aos meus defeitos, caso contrário caio na presunção de achar que estou aqui na Terra para resolver os problemas dos outros.

Minha amiga Killian é minha professora nesse aspecto. Já contei a você sobre Killian. Sua organização, o Recovery Café, atende a pessoas sem teto e com problemas de saúde mental. Lá, todo mundo coloca os relacionamentos mutuamente libertadores no centro de seu trabalho. Funcionários, voluntários e membros fazem parte de pequenos grupos que colocam em prática o princípio de conhecer e amar os outros profundamente.

Killian costuma dizer: "Ser conhecido sem ser amado é terrível. Ser amado sem ser conhecido não tem o poder de nos mudar. Mas ser conhecido profundamente e amado profundamente nos *transforma*."

Ela escreve sobre isso em seu livro *Descent into Love*. Tentar ajudar os outros ao mesmo tempo que os mantemos a uma distância segura não vai ajudá-los ou curar nossas dores de verdade. Precisamos nos abrir a eles. Precisamos rejeitar a necessidade de sermos apartados e superiores. *Então* poderemos ajudar. Buscar um crescimento interior enquanto cuidamos dos outros é um trabalho interno e externo – onde o esforço para mudar o mundo e o esforço para mudar a nós mesmos se encontram.

O raciocínio de Killian me ajudou a perceber que uma grande parte do meu trabalho de apoio a mulheres e meninas demanda um trabalho *interno* – enfrentar meus próprios temores e defeitos. Ela me ajudou a ver que não posso defender a igualdade de gênero no mundo se não tiver isso no meu casamento.

Nunca acreditei que as mulheres são superiores aos homens nem que o mundo será um lugar melhor se as mulheres tiverem mais poder do que os homens. Acho que a dominação masculina é prejudicial à sociedade porque *qualquer* dominação é ruim: significa que a sociedade é governada por uma hierarquia falsa em que poder e oportunidade subordinam-se a gênero, idade, riqueza e privilégios – e não a capacidade, esforço, talento ou realizações. A quebra de uma cultura de dominação ativa o poder em todos nós. Assim, para mim o objetivo não é a ascensão das mulheres e a queda dos homens. É a ascensão de homens e mulheres, evoluindo da luta pelo domínio em direção a uma condição de parceria.

Se o objetivo é a parceria entre mulheres e homens, por que dou tanta ênfase ao empoderamento feminino e aos grupos de mulheres? Minha resposta é que nos fortalecemos umas às outras e frequentemente precisamos nos convencer de que merecemos uma parceria igualitária – só então conseguiremos alcançá-la.

A iniciativa não pode partir apenas dos homens. Se fosse possível, isso já teria acontecido. É improvável que um homem dominador diga: "Ei, vamos ser iguais, pegue um pouco do meu poder." Mas um homem é capaz de reagir à mudança nos pontos de vista de outros homens ou a uma mulher que afirme seu poder. A transformação chega quando eles percebem os benefícios do empoderamento feminino – não somente o que as mulheres podem fazer e os homens não, mas a qualidade de relacionamento que se obtém em uma parceria igualitária que não está presente em um relacionamento hierárquico; um sentimento de união, de pertencimento, de comunidade, solidariedade e integridade que surge da promessa de que eu vou ajudar você quando seus fardos forem pesados e você vai me ajudar quando os seus forem leves. Essas forças criam os sentimentos mais gratificantes da vida: uma experiência de amor e proximidade que não é possível nem está disponível para parceiros que lutam sozinhos. Essa experiência pode transformar um relacionamento hierárquico em igualitário, e virá se as mulheres se afirmarem. É por isso que nós, mulheres, precisamos nos elevar umas às outras – não para substituir os homens que estão no topo da hierarquia, mas para nos tornamos parceiras deles na missão de *acabar* com a hierarquia.

CAPÍTULO SEIS

Quando uma menina não tem voz

Casamento infantil

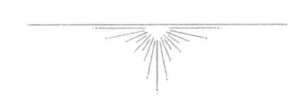

Em uma viagem que fiz há quase vinte anos para testemunhar algumas das realidades mais duras da pobreza, cheguei de carro a uma estação de trem na Índia. Mas não estava lá para pegar o trem; tinha ido conhecer a diretora de uma escola. Parece um lugar estranho para conhecer uma diretora de escola, só que a escola era ali: na estação, na própria plataforma. Chamava-se "escola de plataforma de trem" porque era ali que aconteciam as aulas.

Em toda a Índia há crianças que vivem nas estações de trem e ao redor delas. A maioria fugiu de casas onde sofriam abusos e todas são muito pobres. Ganham dinheiro recolhendo garrafas, catando moedas e batendo carteiras. As escolas das plataformas de trem existem para oferecer alguma educação a elas. Os diretores dessa escola específica também administravam vários abrigos, empenhavam-se em levar as crianças de volta para casa sempre que possível e corriam atrás de assistência médica quando adoeciam. Para mim, conhecer aquelas crianças que passavam o dia com muito pouco dinheiro ou comida era uma crítica contundente ao velho mito (que infelizmente ainda não morreu) de que os pobres não são engenhosos, criativos ou enérgicos. Aquelas crianças e sua professora estavam entre as pessoas mais inventivas que já conheci.

A diretora da escola me recebeu assim que saí do carro, e seu comportamento me surpreendeu de imediato. Ela estava muito nervosa e falava com voz aguda e rápida. Deve ter percebido a minha reação, porque disse:

– Desculpe a minha agitação. Geralmente não sou assim. Acabei de resgatar uma menina cuja família estava vendendo-a para a prostituição.

Naquela manhã ela havia recebido o telefonema de um homem que ouvira uma menina gritando na casa ao lado. A criança estava sendo brutalmente espancada – não pelo pai, mas pelo marido. Era uma esposa-criança que tinha sido entregue ao marido em um casamento forçado. O homem que ouviu os gritos escutou em seguida o marido da criança dizendo que planejava vendê-la. Por isso chamou a diretora da escola, que tinha feito o resgate.

Perguntei por que o marido estava batendo na menina. Ela explicou que a família da noiva tinha pago o dote pedido, mas a família do noivo decidiu que não era suficiente e voltou para pedir mais. A família da menina não tinha mais dinheiro, por isso os parentes do noivo ficaram com raiva e começaram a espancar a garota.

– Isso acontece o tempo todo – disse ela.

Foi minha primeira experiência com o trauma e a tragédia do casamento infantil.

É difícil captar em uma ou duas frases o dano que essa prática causa às meninas, às famílias e às comunidades, mas tentarei caracterizar seus perigos. A parceria igualitária no casamento promove a saúde, a prosperidade e o desenvolvimento humano. Induz o respeito. Eleva os dois parceiros. E nada está mais distante da parceria igualitária do que o casamento infantil. Em todos os sentidos nos quais a parceria igualitária eleva, o casamento na infância degrada. Cria um desequilíbrio de forças tão gigantesco que o abuso se torna inevitável. Na Índia, onde algumas famílias de meninas ainda pagam dotes (apesar de atualmente os dotes serem ilegais), quanto mais nova a menina, e quanto menos educação ela tiver recebido, menor o dote que a família precisa pagar para casá-la. Nesses casos, o mercado deixa claro que, quanto mais impotente a menina, mais atraente ela será para a família que a recebe. Eles não querem uma menina com voz, habilidades ou ideias. Querem uma serviçal obediente e indefesa.

As meninas forçadas ao casamento perdem a família, os amigos, a escola e qualquer chance de prosperidade. Mesmo aos 10 ou 11 anos espera-se que assumam as tarefas da casa – cozinhar, limpar, plantar, alimentar os animais, carregar lenha e água. Em seguida espera-se que assumam os deveres da maternidade. Os fardos do trabalho, da gravidez e do parto têm consequências terríveis para a jovem esposa.

Muitos anos depois de ter ouvido falar pela primeira vez no casamento infantil, visitei um hospital que tratava de fístulas no Níger e conheci uma garota de 16 anos chamada Fati. Fati havia se casado aos 13 anos e engravidado imediatamente. Seu parto foi demorado e árduo – e apesar de sentir dores horríveis e precisar dos cuidados de um profissional de saúde, as mulheres em sua aldeia apenas lhe disseram para fazer mais força. Depois de três dias de trabalho de parto ela foi levada de jumento à clínica mais próxima, onde seu bebê morreu e ela descobriu que estava com uma fístula.

Em geral, uma fístula obstétrica se desenvolve durante um trabalho de parto prolongado e obstrutivo, quando o bebê é grande demais ou a mãe é pequena demais para um parto natural. A cabeça do bebê pressiona o tecido ao redor, restringe o fluxo de sangue e surge um orifício – entre a vagina e a bexiga ou entre a vagina e o reto. Isso pode levar à incontinência e à passagem de fezes pela vagina. Os maridos de meninas que têm fístula quase sempre se incomodam com o cheiro ruim e o ferimento; e frequentemente expulsam a esposa de casa.

A melhor prevenção para a fístula obstétrica é adiar a primeira gravidez e buscar atendimento de profissionais qualificados durante o parto. Fati não teve uma coisa nem outra. Depois de ser forçada a se casar na infância e a engravidar, foi expulsa de casa pelo marido devido a uma condição que ela não tinha feito nada para provocar. Morou na casa do pai durante dois anos até poder ir ao hospital tratar da fístula. Tive a oportunidade de conversar com ela enquanto estava internada e perguntei o que esperava da vida. Fati disse que sua maior esperança era ficar curada para retornar à casa do marido.

Conhecer Fati e ouvir a história da criança espancada na escola de plataforma de trem fizeram parte do início da minha formação, muito incompleta, sobre o casamento infantil, formação essa que se acelerou quando estive com Mabel van Oranje em 2012, alguns dias depois de encontrar Fati.

Mabel foi uma das mulheres que participaram do jantar que já mencionei antes, na noite da Cúpula de Planejamento Familiar em Londres. Naquela ocasião, todas falaram sobre diferentes questões relacionadas a mulheres e meninas, e Mabel tratou do casamento infantil.

Antes do jantar, eu soube que ela era mulher do príncipe Friso, filha da rainha Beatriz dos Países Baixos. Seu status dá visibilidade ao trabalho que realiza pelos direitos humanos, mas seu ativismo começou muito antes de se casar. Na faculdade, ela assistiu a debates sobre genocídio no Conselho de Segurança das Nações Unidas e acabou se tornando estagiária na ONU. Fundou sua primeira organização antes de sair da universidade e passou a década seguinte defendendo a paz.

Como CEO do The Elders, grupo fundado por Nelson Mandela reunindo líderes globais para pressionar a discussão das pautas dos direitos humanos, Mabel viajou pelo mundo inteiro. Em uma de suas viagens conheceu uma jovem mãe que ainda parecia criança. Perguntou a ela com quantos anos havia se casado, e a menina não tinha certeza – entre 5 e 7, pensava. Mabel ficou horrorizada e começou a usar sua experiência, seus recursos e seus contatos para saber mais sobre o casamento infantil e empreender novos esforços para acabar com essa prática.

E assim estávamos juntas naquele jantar em Londres. Fiquei bastante impressionada com Mabel, ainda mais porque ela mantivera seu trabalho público em meio a uma tragédia pessoal. Cinco meses antes do nosso encontro, o marido de Mabel fora surpreendido por uma avalanche enquanto esquiava e acabou soterrado em uma montanha de neve. Sem receber oxigênio, ele entrou em coma. Naquele verão, quando a conheci, ela passava parte do tempo com o marido no hospital e com os filhos, ajudando-os a enfrentar o trauma, mas ainda trabalhava o máximo possível por suas causas. Um ano depois, seu marido morreu sem recuperar a consciência.

Quando Mabel e eu conversamos naquela noite em Londres, ela liderava uma organização chamada Girls Not Brides (Meninas, não noivas), criada para combater o casamento infantil por meio de mudanças nos mecanismos sociais e econômicos que o estimulam. É um desafio gigantesco. Na década anterior, tinha havido mais de 14 milhões de casamentos infantis por ano. Uma em cada três meninas em economias emergentes estava se casando antes dos 18 anos. Uma em cada nove estava se casando antes dos 15 anos.

Mabel foi a primeira pessoa a me mostrar a conexão entre planejamento familiar e casamento infantil. As esposas-crianças costumam sofrer pressão intensa para provar sua fertilidade, o que significa que o uso de métodos anticoncepcionais é muito baixo. De fato, a porcentagem de mulheres que usam contraceptivos é menor onde a prevalência do casamento infantil é maior. E o baixo uso de métodos contraceptivos por parte das meninas é mortal: a principal causa de morte entre jovens de 15 a 19 anos em todo o mundo é o parto.

Naquela noite Mabel conseguiu minha atenção e se tornou minha professora.

A partir das conversas naquele jantar, comecei a perceber as múltiplas conexões entre as questões de gênero e decidi que precisava aprender mais sobre cada área. Saí do evento ainda processando as informações sobre o casamento infantil, tomada por uma curiosidade aguda por saber mais. Em geral, começo a estudar um assunto mergulhando nele: conhecendo e conversando com pessoas que vivem as realidades que quero entender. Então volto, faço uma pesquisa mais profunda dos dados e converso com especialistas. Mas nesse caso fiz o contrário: comecei com os dados. E fiquei sabendo que as esposas-crianças têm taxas muito mais altas de HIV do que as meninas solteiras. A probabilidade de serem estupradas e espancadas pelos parceiros é mais alta. Elas têm níveis menores de educação do que as solteiras. A diferença de idade em relação aos maridos será provavelmente maior, o que amplia o desequilíbrio de poder e frequentemente leva a mais abusos.

Também soube que muitas comunidades que praticam o casamento infantil também realizam o corte genital feminino. Já falei dessa prática, mas ela está profundamente conectada ao casamento precoce. Nas culturas em que ocorre, a genitália da menina é cortada para deixá-la "pronta para o casamento". Diferentes comunidades praticam diferentes tipos de corte. O mais severo implica não somente cortar o clitóris, mas também costurar a vagina para que possa ser reaberta quando ela se casar. Assim que a genitália da menina é cortada, seus pais podem começar a procurar um marido para ela.

Quer a menina seja cortada ou não, uma noite de núpcias na infância é uma mistura intensa de dor e isolamento. Uma garota de Bangladesh lembra que as primeiras palavras do marido para ela foram: "Pare de chorar."

Se o marido da menina mora em uma aldeia diferente, ela pode ir com ele para uma comunidade onde não conhece ninguém. Algumas esposas-crianças têm o rosto coberto durante a viagem para não encontrarem o caminho de volta, caso fujam.

As esposas-crianças são alvo de abusos. Um estudo sobre mulheres em vários estados da Índia descobriu que as meninas que se casavam antes dos 18 anos tinham o dobro de probabilidade de ser ameaçadas, estapeadas ou espancadas pelo marido.

À medida que os anos passam, é provável que uma esposa-criança tenha mais e mais filhos – talvez mais do que ela pode alimentar, educar e cuidar. Com tantos filhos, ela não tem tempo para buscar uma fonte de renda, e as gestações precoces enfraquecem seu corpo. Isso aumenta o risco de que se mantenha pobre e doente pelo resto da vida e perpetue esse ciclo de miséria para seus filhos.

Conhecendo as crianças casadas

Os especialistas me revelaram todos esses fatos, mas eu sentia que também precisava conversar com algumas esposas-crianças e conhecer pessoas que trabalhavam para acabar com esse costume. Assim, em novembro de 2013, quando estava na Etiópia para uma conferência, viajei a um povoado remoto no norte do país para entender o trabalho do Population Council no combate ao casamento infantil.

Quando chegamos, duas outras mulheres e eu fomos convidadas a um pátio que era o local de reunião da aldeia; tinha uma pequena clínica de saúde, um local para fazer fogueira e uma pequena igreja onde iríamos nos reunir. Havia poucas pessoas por perto. Não levamos funcionários. Pedimos aos homens que estavam conosco para ficarem no carro. Queríamos criar as melhores condições para ouvir as meninas, por isso deixamos para trás qualquer elemento ou pessoa que pudesse incomodá-las.

Entramos na igreja, que era muito escura, com poucas janelas filtrando a luz. Havia umas dez meninas ali dentro, e quando meus olhos se acostumaram com a escuridão vi como pareciam pequenas. Eram como passarinhos frágeis, ainda em crescimento; nem tinham começado a criar asas e já estavam se casando. Eu queria abraçá-las e protegê-las. Tinham 10 ou 11 anos – a idade da minha filha Phoebe. No entanto, pareciam ainda mais novas. Me disseram que metade das meninas era casada e metade ainda estava na escola.

Primeiro conversei com as casadas. Falavam tão baixo que eu mal conseguia escutar; até a tradutora precisava se inclinar para ouvi-las. Perguntei quantos anos tinham quando se casaram e como descobriram que iam se casar. Uma das meninas, Selam, contou que um dia, quando tinha 11 anos, estava ajudando a mãe a preparar uma festa. Passou o dia todo cozinhando, limpando e carregando água. Enquanto narrava a história, fazia pausas para respirar, e então continuava em um sussurro, como se estivesse revelando um segredo.

Disse que, assim que os convidados chegaram, seu pai levou-a para longe do grupo e disse que ela iria se casar. Aquela seria sua noite de núpcias.

Selam entrou em pânico. Correu para a porta e tentou abrir a fechadura. Estava desesperada para fugir de casa, mas seus pais estavam preparados: arrastaram-na e a fizeram permanecer em silêncio ao lado do marido durante a cerimônia. Quando a festa acabou, ela deixou a casa de sua infância para viajar até uma aldeia que nunca tinha visto, onde moraria com a família do marido e assumiria os deveres domésticos pelo resto da vida.

Todas as meninas tinham uma história terrivelmente triste, e as piores eram semelhantes à de Selam, em que as meninas foram enganadas para pensar que iam a uma festa. Por que alguém enganaria uma criança, a não ser que soubesse que estava partindo o coração dela? Várias choraram contando sobre o dia do casamento. Não era só porque estavam deixando a família e os amigos para morar com estranhos, preparar as refeições e limpar a casa deles. Elas precisavam abandonar a escola, e todas sabiam o que isso significava. Uma das esposas – que parecia ter uns 8 anos de idade – me disse que a escola era o único caminho para sair da pobreza e que, com o casamento, o caminho se fechara. E todas contaram suas histórias sussurrando.

É difícil descrever o silêncio e a fraqueza da postura delas, sua postura física. Algumas meninas – lembro-me de duas em particular – pareciam ser apenas cascas vazias. Sua expressão era de derrota. Tinham perdido completamente a voz e eu não via como poderiam recuperá-la.

Tentei esconder meus sentimentos enquanto escutava. Não queria dar a entender que a vida delas era trágica, mas era isso que eu estava pensando, e tenho certeza de que demonstrei. Fui ficando mais e mais emotiva. Quando elas choravam, meus olhos também se enchiam de lágrimas – mesmo que eu tentasse evitar.

Então conversei com as meninas solteiras. Elas ainda estavam na escola e falavam um pouco mais alto. Tinham alguma confiança, e quando comentavam sobre o casamento infantil eu até podia captar alguma rebeldia na voz delas. Naquele momento ficou muito claro que algo essencial tinha sido roubado das meninas casadas – como se seu crescimento tivesse sido interrompido com o casamento.

Na saída, ao terminarmos a visita, a luz me ofuscou. Precisei fechar os olhos por alguns instantes até que consegui atravessar o pátio para falar com os mentores. Eles estavam tentando ajudar as meninas solteiras a evitar o casamento e as casadas a continuar na escola.

Faziam um trabalho importante com resultados promissores, mas eu nunca consigo assimilar os detalhes programáticos logo depois de ver o sofrimento em primeira mão. Uma voz na minha cabeça diz: "Como qualquer programa pode superar o que acabei de ver?" Consigo ter poucas ideias úteis sobre um problema logo depois de compreender seu impacto. As emoções são esmagadoras demais.

No caminho para o aeroporto deveríamos parar para um chá e uma conversa com a equipe, mas eu não consegui. Fiquei em silêncio na viagem de volta. Quando chegamos ao lugar onde passaríamos a noite, dei uma longa caminhada e tentei digerir tudo aquilo.

Mais cedo, enquanto as escutava falar, só sentia tristeza. Precisei de algum tempo e distanciamento para sentir uma raiva crescente pelas meninas que eram enganadas para se casar. Nenhuma criança merece isso.

...

Na Índia, assim como na Etiópia, existem programas que combatem o casamento infantil e tentam resgatar as meninas antes de se casarem. O Fundo de População das Nações Unidas publicou a história de uma menina de 13 anos, no estado de Bihar, que ouviu os pais falando de um casamento no dia seguinte. O *seu* casamento.

Para ela foi um choque. Mas isso era normal na sua comunidade, e em quase qualquer outra circunstância a história teria se desenrolado como a de Selam – a menina até ofereceria resistência, mas nada mudaria. Essa história, porém, teve um final diferente. A menina indiana tinha baixado no celular um aplicativo chamado Bandhan Tod, que significa "quebre suas algemas". Quando ouviu os pais falando sobre seu casamento, pegou o telefone, abriu o aplicativo e mandou um SOS – um pedido de socorro relacionado ao casamento infantil – que foi recebido por líderes das organizações que formam a rede do Bandhan Tod. Um membro da rede correu até a casa da menina e falou com os pais. O casamento infantil é ilegal na Índia, o que dá aos militantes da organização poderes para intervir em um contexto familiar. Os pais se recusaram a ceder, de modo que os líderes do grupo deram o passo seguinte: contataram a polícia local. No dia seguinte o superintendente interino de polícia levou uma equipe ao lugar onde o casamento estava acontecendo. A polícia interrompeu a cerimônia; a noiva de 13 anos voltou para a casa da família e continuou na escola.

Para mim é fácil me sentir feliz pela menina que escapou do casamento e voltou à família e aos estudos. Mas a história mostra como o problema é complicado e por que precisamos de soluções mais abrangentes. Muitas meninas solteiras não têm celular. Não têm redes de apoio. Não contam com a polícia local para impedir o casamento. Mas, além disso e mais importante, quando uma menina escapa de um casamento e volta para casa, volta para a mãe e o pai que queriam casá-la. O que acontece então? Ela não tem poder naquela casa. Atrapalhou o plano dos pais, talvez até os tenha envergonhado. Será que eles descontarão nela a raiva que sentiram?

É importante salvar as meninas do casamento, porém mais importante ainda é abordar as questões que levam os pais a querer casar suas filhas.

Quando uma família pode receber dinheiro pelo casamento de uma filha, fica com uma boca a menos para alimentar e mais recursos para ajudar a todos os outros. Quando uma família precisa pagar para casar uma filha, quanto mais nova ela for, menor o dote entregue à família do noivo. A cada ano que a menina passa solteira, aumenta sua probabilidade de ser agredida sexualmente – e depois considerada impura e inadequada para o casamento. Assim, ao casar as filhas ainda jovens, os pais também têm em mente a honra da menina e da família. Evita-se esse trauma.

É uma realidade terrível as meninas serem forçadas à situação abusiva do casamento infantil como forma de proteção contra outras situações abusivas. A Organização Mundial da Saúde afirma que uma em cada três mulheres já foi espancada, coagida a fazer sexo ou sofreu abusos.

A violência de gênero é uma das violações de direitos humanos mais comuns no mundo. Também é o modo mais óbvio e agressivo de os homens tentarem controlar as mulheres – seja por meio do estupro como arma de guerra, seja um marido batendo na mulher ou homens empregando a violência sexual ou o bullying no ambiente de trabalho para humilhar as mulheres que conquistam altos cargos.

Ouvi histórias terríveis sobre mulheres que abriram mão dos sonhos por temerem pela própria segurança; que estudam em escolas piores, porém mais perto de casa, para evitar predadores sexuais. Essas histórias vêm de todo o mundo, inclusive dos Estados Unidos. Até acabarmos com toda a violência de gênero, precisaremos de esforços maiores para proteger mulheres e meninas. Não existe igualdade sem segurança.

No caso do casamento precoce, as opções sociais das meninas são tão limitadas pela cultura que os pais que casam as filhas costumam acreditar que estão fazendo o melhor por elas e pela família. Isso significa que lutar contra o casamento infantil em si não basta. Precisamos mudar a cultura que faz desse costume uma opção inteligente para as famílias mais pobres.

Uma heroína silenciosa

Molly Melching passou a vida provando esse argumento. Molly é outra das minhas professoras. Já falei sobre ela. Nós nos conhecemos no verão de 2012 e ela me ensinou uma das melhores abordagens que já vi para desafiar práticas culturais duradouras.

Encontrei Molly em uma cidade no Senegal e fomos juntas a uma área rural para visitar o programa de empoderamento comunitário que ela administra lá. Durante a viagem de carro, de cerca de uma hora, Molly me contou que tinha chegado ao Senegal na década de 1970 como estudante de intercâmbio, para melhorar seu francês. Logo se apaixonou pelo povo senegalês e sua cultura – tanto que decidiu aprender também a língua local, o *wolof*.

Mesmo amando o país, notou como era difícil ser mulher ali. No Senegal, muitas meninas se submetem ao corte genital muito cedo – em geral entre os 3 e 5 anos. Muitas casam-se muito novas e são encorajadas a ter filhos rapidamente e com frequência. Grupos externos tentaram mudar essas práticas, mas nenhum obteve sucesso, e Molly estava em condições de enxergar o motivo.

Tornou-se tradutora para programas de desenvolvimento, atuando como elo entre os aldeões e os forasteiros que queriam ajudar. Não demorou a entender que existia mais do que uma barreira linguística separando esses dois grupos: havia uma barreira de *empatia*. Os estrangeiros tinham pouca capacidade de se colocar no lugar das pessoas a quem queriam ajudar e pouco interesse em tentar compreender o motivo de determinadas práticas. Nem sequer tinham paciência para explicar aos aldeões por que achavam que alguma coisa deveria mudar.

Na nossa viagem de carro, Molly me explicou que a barreira de empatia bloqueia todos os esforços de desenvolvimento. Os equipamentos agrícolas doados estavam enferrujando, as clínicas de saúde permaneciam vazias e costumes como o corte genital feminino e o casamento infantil mantinham-se inalterados. Molly me disse ainda que as pessoas costumam se indignar com determinadas práticas nos países em desenvolvimento e querem intervir na base do grito: "Isso é nocivo! Parem!" Mas essa abordagem é errada. "A indignação pode salvar uma ou duas meninas", explicou ela, "mas apenas a empatia pode mudar o sistema."

Essa ideia instigou Mollly a criar uma organização chamada Tostan e a desenvolver uma nova abordagem da mudança social. Ninguém de sua organização diria a um aldeão que o que eles fazem é errado ou ruim. Molly me contou que nunca usa a expressão "mutilação genital feminina", porque ela é pesada e embute um julgamento. Prefere "corte genital feminino" porque não ofende as pessoas a quem quer convencer.

A arte sutil da mudança

A abordagem da Tostan não é julgar externamente, mas sim discutir internamente. Facilitadores treinados, fluentes na língua local, moram na aldeia durante três anos e envolvem toda a comunidade na conversa. Promovem encontros três vezes por semana, cada um com várias horas. O processo começa pedindo que as pessoas falem como seria uma aldeia ideal, a chamada Ilha do Amanhã. A Tostan trabalha para que os aldeões alcancem o futuro que dizem desejar.

Para ajudá-los a alcançar esse futuro, os facilitadores ensinam sobre saúde e higiene, leitura, matemática e resolução de problemas. E explicam que cada pessoa tem direitos fundamentais – de aprender e trabalhar, ter saúde, verbalizar as opiniões e não sofrer discriminação e violência.

Esses direitos estavam distantes da realidade até mesmo nas comunidades onde eram ensinados – particularmente naquelas onde o fato de uma mulher falar em público era considerado um "bom motivo" para o marido bater nela. A ideia de que homens e mulheres são iguais parecia absurda. Com o tempo, porém, as mulheres perceberam como certas mudanças – os homens fazerem "trabalho de mulher", as mulheres ganharem dinheiro – eram passos em direção à igualdade. E essas mudanças traziam benefícios. As pessoas estavam mais saudáveis. Um número maior delas sabia ler. Talvez aquela ideia fosse interessante, afinal.

Depois das lições sobre direitos fundamentais e sobre a igualdade entre os gêneros, o tema seguinte foi a saúde das mulheres. Era tabu até mesmo falar sobre o corte genital feminino – uma prática considerada tão antiga e sagrada que era chamada simplesmente de "a tradição". Ainda assim a facilitadora falou de suas consequências para a saúde, inclusive o risco de infecção e hemorragia. Foi recebida com um silêncio pétreo.

No encontro seguinte, porém, a parteira da aldeia levantou a mão e ficou de pé. Com o coração acelerado, contou que tinha observado em primeira mão que as mulheres que haviam sido cortadas tinham partos mais difíceis. Então outras mulheres começaram a contar suas histórias. Lembraram-se da dor de quando foram cortadas, de como suas filhas perdiam sangue demais, da morte de algumas meninas devido à hemorragia. Se todas as meninas tinham direito à saúde, o corte não violava esse direito? Era mesmo uma coisa que elas *precisavam* fazer? Debateram intensamente durante meses. Por fim decidiram que, quando chegasse a hora de cortar as filhas naquele ano, não fariam isso.

Molly tinha em mente momentos assim quando deu à organização o nome de Tostan, uma palavra em *wolof* que se refere ao instante em que o pintinho rompe a casca do ovo. Pode ser traduzido como "ruptura".

Molly se recorda.

– Estávamos testemunhando algo muito significativo: pessoas se unindo para refletir coletivamente sobre seus valores mais profundos, questionando se as atitudes e os comportamentos atuais estavam na verdade violando esses valores.

Para mim esse é um ato sagrado.

Mas Molly se viu diante de um desafio. Percebia que a cultura do povoado estava mudando, mas se preocupava com a possibilidade de a mudança não durar. As pessoas daquela aldeia se casavam com membros de aldeias vizinhas. O casamento entre pessoas de povoados diferentes era uma fonte de força para todos, uma chance de criar laços e formar uma comunidade ampliada. Se as demais aldeias mantivessem a prática do corte genital feminino e insistissem nisso como condição para o casamento, a aldeia em que Molly estava trabalhando ficaria isolada; suas jovens poderiam não encontrar parceiros com quem se casar e provavelmente retomariam a prática. De algum modo, todas as aldeias precisariam estar de acordo – nenhuma poderia mudar aquela realidade sozinha.

O imã da aldeia e Molly discutiram a situação, e ele disse que essa mudança precisava acontecer.

– Vou cuidar disso – garantiu.

Ele passou muitos, muitos dias caminhando; visitou todas as aldeias e levou bastante tempo sentado, ouvindo e conversando com pessoas sobre meninas, casamento, tradição e mudança. Molly ficou um longo tempo sem notícias do imã. Então ele voltou e disse:

– Está feito.

Tinha convencido todas as aldeias a abandonar o corte genital feminino – em bloco e ao mesmo tempo. Naquela região do Senegal, os pais não precisariam mais enfrentar a escolha entre cortar as filhas ou obrigá-las a viver como párias.

O movimento se espalhou rapidamente para outras aldeias e até para outras nações – liderado em parte por aldeões cuja vida tinha sido tocada pelo programa. Em pouco tempo as pessoas estavam questionando outras práticas prejudiciais.

Em uma aldeia senegalesa onde a Tostan tinha criado um programa, os pais forçavam as filhas a se casarem bem cedo, às vezes com 10 anos. Ali as conversas nas aulas da Tostan versaram sobre como o casamento precoce afetava as meninas. Logo depois que essas reuniões começaram, uma mulher que estava separada do marido ficou sabendo que ele tinha feito um acordo para casar a filha dos dois. A menina se chamava Khady e tinha 13 anos. O ex-marido mandou um representante à sala de aula de Khady, que estava no oitavo ano, para tirá-la da escola e explicar que a filha iria se casar no dia seguinte e não voltaria mais.

Naquela noite a mãe contra-atacou, organizando uma reunião especial com os líderes do programa Tostan e a diretora da escola de ensino fundamental. Conversaram até tarde da noite. Na manhã seguinte, dezenas de membros da comunidade e estudantes da escola fizeram uma passeata, carregando cartazes que diziam: MANTENHAM AS MENINAS NA ESCOLA. NÃO ACEITAMOS O CASAMENTO INFANTIL.

Deu certo: Khady continuou na escola e a mãe mandou uma mensagem ao pai da menina dizendo que na aldeia deles o casamento precoce era proibido. O resgate de Khady foi mais poderoso do que aquele que descrevi antes, feito pela polícia. O da polícia foi uma questão de lei. Este foi uma mudança de cultura.

Hoje em dia 8.500 comunidades onde a Tostan atua se comprometeram a não permitir o casamento infantil. Segundo a organização, mais de 3 milhões de pessoas em oito nações disseram que não praticarão mais o corte genital feminino.

Essas foram algumas histórias que Molly me contou enquanto íamos de carro para a aldeia, falar com as pessoas que tinham desencadeado essas mudanças. Quando chegamos, tivemos uma recepção ruidosa e fomos convidadas a participar de uma dança senegalesa. Então o imã fez uma oração e organizou uma reunião para explicar a abordagem da Tostan: as pessoas do grupo tomam todas as decisões baseadas em sua visão de futuro e nos direitos de todos.

Depois da reunião tive a oportunidade de conversar individualmente com algumas pessoas. Elas mal podiam esperar para contar como sua vida havia mudado. As mulheres enfatizavam que os homens tinham começado a realizar tarefas que antes eram consideradas femininas, como catar lenha, cuidar dos filhos e pegar água. Eu quis ouvir dos homens por que estavam dispostos a mudar, já que os costumes antigos pareciam convenientes para eles.

– Por que você pega água no poço? – perguntei a um homem depois de algum tempo de conversa.

– É um trabalho pesado demais – disse ele. – Os homens são mais fortes; eles devem fazer isso. Além disso, não quero que minha mulher fique tão cansada. Nossas mulheres viviam cansadas, e quando minha mulher não está tão cansada, ela fica mais feliz e nossa cama é mais feliz.

Contei essa história em minhas andanças pelo mundo, e ela sempre provoca risos.

Quando conversei com as mulheres, perguntei como era seu relacionamento com os maridos. Uma delas explicou:

– Antes nós não falávamos com os maridos, e agora somos amigos. Antes eles batiam em nós, agora não batem.

A maioria disse que estava usando métodos anticoncepcionais e que os maridos apoiavam. O imã disse:

– Quando você tem um filho depois do outro, não é bom para a sua saúde. Deus ficaria mais feliz se as crianças fossem mais saudáveis.

Tanto homens quanto mulheres explicaram que costumavam casar as filhas por volta dos 10 anos, mas agora só fariam isso quando elas completassem 18, mesmo se lhes oferecessem dinheiro. Perguntei a um dos rapazes solteiros se ele se casaria com uma garota menor de 18 anos vinda de outra aldeia; ele contou que não – até já tinha se recusado a casar com uma garota menor de 18 anos, mesmo não sabendo se ela ainda iria querê-lo quando crescesse.

Depois de me reunir com vários grupos maiores, fui convidada para uma casa onde me esperava um pequeno número de mulheres. Conversamos sobre o corte genital; a sala estava escura e o ar pesado de sofrimento e pesar. Uma mulher explicou:

– Nossos ancestrais impuseram esse costume a nós, por isso impusemos a nossas meninas. Era o que deveríamos fazer, e nunca pensamos no assunto. Nunca aprendemos sobre isso. Achávamos que era uma honra.

Outra mulher chorou sem parar ao descrever seu papel no ritual. Pegou um pedaço de pano que estava enrolado na cabeça, usou-o para enxugar as lágrimas e continuou secando os olhos durante todo o tempo em que falou.

– Não era eu quem fazia o corte – disse ela. – Porém eu estava mais envolvida do que a cortadora. Ela não via o rosto da menina; eu segurava as crianças enquanto elas eram cortadas. Precisava ser forte para contê-las porque era uma coisa horrível. As meninas gritavam e choravam. Segurei meninas que tinham tentado escapar. Vi coisas horríveis. Agora paramos com isso. Fui muito criticada pela minha família quando parei, mas eu disse que era a vontade de Deus, porque as meninas estavam tendo hemorragia e morrendo. Nunca mais vamos fazer isso. Hoje em dia, falo para quem quiser ouvir que temos que parar.

Quando voltei ao meu quarto de hotel naquela noite, depois de ouvir essas histórias, não conseguia parar de chorar.

Que direito tenho eu?

Voltei do Senegal com duas perguntas: o que faz a Tostan funcionar? E o que me dá o direito de me envolver?

Essas questões – que vou abordar a seguir – têm a ver com o comentário de Hans Rosling no Capítulo 1, "Eu achava que os bilionários americanos iam estragar tudo!"

Hans tinha certa razão. Vejo pelo menos três maneiras de um doador rico e inexperiente estragar tudo. Primeiro, se um grande financiador entra em uma área e escolhe uma abordagem entre várias, a equipe que trabalha na região pode abandonar as próprias ideias para executar as do doador, porque é dali que vem o dinheiro. Se isso acontecer, em vez de patrocinar boas ideias o financiador pode matá-las sem querer. Segundo, nas organizações de filantropia – ao contrário do que ocorre nas empresas – pode ser difícil saber o que está dando certo. Os beneficiários podem, por muitos motivos, afirmar que está tudo bem quando não está. A não ser que se busque medir os resultados de maneira objetiva, é fácil continuar bancando iniciativas que não funcionam. O terceiro perigo é as pessoas ricas acharem que seu sucesso em um campo as torna especialistas em todos. Assim, agem por instinto em vez de conversar com gente que passou toda a vida fazendo aquele trabalho. Se você achar que é superinteligente e não ouvir as pessoas, pode se envolver em áreas que desconhece e tomar decisões ruins com grande impacto.

Portanto, fazia sentido que Hans estivesse preocupado com bilionários doando dinheiro. Tento levar em conta esses pontos no modo como trabalho e nas perguntas que faço a mim mesma, especialmente a seguinte:

"Que direito tenho eu, alguém de fora, de apoiar esforços para mudar a cultura de comunidades às quais não pertenço?"

Claro, posso dizer que estou financiando o trabalho de gente do local, mas quem está à frente são as pessoas "de dentro". No entanto, o trabalho dessas pessoas pode ter a oposição de *outras* igualmente "de dentro", e eu optei por apoiar um grupo e não outro. Isso não será a arrogância de uma pessoa de fora, rica e formada no Ocidente, o velho "eu sei mais do que vocês"? Como saber se não estou usando meu poder para impor meus valores a uma comunidade que mal conheço?

Não há como negar que espero disseminar minhas crenças. Acredito que todas as vidas têm o mesmo valor. Que todos os homens e mulheres são criados iguais. Que não deve haver exclusão. Que todo mundo tem direitos, entre eles o de prosperar. Acredito que, quando pessoas que estão aprisionadas pelas regras não participam da elaboração dessas regras, pontos cegos morais se tornam leis, e os despossuídos é que carregam o fardo.

Esses são meus valores e minhas crenças. Acredito que não sejam valores pessoais, e sim universais, e entro nas batalhas para mudar normas sociais quando isso significa combater uma cultura que permite a um grupo dominar os outros. Para mim, as normas sociais arraigadas que transferem os benefícios sociais para os poderosos e os fardos para os impotentes não ferem somente os excluídos: ferem também o todo.

Assim, quando uma comunidade nega às suas mulheres o direito de decidir se, quando e com quem vão se casar, e em vez disso entrega uma menina a um homem como parte de uma transação financeira, privando-a do direito de desenvolver os próprios talentos e forçando-a a passar a vida como empregada doméstica não remunerada, os valores universais dos direitos humanos não são honrados. Sempre que membros dessa comunidade exprimem o desejo de defender as meninas que não podem falar por si mesmas, acredito que é justo me juntar à luta a favor delas. É como explico meu apoio à mudança de cultura em comunidades distantes da minha.

Mas como a abordagem da Tostan me ajuda a justificar meu envolvimento? Felizmente – para proteger os outros dos meus próprios pontos cegos e preconceitos –, as ideias que defendo precisam de muito mais do que o meu apoio para ganhar força. O processo de migração de uma cultura dominada pelos homens para uma cultura de igualdade entre os gêneros deve ter o apoio da maioria dos membros da comunidade, inclusive de homens poderosos que compreendem que dividir o poder com as mulheres permite a eles alcançar objetivos que não atingiriam apenas com seu poder. Eis a maior salvaguarda contra qualquer prepotência das pessoas de fora.

A mudança não vem de fora, e sim de dentro – e por meio da ação mais subversiva possível: membros da comunidade conversando sobre atos que são comumente aceitos, raramente discutidos e frequentemente considerados tabu.

Por que isso funciona? A conversa acelera a mudança quando as pessoas que falam umas com as outras estão *melhorando* – e não me refiro a seres humanos melhorando o ramo de ciência e tecnologia; refiro-me a seres humanos se tornando melhores seres humanos. Os ganhos nos direitos das mulheres, das pessoas não brancas, da comunidade LGBTI+ e de outros grupos que historicamente sofreram discriminação são sinais do progresso humano. E o ponto de partida da melhoria humana é a empatia. Tudo começa com isso. A empatia permite ouvir, e ouvir leva à compreensão. É assim que construímos uma base de conhecimento comum. Quando as pessoas não conseguem concordar, quase sempre é porque não existe empatia, não existe sentimento de experiência compartilhada. Se você sente o que os outros sentem, terá maior probabilidade de ver o que eles veem. Aí poderão se entender e partir para a troca de ideias honesta e respeitosa que é marca de uma parceria bem-sucedida. Essa é a origem do progresso.

Quando as pessoas conseguem se colocar na pele das outras, sentindo o sofrimento delas e aliviando sua dor, a vida nessa comunidade melhora. Em muitos casos, sentimos mais empatia uns pelos outros do que sentiam as pessoas que estabeleceram as práticas e tradições sob as quais vivemos. Assim, o objetivo das conversas sobre práticas cristalizadas é eliminar os preconceitos antigos e trazer a empatia. Ela não é a única força necessária para aliviar o sofrimento; precisamos também da ciência, mas a empatia ajuda a acabar com nossos preconceitos sobre quem merece os benefícios da ciência.

Se procurarmos, quase sempre é surpreendentemente fácil encontrar preconceitos. Quem foi excluído, perdeu o poder ou as vantagens quando a prática cultural se estabeleceu? Quem não tinha voz? Quem não pôde expressar seu ponto de vista? Quem ficou com a menor fatia do poder e a maior fatia de sofrimento? Como podemos tapar os pontos cegos e reverter o preconceito?

A tradição sem questionamento mata o progresso moral. Se você recebe uma tradição e decide não falar sobre ela – simplesmente cumpri-la –, está deixando que pessoas do passado lhe digam o que fazer. Isso elimina a probabilidade de identificar os pontos cegos da tradição – e os pontos cegos morais sempre resultam em alguma forma de exclusão e de desprezo pela dor do outro.

Enxergar e remover os pontos cegos morais é uma conversa que pode ser *facilitada* por pessoas de fora, mas não pode ser *manipulada* por elas. Cabe à própria comunidade discutir seus costumes e questionar se eles servem aos seus objetivos de acordo com seus valores.

Quando comunidades colocam as próprias normas sociais em questão, elas reconhecem as necessidades de pessoas obrigadas a suportar a dor de uma prática que beneficiava outras. Isso alivia o fardo dessas pessoas. No caso do casamento infantil, uma discussão comunitária ampla baseada na empatia e balizada pela igualdade leva a um mundo onde o casamento da mulher não é mais uma obrigação, seu dia de núpcias deixa de ser trágico e seus estudos não terminam aos 10 anos de idade. Se examinamos práticas antigas para eliminar preconceitos e acrescentar empatia, tudo muda.

Pouco antes de Molly e eu deixarmos a aldeia naquele dia, tive uma última conversa, agora com o chefe do povoado. Ele me disse:

– Nós costumávamos receber dinheiro em troca das nossas meninas: era como compra e venda. Os homens é que diziam que deveria ser assim, mas nós não entendíamos o que era o casamento. Deveria ser o lugar onde a mulher é feliz. Se ela não quiser se casar, ele não vai ter sucesso. Nós não forçamos mais, não existe mais casamento infantil. Essas práticas não combinam com nossas crenças verdadeiras. Antes éramos míopes, agora temos uma visão clara. A miopia dos olhos é ruim, mas nem de longe é tão ruim quando a miopia do coração.

CAPÍTULO SETE

O preconceito de gênero

Mulheres na agricultura

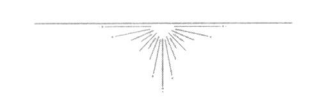

No dia de Natal na aldeia Dimi, uma remota comunidade agrícola no Malawi, todo mundo tinha se reunido para comemorar, menos uma mulher, Patricia. Ela estava no campo a 1,5 quilômetro dali, ajoelhada na terra úmida em sua plantação de 2 mil metros quadrados, plantando amendoim.

Enquanto o resto da aldeia festejava e comia, Patricia trabalhava com cuidado meticuloso, certificando-se de que as sementes se alinhassem em perfeitas fileiras duplas – 75 centímetros entre cada fileira, 10 centímetros entre cada planta.

Seis meses depois, visitei-a em sua plantação e comentei:

– Me disseram como você passou o dia do Natal!

Ela riu e respondeu:

– É quando a chuva chega!

Ela sabia que a colheita seria melhor se plantasse com a terra ainda úmida, e era assim que fazia.

Seria de esperar que, com tamanha dedicação, Patricia fosse tremendamente bem-sucedida, mas o fato é que ela vinha passando dificuldades havia anos. Apesar do trabalho exaustivo, sua família não tinha sequer o básico.

Faltava dinheiro para a escola dos filhos, o tipo de investimento capaz de romper o ciclo da pobreza; não tinha dinheiro nem mesmo para comprar um jogo de panelas, o que poderia tornar a vida um pouco mais fácil.

Agricultores precisam de cinco elementos para ter sucesso: terra boa, sementes boas, suprimentos agrícolas, tempo e conhecimento. Havia barreiras entre Patricia e cada um desses elementos simplesmente porque ela era mulher.

Para começo de conversa, e isso é comum na África subsaariana, a tradição na maioria das comunidades no Malawi é que as mulheres não podem herdar terras. (Leis aprovadas recentemente no país equipararam os direitos de propriedade, mas os costumes demoram a mudar.) Assim, Patricia não era dona do seu terreno. Pagava aluguel por ele. Era uma despesa que a impedia de investir na terra para torná-la mais produtiva.

E, como Patricia é mulher, não tinha poder de decisão nos gastos da família. Seu marido é que decidia o que seria feito do dinheiro – e se ele não quisesse comprar suprimentos agrícolas para ela, não havia nada que pudesse fazer.

O marido também determinava como seria a rotina de Patricia. Ela fez uma imitação engraçada dele dando ordens:

– Vá fazer isso, vá fazer aquilo, vá fazer isso, vá fazer aquilo, o tempo todo!

Assim, ela passava os dias rachando lenha, carregando água, fazendo comida, lavando pratos e cuidando das crianças. Com isso, tinha menos tempo para plantar ou levar seus produtos à feira, o que garantiria melhores preços. E se quisesse contratar alguma ajuda, os funcionários não se esforçariam tanto trabalhando para ela quanto para um homem. Os homens no Malawi não gostam de receber ordens de mulheres.

É chocante, mas até as sementes que Patricia estava plantando eram afetadas por seu sexo. Durante muito tempo as organizações de fomento trabalharam com agricultores para produzir sementes que originassem plantas maiores ou atraíssem menos pragas. Porém, quando esses grupos consultavam os líderes na comunidade agrícola, falavam apenas com homens, e o maior interesse desses agricultores era cultivar apenas as plantas que pudessem vender. Fazia décadas que era assim. Quase ninguém estava criando sementes para lavradores como Patricia, que se ocupavam também de alimentar a própria família e frequentemente plantavam espécies nutritivas, como grão-de-bico e legumes.

Os governos e as organizações de fomento oferecem treinamentos frequentes para os agricultores. Mas as mulheres têm menos liberdade para sair de casa e frequentar esses eventos, ou mesmo para conversar com os técnicos, já que eles costumam ser do sexo masculino. Quando as organizações tentavam usar tecnologia para disseminar informações – mandando dicas por mensagens de texto ou pelo rádio – descobriam que os homens controlavam essa tecnologia. Se as famílias tivessem um celular, ele ficaria com o homem. Havendo um rádio, os homens decidiam que estação sintonizar.

Quando somamos tudo isso, fica mais fácil entender por que uma agricultora inteligente e dedicada como Patricia jamais conseguia prosperar. Havia uma barreira depois da outra bloqueando seu caminho porque ela era mulher.

Entendendo Patricia

Quando conheci Patricia, em 2015, já sabia como os papéis e preconceitos de gênero limitavam seu sucesso como agricultora. Eu tinha demorado muito tempo para descobrir isso – e tudo começou quando Warren Buffett doou o grosso de sua fortuna para a nossa fundação.

A doação de Warren abriu novas fronteiras para a fundação. De repente tínhamos recursos para investir em áreas que sabíamos ser importantes e promissoras, mas onde ainda não tínhamos entrado em grande estilo. Somos uma fundação que aprende. Se enxergamos oportunidades em uma área nova para nós, começamos a fazer pequenas doações. Observamos e tentamos compreender o que acontece. Procuramos pontos de alavancagem. Depois, avaliamos se faz sentido investir mais. Quando Warren nos contou sobre sua doação, estávamos explorando várias possibilidades, mas ainda não tínhamos tomado a decisão de aumentar a escala. Seus recursos nos impeliram e logo nos levariam a considerar a equidade de gêneros como um importante foco novo de nossas doações.

Bill e eu decidimos usar os novos recursos em esforços diretos para reduzir a pobreza, e não na área de saúde global. "Como podemos ajudar as pessoas em extrema pobreza a ganhar mais dinheiro?" Partimos dessa pergunta, e nosso primeiro passo foi aprender mais sobre como vivem essas pessoas, como recebem dinheiro atualmente. Então soubemos que mais de 70% delas obtêm seu sustento financeiro e seu alimento plantando em pequenos lotes de terra. Essa combinação apresenta uma oportunidade gigantesca: se esses pequenos agricultores conseguirem tornar suas plantações mais produtivas, poderão plantar mais, colher mais, desfrutar de uma alimentação melhor e ganhar mais dinheiro. De fato, acreditávamos que ajudar os agricultores mais pobres a plantar mais comida e levá-la ao mercado poderia ser a alavanca mais poderosa do mundo para reduzir a fome, a desnutrição e a pobreza.

Decidimos concentrar nossas ações na África e no Sudeste Asiático. A África subsaariana era a única região do mundo onde a produtividade por pessoa nas plantações não tinha crescido em vinte anos. Se o mundo pudesse ajudar a desenvolver plantas capazes de resistir às enchentes, à seca, às pragas e às doenças, e a produzir mais na mesma quantidade de terra, a vida melhoraria para milhões de pessoas. Assim, nossa estratégia ficou clara: iríamos investir na pesquisa científica, tentando ajudar os pesquisadores a criar novas sementes e fertilizantes que pudessem ajudar os pequenos agricultores a produzir mais comida.

Essa foi a abordagem que estabelecemos bem no início, em 2006, quando Rajiv Shah, o chefe do nosso novo programa de agricultura, compareceu a um simpósio do Prêmio Mundial de Alimentação em Iowa e falou a importantes especialistas em agricultura. Em seu discurso, expôs nossas esperanças e pediu conselhos e ideias. Raj deveria palestrar e depois ouvir respostas de quatro figuras eminentes. O Dr. Norman Borlaug foi o primeiro a responder. Ele tinha recebido o Prêmio Nobel da Paz por lançar a Revolução Verde, que gerou um crescimento na produtividade agrícola e salvou milhões de pessoas da fome. O orador seguinte foi Sir Gordon Conway, principal conselheiro científico do Departamento de Desenvolvimento Internacional do Reino Unido. Depois foi a vez do Dr. Xiaoyang Chen, presidente da Universidade Agrícola do Sul da China.

Quando o Dr. Chen terminou de falar, o evento havia ultrapassado em muito o horário determinado e ainda faltava ouvir uma pessoa. Era uma mulher, Catherine Bertini, que tinha sido diretora executiva do Programa Mundial de Alimentos da ONU. Ela percebeu que a plateia estava cansada de toda aquela falação e foi direto ao ponto.

– Dr. Shah, eu gostaria de lembrar a frase de uma das mães fundadoras dos Estados Unidos da América, Abigail Adams, que escreveu o seguinte ao marido enquanto ele estava na Filadélfia trabalhando na Declaração de Independência: "Não se esqueça das mulheres." Se o senhor e seus colegas na fundação não prestarem atenção nas diferenças de gênero na agricultura, farão o mesmo que muitos outros fizeram no passado: vão desperdiçar seu dinheiro. A única diferença será que vão desperdiçar muito mais dinheiro e muito mais depressa.

Catherine sentou-se e o encontro foi suspenso. Alguns meses depois, Raj contratou-a pela Fundação Gates para nos ensinar sobre as ligações entre agricultura e gênero.

"Quase todos são mulheres"

Quando Catherine chegou não se falava sobre gênero na fundação. Não fazia parte da nossa estratégia. Não sei o que os outros pensavam na época, mas fico sem graça ao admitir que não tinha feito a conexão entre gênero e nosso trabalho de fomento. Eu percebia, claro, que as mulheres eram as principais beneficiárias de muitos dos nossos programas. O planejamento familiar era claramente uma questão feminina, assim como a saúde materna e neonatal. Para levar vacinas a mais crianças, precisávamos que nossa mensagem chegasse às mães. Era fácil enxergar o elemento de gênero nesses temas. Mas a agricultura era diferente. Não existia nela um aspecto óbvio de gênero, pelo menos para mim, e não no início.

Isso começou a mudar quando Catherine se juntou a Raj em uma reunião com Bill e comigo para revisarmos nossa estratégia agrícola. Raj apresentou Catherine e disse:

– Ela está aqui para trabalhar em questões de gênero.

Essa palavra pareceu provocar Bill, e ele começou a falar sobre eficiência, resultados e não perder os objetivos de vista. Bill apoiava o empoderamento feminino e a igualdade de gênero, mas achava que isso nos distrairia da meta de produzir mais comida e alimentar mais pessoas – e ele achava que qualquer coisa que turvasse esse foco prejudicaria nossa eficácia.

Bill pode ser intimidante, mas Catherine tinha esperado ansiosamente por aquela conversa.

– Gênero tem tudo a ver com eficácia – disse ela. – Queremos que os pequenos agricultores sejam eficazes ao máximo e tenham todas as ferramentas de que precisarem: sementes, fertilizantes, empréstimos, mão de obra. A próxima vez que você estiver na África, passando por uma área rural, olhe pela janela e veja quem está trabalhando nos campos. Quase todos são mulheres. Se você escutar somente os homens, porque eles é que têm tempo e permissão social para ir às reuniões, não vai saber do que as mulheres realmente precisam, e elas é que estão fazendo a maior parte do trabalho.

Catherine saiu da reunião e disse a Raj:

– Por que estou aqui? Se ele não comprar a ideia, isso nunca vai dar certo.

Raj apenas disse:

– Ele escutou você. Acredite em mim.

Alguns meses depois, Catherine estava na estrada, ouvindo pelo rádio do carro uma entrevista de Bill para a NPR sobre desenvolvimento econômico, e ele disse: "A maioria dos pobres do mundo são agricultores. Muita gente não sabe, mas são as mulheres que fazem a maior parte desse trabalho, por isso vamos levar a elas novas sementes e novas técnicas. E quando entregamos essas ferramentas às mulheres, elas as usam com muita eficácia."

Catherine quase perdeu o controle do carro.

O que ela entendeu naquele momento, e que Raj tinha previsto, é que Bill aprende. Ele adora aprender. Certo, ele desafia as pessoas com muita intensidade, às vezes exagera, mas escuta e aprende, e quando aprende, se dispõe a mudar. Essa paixão pelo aprendizado é algo que nós dois compartilhamos. É o principal pilar da cultura que tentamos criar na fundação e explica como todos nós – alguns mais depressa do que outros – acabamos concordando que a igualdade de gênero deveria direcionar o trabalho que estamos tentando fazer.

...

O fato de as mulheres serem maioria entre os agricultores do Malawi não teria nenhuma importância se as diferenças e desigualdades de gênero não existissem. Mas, como a vida de Patricia demonstra, as diferenças e desigualdades de gênero *são relevantes* – o que torna muito mais difícil para as mulheres cultivar as plantas de que precisam.

Uma vez Hans Rosling me contou uma história que ajuda a esclarecer esse ponto. Ele vinha trabalhando com várias mulheres em uma aldeia no Congo para verificar o valor nutritivo das raízes de mandioca. Estavam colhendo as raízes, marcando-as com números e colocando-as em cestos para levar ao lago, para encharcar. Encheram três cestos. Uma mulher carregou o primeiro, outra levou o segundo e Hans o terceiro. Andaram em fila pelo caminho, e depois de todos pousarem os cestos no chão, uma mulher deu meia-volta, viu o cesto de Hans e berrou como se tivesse visto um fantasma:

– Como isso chegou aqui?

– Eu carreguei – respondeu Hans.

– Você *não pode* carregar! – gritou ela. – Você é homem!

Homens congoleses não carregam cestos.

As rígidas regras de gênero se estendem a outras áreas também: quem limpa o terreno, quem planta as sementes, quem tira as ervas daninhas, quem faz o transplante, quem cuida da casa, das crianças e prepara as refeições. Quando você olha para uma agricultora está olhando para uma mãe. O trabalho doméstico não somente consome tempo do trabalho agrícola, mas impede que as mulheres compareçam a reuniões onde poderiam receber dicas de outros agricultores e aprender sobre sementes melhoradas, práticas mais eficientes e novos mercados. Se compreendemos que a maioria dos agricultores são mulheres, e que as mulheres estão abaixo dos homens, tudo muda.

Um estudo apresentado em 2011 pela Organização das Nações Unidas para a Agricultura e Alimentação revelou-se um marco ao mostrar que as agricultoras nos países em desenvolvimento obtêm colheitas de 20% a 30% menores do que as dos homens, mesmo sendo tão boas quanto eles na lavoura.

As mulheres produzem menos porque não têm acesso aos mesmos recursos e às mesmas informações. Se as condições de cultivo fossem iguais, teriam a mesma produtividade.

Segundo o estudo, se admitíssemos que as agricultoras pobres são clientes com necessidades específicas e desenvolvêssemos tecnologias, treinamento e serviços destinados especialmente a elas, a produção agrícola feminina se equipararia à dos homens. Isso colocaria mais dinheiro nas mãos das mulheres, lhes daria mais poder em casa, melhoraria a nutrição das crianças, aumentaria a fatia da renda investida em estudos e – graças ao crescimento na produção de alimentos – reduziria em 100 a 150 milhões o número de pessoas desnutridas no mundo.

As recompensas são enormes, assim como os desafios. Patricia não está sozinha; há milhões como ela. E esses milhões de mulheres têm menos terras para cultivar do que os homens. Têm menos acesso a serviços de extensão, ao mercado e ao crédito. Carecem de sementes, fertilizantes e treinamento. Em algumas áreas as mulheres não têm o direito de possuir contas em bancos ou fazer contratos sem o endosso de um familiar do sexo masculino.

Se estamos trabalhando para ajudar as mulheres a mudar de vida e encontramos essas barreiras de gênero, isso pode nos fazer recuar e dizer: "A mudança de cultura não é nosso papel." Porém, quando aprendemos que as mulheres representam mais da metade dos agricultores; que não obtêm o necessário para tornar suas plantações produtivas; e que o resultado disso é que seus filhos passam fome e suas famílias permanecem pobres, isso nos obriga a escolher. Podemos continuar fazendo a mesma coisa e reforçar os preconceitos que mantêm a pobreza. Ou podemos ajudar as mulheres a conquistar o poder de que precisam para alimentar os filhos e alcançar seu potencial. É uma escolha clara: desafiar os preconceitos ou perpetuá-los. Politicamente é uma questão complicada. Moralmente é fácil: você se submete à velha cultura que mantém as mulheres oprimidas ou ajuda a criar uma nova, que eleva as mulheres?

Lutar pela igualdade de gênero na agricultura jamais foi nosso plano. Levamos algum tempo para incorporar a causa. Esse é um dos maiores desafios para quem quer ajudar a mudar o mundo: como manter-se fiel ao plano original e continuar atento a novas ideias? Como é possível se apegar à sua estratégia com leveza para ser capaz de ouvir a ideia nova que pode destruí-la?

No princípio, pensávamos que os agricultores pobres só precisavam de tecnologia melhor, como novas sementes que lhes permitissem obter colheitas maiores no mesmo terreno e sob um clima pior. Mas o potencial para uma revolução agrícola não estava apenas nas sementes; estava no poder das mulheres que as plantam. Essa era a grande ideia que faltava. Esse era o novo plano. Se queremos ajudar os agricultores, precisamos empoderar as mulheres. Mas como fazer com que todos na equipe vejam a coisa desse modo?

Sussurrando sobre o "empoderamento feminino"

O objetivo de empoderar as mulheres, ou ao menos era assim que eu via a questão quando começamos, era prover mais comida, mais nutrição e mais renda para os pobres, e não algo à parte.

A igualdade de gênero é um objetivo digno por si só. Mas não era assim que ela seria promovida na nossa fundação. Não naquela época. Essa era uma ideia nova, e havia céticos. Uma pessoa em um posto importante encerrou uma conversa dizendo: "Não trabalhamos com 'gênero'." Outra devolveu o problema: "*Não* vamos nos tornar uma organização de justiça social!"

Quando começamos, sabíamos que haveria resistência. Nem mesmo os defensores mais passionais falavam sobre empoderamento. Essa palavra afastava as pessoas e obscurecia a mensagem central, que é "precisamos conhecer as necessidades do agricultor". Faltava apenas lembrar aos que trabalhavam com agricultura que os lavradores frequentemente eram do sexo feminino. Isso significava que nossos pesquisadores deveriam também coletar informações com as mulheres, e não somente com homens. Que os cientistas que desenvolviam novas sementes precisavam ouvir as mulheres.

Eis um exemplo: quando pesquisadores da área agrícola querem produzir uma nova semente de arroz, é comum saírem dos laboratórios para perguntar aos agricultores sobre as características que eles buscam em uma semente melhorada.

É uma ótima ideia. Mas muitos pesquisadores são homens e frequentemente só falam com agricultores homens. As agricultoras não participam da conversa porque estão ocupadas demais com outras tarefas da casa; porque é culturalmente inadequado que um profissional do sexo masculino fale com uma mulher ou porque o pesquisador não percebe como as informações delas são cruciais.

Quase sempre, o que acontece é que os pesquisadores descrevem aos homens as características de uma semente melhorada, e estes gostam do que ouvem. Os cientistas, então, voltam ao laboratório, terminam de desenvolver a semente e ajudam a colocá-la no mercado. Os homens compram e as mulheres plantam, e então elas (responsáveis pela maior parte da colheita) observam que os pés de arroz são baixos demais e que precisam se curvar para colher. Depois de um tempo, as mulheres dizem aos maridos que querem uma planta mais alta, que não acabe com as costas durante a colheita. Assim os agricultores não compram mais aquela semente. Desperdiçou-se uma enorme quantidade de tempo, dinheiro e pesquisas. Se alguém tivesse conversado com as mulheres, isso não teria acontecido.

A boa notícia é que o Instituto Internacional de Pesquisa de Arroz (sigla em inglês IRRI) aprendeu que as agricultoras e os agricultores buscam características diferentes em uma boa variedade de arroz. Ambos estão interessados em alta produção; obviamente querem produzir mais, se possível. Porém, como o trabalho das mulheres na plantação inclui colher e preparar o alimento, elas também preferem variedades de arroz que crescem até determinada altura e não demoram tanto para cozinhar. Assim os pesquisadores do IRRI fazem questão de falar com homens *e* mulheres quando consultam agricultores sobre as características desejáveis nas sementes melhoradas. Eles sabem que, se as informações de ambos os sexos forem levadas em consideração no desenvolvimento das sementes, é mais provável que elas sejam adotadas a longo prazo.

Aprendidas essas lições, começamos a destinar verbas suficientes para derrubar essas barreiras que as agricultoras enfrentavam na hora de obter as sementes, os fertilizantes e a tecnologia de que precisavam para ser produtivas (e também os empréstimos).

Uma das primeiras doações que fizemos foi maravilhosamente simples. Queríamos levar assistência técnica aos agricultores na área rural de Gana. Nosso parceiro então decidiu transmitir um programa de rádio ensinando às agricultoras a plantar tomates, e fez muitas pesquisas para garantir que a transmissão tivesse o maior alcance possível. Tinham decidido que o rádio era o melhor meio porque muitas pessoas não sabiam ler e a maioria não tinha TV. Uma vez por semana era a frequência ideal, acompanhando o ritmo das novas tarefas propostas às agricultoras. O tomate era perfeito porque era relativamente fácil de plantar. Além disso, poderia ser comercializado, mas também consumido em casa, melhorando a alimentação da família. Por último, precisaram pensar no momento do dia em que as mulheres escutariam o rádio – porque se transmitissem o programa na hora em que o homem controlava o aparelho, ela não aprenderia nada sobre o plantio de tomates.

Esse é o tipo de raciocínio que começou a se firmar na fundação; nos programas em que isto era relevante, as pessoas se tornaram muito atentas às diferenças de gênero e às normas sociais. Começamos a mudança discretamente. No início, havia uns poucos especialistas em gênero na fundação, falando a pessoas que queriam ouvir sobre como essas questões podiam ajudá-las a alcançar seus objetivos. E eles falavam baixinho. Uma das primeiras líderes, Haven Ley, que hoje é minha principal conselheira de política, brinca dizendo que "trabalhou no porão durante três anos". Ela raramente usava as expressões "igualdade de gênero" ou "empoderamento feminino". Em vez disso, explicava às pessoas que prestar atenção nas diferenças de gênero causaria um impacto. "Não adianta chegar falando sobre suas preocupações", diz Haven. "Ninguém se importa. É preciso descobrir o que é o sucesso para aquelas pessoas, em que elas têm medo de fracassar e depois ajudá-las a obter o que desejam."

O progresso era constante, mas lento demais para o meu gosto. Na fundação, as pessoas ainda estavam falando baixinho sobre gênero, às vezes sussurrando, não querendo se expor. Mesmo alguns dos defensores mais ferrenhos pisavam em ovos ao tratar do assunto. Nas reuniões, levantavam o tema, mas não pressionavam – tendo o cuidado de não falar alto demais o que sabiam ser verdade.

Durante muito tempo, não pude incentivá-los como queria. Ficava observando, mas não estava preparada. Não era a hora certa. A fundação não estava totalmente madura; eu ainda não dominava todas as informações. Não tinha tempo para assumir um projeto novo e imenso – estava trabalhando duro no planejamento familiar. Tinha três crianças em casa. Estava descobrindo a igualdade no meu próprio casamento. Havia obstáculos demais no caminho. Mas então chegou o momento, e era a hora certa. Eu estava pronta. Tinha a convicção, a experiência e os dados à mão. A fundação tinha gente qualificada. Por isso decidi escrever um artigo para a edição de setembro de 2014 da revista *Science*; nele, estabeleceria o compromisso da nossa fundação com a igualdade de gênero.

No artigo eu reconhecia que nós, da fundação, tínhamos demorado a entender que a igualdade de gênero podia ser empregada como estratégia. "Consequentemente, perdemos oportunidades de maximizar nosso impacto", escrevi. Mas agora nossa fundação iria "colocar as mulheres e as meninas no centro do desenvolvimento global", porque "não alcançaremos nossos objetivos se não abordarmos sistematicamente as desigualdades de gênero e atendermos às necessidades específicas das mulheres e meninas dos países onde trabalhamos."

Escrevi o artigo para nossos parceiros, investidores e outras pessoas envolvidas no trabalho. Mas, acima de tudo, era uma mensagem para todos que trabalham na Fundação Bill & Melinda Gates. Sentia a necessidade de declarar publicamente, em alto e bom som, nossa estratégia e nossas prioridades na promoção da igualdade de gênero. Foi a alavanca mais poderosa que já usei para direcionar o foco e a ênfase da nossa fundação. Estava na hora de sair do porão.

Elevando uns aos outros

Seis meses depois da publicação do artigo na *Science*, viajei para Jharkhand, um estado no leste da Índia, para visitar uma organização que apoiamos, chamada PRADAN. A PRADAN foi um dos primeiros grupos em que investimos depois que compreendemos o papel central das agricultoras.

Quando a PRADAN começou seu trabalho, na década de 1980, não tinha como foco o empoderamento feminino; eles perceberam isso à medida que trabalhavam. No espírito de *pradan* – "devolver à sociedade" –, o grupo começou a enviar jovens profissionais comprometidos com a causa a aldeias pobres para ver se poderiam ajudar. Quando os novos recrutas chegaram aos vilarejos, ficaram chocados ao ver como os homens tratavam as mulheres. Maridos batiam nas esposas se elas saíssem de casa sem permissão, e todo mundo – até elas próprias – achava que isso era aceitável. Naturalmente aquelas mulheres não tinham nenhuma importância na comunidade: nenhum recurso nem contas bancárias, nenhuma poupança e muito menos acesso a empréstimos.

Primeiro os líderes da PRADAN começaram a conversar com os maridos, obtendo deles permissão para as mulheres se encontrarem em grupos de dez ou quinze para falar sobre agricultura. O acordo com os maridos era: "Se você deixar sua mulher comparecer a esses grupos, ela vai aumentar a renda da sua família." Assim as mulheres começaram a se reunir regularmente e a poupar dinheiro juntas, de modo que, quando uma delas precisava fazer um investimento, podia pegar um empréstimo com o grupo. Quando tivessem dinheiro suficiente, se associariam a um banco comercial. Isso ajudou muito nos aspectos financeiros da agricultura. Mas logo as mulheres também exigiram o mesmo treinamento agrícola que os homens recebiam. Aprenderam a identificar as sementes e a cultivar plantas que lhes permitissem alimentar a família, vender o excedente e sobreviver à temporada da fome.

Esse era o histórico do grupo. Quando fui a uma reunião, estava preparada para me impressionar, mas até eu fiquei surpresa quando a líder disse:

– Levante a mão se, antes de participar do grupo de autoajuda, você conseguia plantar comida suficiente para alimentar sua família o ano inteiro.

Nenhuma mão subiu.

Então ela disse:

– Levante a mão se você teve excedente para vender no ano passado.

Quase todas as mãos subiram.

O empoderamento quase nunca se confina em categorias. Quando o aconselhamento agrícola e o apoio financeiro começavam a fazer diferença para as mulheres, elas partiam em busca de novas batalhas para travar. Por ocasião da visita que fiz a elas, estavam preparando um lobby para conseguir estradas melhores e água potável. Recentemente tinham feito um pedido ao governo local para obterem os primeiros vasos sanitários da aldeia. Haviam começado uma campanha contra o problema do abuso de álcool na comunidade – convocando os homens a parar de beber, pressionando autoridades para fazer valer as leis e até trabalhando com as fornecedoras locais de bebidas, para ajudá-las a encontrar novas fontes de renda.

E havia outro sinal de empoderamento – o modo como as mulheres se portavam. Frequentemente identifico mulheres que enfrentaram fortes preconceitos de gênero pelo modo como me olham. Ou como não me olham. Não é fácil desaprender uma vida inteira de submissão. A postura daquelas mulheres era diferente. Elas se mantinham empertigadas. Falavam alto. Não tinham medo de fazer perguntas, de me dizer o que sabiam, o que pensavam, o que queriam. Eram ativistas. Tinham esse olhar. Tinham sido elevadas.

A abordagem de empoderamento usada pela PRADAN é central na estratégia da nossa fundação. Ajudamos a conectar as mulheres com pessoas que podem orientá-las sobre o plantio e a comercialização da produção. Também oferecemos acesso a serviços financeiros, de modo que elas possam economizar e conseguir empréstimos. Quando recebem dinheiro como pagamento pelo seu trabalho, depositado em sua própria conta bancária, as mulheres poupam mais. Além disso, são mais respeitadas pelos maridos, e isso começa a mudar as relações de poder dentro de casa.

Esse é o tipo de trabalho que vimos se desenvolver desde a publicação do artigo na *Science*. Na fundação, promovemos algumas mudanças para executá-lo. Contratamos mais especialistas em questões de gênero. Buscamos mais dados sobre a vida de mulheres e meninas para mensurar as coisas que importam. E apoiamos mais organizações que têm uma abordagem aberta e intencional ao empoderamento feminino, como a PRADAN. Cada vez mais vemos os resultados de colocar as mulheres e as meninas no centro da nossa estratégia.

A conquista de Patricia

Patricia, a agricultora que estava plantando suas sementes no dia de Natal, participou de um grupo e foi empoderada por ele. Em consequência, sua vida mudou. Vou contar essa história. Ela entrou para um programa chamado CARE Pathways, uma organização que ensina técnicas convencionais de agricultura, mas também aborda a questão da igualdade. O grupo sugeriu que Patricia pedisse ao marido para comparecer às sessões, e ela ficou um tanto surpresa e agradecida quando ele concordou. Em um dos encontros, os organizadores pediram que Patricia e seu marido encenassem sua rotina doméstica, porém trocando de lugar: a mulher faria o papel do marido e o marido faria o papel da mulher, como nos exercícios que descrevi no capítulo sobre trabalho não remunerado. Patricia começou a dar ordens ao marido, como ele sempre fazia com ela.

– Vá fazer isso, vá fazer aquilo, vá fazer isso!

E o marido precisava obedecer sem reclamar.

A simulação abriu os olhos dele e fez com que percebesse que não vinha tratando-a como parceira. Em outro exercício, eles desenharam o orçamento da família como uma árvore, com as raízes representando as fontes de renda e os galhos simbolizando os gastos. Discutiram juntos quais raízes poderiam ficar mais fortes e quais galhos poderiam ser podados. Enquanto conversavam sobre os ganhos de Patricia com a plantação, veio à tona a questão dos suprimentos agrícolas dela; talvez devessem ter uma prioridade maior.

Patricia me contou que esses exercícios mudaram seu casamento. O marido começou a ouvir suas ideias e a trabalhar com ela para que a plantação se tornasse mais eficiente. Algum tempo depois, surgiu uma oportunidade que fez todas as decisões dos dois valerem a pena.

A CARE Pathways estava preocupada porque não existiam muitas sementes de qualidade para os tipos de plantação que as mulheres costumam cultivar. Então começou a trabalhar com um posto de pesquisa local para desenvolver uma semente de amendoim mais produtiva e resistente a pragas e doenças. Criaram uma cepa boa, mas não tinham sementes em número suficiente para fornecer a todas as agricultoras da região. Primeiro precisavam de lavradores para cultivar essas sementes melhoradas e gerar plantas que produzissem mais delas. Uma vez que fossem multiplicadas, as novas sementes poderiam ser vendidas a todos.

Esse processo é chamado de "multiplicação de sementes" e exige mais cuidado e atenção do que o trabalho agrícola convencional. Apenas os melhores agricultores são escolhidos para a função de multiplicadores de sementes – e Patricia foi um deles. Quando perguntei como faria para produzir no alto padrão necessário para ser multiplicadora de sementes, ela disse:

– Agora tenho um marido que me apoia.

Esse marido que apoia concordou que ele e Patricia deveriam pegar um empréstimo para comprar as sementes melhoradas. Era isso que Patricia estava plantando no Natal. Quando eu a conheci, ela tinha acabado de fazer sua primeira colheita. O terreno de 2 mil metros quadrados havia produzido tanto que ela pôde fornecer sementes a outros agricultores e ainda plantar quase um hectare próprio na temporada seguinte, quatro vezes mais do que no ano anterior. E daquela colheita veio não apenas comida suficiente para a família, mas também dinheiro para pagar a escola das crianças e as tais panelas!

As mulheres são inferiores; está escrito aqui

A agricultura não é a única área da economia prejudicada pelo preconceito de gênero. Informes recentes do Banco Mundial mostram que a discriminação de gênero está codificada em lei em praticamente todos os lugares do mundo.

Na Rússia existem 456 empregos que as mulheres não podem exercer porque são considerados cansativos e perigosos demais. As mulheres russas não podem ser carpinteiras, mergulhadoras profissionais ou capitães de navios, para citar apenas alguns. Cento e quatro países têm leis que proíbem determinados trabalhos para mulheres.

No Iêmen uma mulher não pode sair de casa sem a permissão do marido. Dezessete países têm leis que limitam quando e como as mulheres podem viajar.

No Sri Lanka, se uma mulher trabalha em uma loja, precisa parar às 22 horas. Vinte e nove países restringem o horário em que as mulheres podem trabalhar.

Na Guiné Equatorial, a mulher precisa da permissão do marido para assinar um contrato. No Chade, no Níger e na Guiné-Bissau o marido deve autorizar a abertura de conta bancária em nome da mulher.

Na Libéria, se o marido morre, a mulher não tem direito aos bens da família. Ela própria é considerada propriedade dele – e, como os membros de algumas comunidades rurais explicam, "uma propriedade não pode possuir propriedades". Trinta e seis países têm regras limitando o que as mulheres podem herdar do marido.

Na Tunísia, se uma família tem uma filha e um filho, o filho vai herdar o dobro do que caberá à filha. Trinta e nove países têm leis que impedem as filhas de herdar bens na mesma proporção que os filhos.

Na Hungria os homens recebem em média um terço a mais do que as mulheres em cargos administrativos – e isso não é crime. Em 113 países não existem leis que garantam pagamento igualitário para homens e mulheres que realizem o mesmo trabalho.

Em Camarões, se uma mulher quiser obter uma renda extra, precisa pedir permissão ao marido. Caso ele recuse, ela não tem direito legal de trabalhar fora de casa. Em 18 países, os homens podem legalmente proibir as mulheres de trabalhar.

Finalmente, a discriminação contra as mulheres é perpetuada não somente por meio de leis que as excluem, mas também pela ausência de leis que as apoiem. Nos Estados Unidos não há lei garantindo a licença-maternidade. Em todo o mundo, existem oito países onde as mulheres não têm direito à licença-maternidade remunerada. O ideal, claro, seria a licença remunerada em qualquer situação importante de saúde, inclusive a licença-paternidade. A inexistência de licença-maternidade remunerada – e de licença-paternidade remunerada – é símbolo embaraçoso de uma sociedade que não valoriza as famílias e não escuta as mulheres.

O preconceito de gênero causa danos no mundo todo. É motivo de baixa produtividade na agricultura. É fonte de pobreza e doença. Está no âmago de costumes sociais que oprimem a mulher. Sabemos quanto mal ele causa e o bem resultante de sua derrota – então, como deveríamos combatê-lo?

Deveríamos cuidar de uma lei por vez, um setor por vez ou individualmente, pessoa por pessoa? Eu diria: "Todas as respostas anteriores." Além disso, em vez de apenas trabalhar para acabar com o desrespeito, deveríamos encontrar a *fonte* e tentar eliminá-lo ali mesmo.

Discriminação contra as mulheres – em busca da fonte

Um bebê do sexo masculino, no peito da mãe, não desrespeita as mulheres. Como esse sentimento toma conta dele?

O desrespeito pelas mulheres aumenta quando as religiões são dominadas por homens.

O fato é que algumas das leis que mencionei antes se baseiam diretamente nas escrituras, por isso é tão difícil combatê-las. Não há um debate político normal quando um argumento em favor da igualdade é chamado de blasfêmia.

E, no entanto, uma das declarações mais fortes que conheço sobre o perigo da religião dominada pelos homens vem de um homem impregnado de religião. No livro de Jimmy Carter *A Call to Action: Women, Religion, Violence, and Power* (Um chamado à ação: Mulheres, religião, violência e poder), ele afirma que a privação e o abuso de mulheres e meninas é "o desafio mundial mais sério e menos abordado". Para ele, a principal parcela de culpa cabe à interpretação falsa das escrituras por parte do sexo masculino.

Ao refletir sobre a mensagem de Carter, é importante lembrar que ele é um batista apaixonado e dedicado, que dá aulas na escola dominical em sua Igreja Batista Maranata em Plains, Geórgia, desde 1981. Seu trabalho revolucionário, que vem salvando vidas há mais de quatro décadas no Carter Center, é prova da capacidade de sua fé para inspirar atos de amor. Assim, é especialmente notável que Carter tenha escrito o seguinte:

Esse sistema [de discriminação] se baseia na suposição de que os homens e os meninos são superiores às mulheres e às meninas. Ele conta com o apoio de alguns líderes religiosos do sexo masculino que distorcem a Bíblia Sagrada, o

Corão e outros textos sagrados para perpetuar sua afirmação de que, em alguns sentidos básicos, as mulheres são inferiores aos homens, não qualificadas para servir a Deus em condições de igualdade. Muitos homens discordam, mas permanecem em silêncio para desfrutar dos benefícios de seu status dominante. Essa falsa premissa oferece uma justificativa para a discriminação sexual em quase todos os aspectos da vida secular e religiosa.

Seria impossível quantificar os danos causados à imagem das mulheres na mente dos fiéis que frequentaram cerimônias religiosas ao longo dos séculos e aprenderam que elas "não são qualificadas para servir a Deus em condições de igualdade".

Acredito, sem sombra de dúvida, que o desrespeito pelas mulheres arraigado na religião dominada pelos homens influenciou leis e costumes que mantêm as mulheres oprimidas. Isso não deveria surpreender, porque o preconceito contra as mulheres talvez seja o mais antigo da humanidade, e as religiões não apenas são nossas instituições mais antigas, como ainda mudam mais devagar e com maior resistência do que todas as outras – o que significa que se aferram por mais tempo aos seus preconceitos e pontos cegos.

A proibição da minha própria igreja aos anticoncepcionais é apenas efeito menor de uma questão mais ampla: o veto à ordenação feminina. Não haveria a menor chance de uma igreja que tivesse mulheres sacerdotes – e bispos, cardeais e papas do sexo feminino – estabelecer a regra atual proibindo os anticoncepcionais. Uma questão de empatia.

Não se pode esperar que um clero totalmente masculino e celibatário mostre pelas mulheres e pelas famílias a mesma empatia que teria se os sacerdotes fossem casados, se fossem mulheres ou se estivessem criando filhos. Na hora de definir as regras, é sempre tentador jogar o fardo nas costas "do outro". Por esse motivo, é mais provável que uma sociedade apoie a igualdade quando "o outro" está não apenas sentado ao lado à mesa enquanto você escreve as regras, e sim quando está escrevendo-as *com* você.

A Igreja Católica tenta encerrar a discussão sobre mulheres no sacerdócio dizendo que Jesus escolheu homens como apóstolos na Última Ceia, e que, portanto, apenas homens podem ser padres. Mas poderíamos dizer com a mesma facilidade que o Cristo Ressuscitado apareceu primeiro para uma mulher e mandou que ela fosse contar aos homens; portanto, apenas as mulheres podem disseminar a Boa-Nova.

Existem muitas interpretações possíveis, mas a Igreja disse que o veto às mulheres no sacerdócio foi "estabelecido infalivelmente". Deixando de lado a ironia de alijar as mulheres da liderança de uma organização cuja missão suprema é o amor, é desmoralizante o fato de os homens que fazem as regras que mantêm os homens no poder serem tão pouco desconfiados sobre os próprios motivos.

Talvez as afirmações deles tenham sido mais convincentes nos séculos anteriores, mas o domínio masculino deixou cair suas máscaras. Nós enxergamos o que está acontecendo. Partes da Igreja vêm de Deus, partes vêm do homem – e a parte da Igreja que exclui as mulheres vem do homem.

Uma das questões morais mais complexas que as religiões dominadas pelos homens enfrentam hoje em dia é esta: Por quanto tempo continuarão apegadas à dominação masculina dizendo que essa é a vontade de Deus?

Encorajar as vozes das mulheres de fé não é uma parte explícita do meu trabalho filantrópico. No entanto, a voz da religião dominada pelos homens causa tantos danos – e a voz dos líderes religiosos progressistas é uma força tão grande em favor do bem – que me sinto compelida a honrar as mulheres que desafiam o monopólio masculino e amplificam as vozes femininas em um esforço para moldar a fé.

Mas as mulheres não podem fazer isso sozinhas. Cada ação bem-sucedida de trazer pessoas de fora sempre contou com a ajuda de ativistas internos que fazem o trabalho de reforma a partir de dentro. As mulheres precisam de aliados do sexo masculino. Elas sabem disso, e assim, em toda religião na qual os homens têm influência desigual, levantam questões que os deixam inquietos. Quem são os homens que ficarão ao lado das mulheres? E quem ficará em silêncio por obediência a regras que sabem ser erradas?

Conversei com um grande número de padres católicos que apoiam a ordenação das mulheres. Em contrapartida, a oposição institucional absoluta da Igreja às mulheres sacerdotes me convence de que, em alguns casos, as instituições são moralmente menores do que a soma de suas partes.

Pode parecer estranho que um capítulo que se inicia com uma discussão sobre os gêneros na agricultura se encerre com uma reflexão sobre religião, mas temos o dever de rastrear o desempoderamento das mulheres até sua fonte. Mulheres do mundo inteiro que estão tentando reescrever sua fé e lutam para arrancar a interpretação das escrituras das garras de um monopólio masculino estão fazendo alguns dos trabalhos mais heroicos da atualidade pela justiça social e pela oportunidade. Elas estão à beira de uma nova fronteira. Essas mulheres e seus aliados homens, especialmente os que trabalham pela reforma dentro de instituições antiquíssimas, merecem nossa gratidão e nosso respeito.

CAPÍTULO OITO

Nasce uma nova cultura

Mulheres no local de trabalho

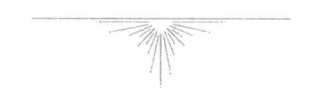

Boa parte do meu trabalho se concentra em ajudar as mulheres e as famílias a saírem da pobreza, porque é onde sinto que posso causar o maior impacto. Também quero que todas nós, mulheres, possamos desenvolver nossos talentos, contribuir com nossos dons e prosperar. A igualdade de gênero nos beneficia a todas, independentemente do nível de educação, privilégio ou realização, no lar ou no local de trabalho.

Mulheres no ambiente profissional, esse é um assunto vasto. Tanta coisa foi dita e escrita a respeito que é impossível saber tudo e, no entanto, a maior parte de nós conhece as questões pessoalmente porque as vivemos. Compartilho aqui minhas experiências em um local de trabalho e uma área que conheço bastante, extraindo algumas lições que se aplicam de maneira ampla e esperando delinear um esboço do ambiente profissional do futuro. Nele, espero que nós, mulheres, possamos prosperar *como nós mesmas,* sem sacrificar nossa personalidade ou nossos objetivos pessoais. Darei ênfase especial ao meu período na Microsoft porque as histórias daqueles dias formaram muitas das minhas visões sobre o local de trabalho – e também porque a área tecnológica tem um poder desproporcional de moldar o futuro.

...

Uma das figuras mais influentes na minha vida profissional foi uma mulher com quem só me encontrei uma vez. Durante as miniférias de primavera no meu último ano na Universidade de Duke, fui de avião para minha cidade, Dallas, fazer uma visita à IBM, onde havia trabalhado em vários verões ao longo da faculdade e da pós-graduação. Tinha um encontro com a mulher para quem iria trabalhar se aceitasse a oferta, da IBM, de um emprego em horário integral; e eu estava inclinada a fazê-lo.

A mulher me recebeu calorosamente em sua sala, me convidou para me sentar e, depois de alguns minutos de conversa educada, perguntou se eu estava pronta para aceitar sua oferta. Eu estava um pouco mais nervosa do que esperava quando disse:

– Na verdade, também pretendo fazer uma entrevista em uma pequena empresa de software em Seattle.

Ela perguntou se eu me incomodaria em dizer qual era a empresa, e eu respondi:

– A Microsoft.

Comecei a explicar que ainda tinha a intenção de aceitar o trabalho na IBM, mas ela me interrompeu e disse:

– Se você receber uma oferta de trabalho da Microsoft, *precisa* aceitar.

Fiquei pasma. Aquela mulher tinha feito carreira na IBM, por isso tive que perguntar:

– Por que você está dizendo isso?

– Porque lá você terá uma chance incrível de ser promovida. A IBM é uma empresa ótima, mas a Microsoft vai crescer muito. Se você tem o talento que eu acho que tem, vai encontrar a oportunidade de fazer uma carreira meteórica, sendo mulher. Se eu fosse você e eles me fizessem uma proposta, eu aceitaria.

Esse foi um momento crucial para mim, e é um dos motivos pelos quais sou uma defensora apaixonada da presença feminina na área tecnológica: quero retribuir a generosidade de minhas mentoras e das mulheres que me serviram de exemplo.

Quando voei para Seattle para as entrevistas, ainda achava que voltaria para trabalhar na IBM. Então conheci algumas pessoas da Microsoft. Um dos caras mais memoráveis me recebeu segurando baquetas e ficou batucando durante toda a entrevista – na mesa, nas paredes, por toda a sala. Não era uma coisa que ele fazia somente com mulheres; ele simplesmente fazia. Precisei levantar a voz para ser ouvida, mas ele estava escutando. Achei isso meio engraçado e excêntrico. A pessoa pode ser excêntrica se for ótima no que faz, e parecia que todo mundo que eu conhecia ali era excelente.

Adorei a vibração, a eletricidade do lugar. Todos eram apaixonados pelo que faziam, e quando falavam de seus projetos eu tinha a sensação de enxergar o futuro. Eu havia escrito muito código de computador na faculdade e adorava isso, mas as pessoas ali estavam em outro nível. Eu parecia uma menina que jogava futebol na infância conhecendo a seleção feminina. Adorei ouvi-los falar sobre como as pessoas estavam usando seus produtos, o que esperavam fazer em seguida, como estavam mudando o mundo.

No fim do dia liguei para meus pais e disse:

– Meu Deus, se essa empresa me oferecer um emprego eu preciso aceitar. Não posso recusar de jeito nenhum!

Então fui para a Califórnia curtir as miniférias de primavera com amigos. Nesse meio-tempo, meus pais foram à biblioteca pesquisar essa tal de Microsoft. Minha mãe e meu pai estavam empolgados com a ideia de que eu poderia voltar para Dallas e trabalhar na cidade, mas sempre disseram que queriam que eu fosse para onde a aventura e a oportunidade me levassem. Esse é o caminho que escolheram. Quero fazer uma pausa aqui para contar sobre eles, como se conheceram e como me ensinaram a seguir meus sonhos.

Meus pais cresceram em Nova Orleans. Meu avô paterno era dono de uma oficina de máquinas que, na década de 1940, se concentrou na produção de peças para o esforço de guerra. Os lucros da oficina eram a única fonte de renda da família, e meus avós não tinham um tostão para pagar a faculdade do meu pai. Por sorte, ele frequentava uma escola católica administrada pelos Christian Brothers, e um religioso de lá que se tornou seu mentor vivia dizendo a ele: "Você precisa fazer faculdade." Assim, depois de meu pai se formar no ensino médio, os pais dele o colocaram em um trem para a Georgia Tech, em Atlanta, levando apenas o dinheiro que ele havia ganhado entregando jornais e um pote de creme de amendoim.

Logo que chegou à faculdade, meu pai dividiu o tempo entre os estudos em Atlanta e o trabalho em Dallas, onde arranjou emprego em uma empresa aeroespacial. Foi assim que ganhou dinheiro para sobreviver durante o ensino superior e que acabou trabalhando na LTV Aerospace, no Programa Apollo.

Quando meu pai voltou a Nova Orleans para passar o Natal depois de seu primeiro trimestre na Georgia Tech, duas freiras dominicanas decidiram que ele precisava conhecer uma moça durante as férias – a irmã Mary Magdalen Lopinto, que era mentora do meu pai e tinha arrumado trabalhos para ele durante o ensino médio, e a irmã Mary Anne McSweeney, que era tia da minha mãe. (Uma mulher muito importante na minha vida. Na infância, eu a chamava de Titia. Ela me ensinou a ler e eu me lembro de experimentar seu hábito quando era pequena!) As irmãs eram melhores amigas e achavam engraçado o fato de meu pai ter tido duas namoradas recentemente e *ambas* o terem deixado para entrar para o convento. Minha tia-avó, a irmã Mary Anne, contou à sua amiga sobre mamãe, que durante um tempo havia estudado em um convento, querendo ser freira, mas desistira. As duas decidiram que ela era a pessoa certa para o meu pai.

A irmã Mary Magdalen telefonou para ele e disse:

– Você não tem mais namorada. Mandou as duas para o convento. Então queremos que você vá conhecer uma moça que mora na South Genois Street. O nome dela é Elaine; ela já esteve no convento e saiu, de modo que você não vai perdê-la como perdeu as outras.

Assim, meu pai foi à South Genois Street e conheceu minha mãe.

Ela disse:

– As irmãs ligaram para mim e perguntaram se eu estaria disposta a sair com um cara que eu não conhecia, e eu pensei: *Bom, se as freiras estão sugerindo que eu saia com ele, o rapaz não deve ser de todo mau.*

Alguns dias depois eles tiveram um encontro no *The President*, um grande barco com roda de pás na popa, que subia e descia o rio Mississippi. A coisa deve ter corrido bem. Eles namoraram por cinco anos enquanto meu pai estava na faculdade. Quando ele conseguiu uma bolsa para fazer pós-graduação em engenharia mecânica em Stanford, os dois se casaram e foram de carro para a Califórnia, onde minha mãe, que não cursou faculdade, sustentou os dois com seu salário de administradora em uma empresa em Menlo Park.

Quando voltaram para Dallas, minha mãe estava grávida da minha irmã mais velha, Susan, e logo depois meu pai ingressou no Programa Apollo, quando a Nasa estava na corrida para levar um homem à Lua. Minha mãe disse que se lembra dele trabalhando quase 24 horas por dia, sete dias por semana. Algumas vezes ele saía para trabalhar e voltava três dias depois, tirando cochilos rápidos no sofá do escritório.

Com isso, absolutamente tudo ficou por conta da minha mãe. Ela administrava a casa. Criava quatro filhos. E quando meus pais abriram uma empresa de investimento em imóveis para conseguirem pagar nossa faculdade no futuro, minha mãe cuidava do negócio durante o dia. Meu pai contribuía muito à noite e nos fins de semana, sem dúvida, mas a lista de coisas que minha mãe tinha que fazer todos os dias, quando estava trabalhando na empresa, era simplesmente surreal. Não imagino como ela conseguia dar conta. (Mas hoje, em retrospecto, percebo que era quando meus pais cuidavam juntos da empresa imobiliária que eles tinham a melhor experiência de igualdade no casamento.)

A vida tinha ensinado a minha mãe e a meu pai o que era uma verdadeira oportunidade. Eles haviam feito a pesquisa na biblioteca e estavam prontos para apoiar minha mudança para Seattle quando o recrutador da Microsoft ligou para minha casa. Mamãe, que tem cerca de 1,5 metro e um doce sotaque sulista, atendeu e disse, de modo completamente inadequado:

– Ah, por favor, será que você não poderia me dizer se vai oferecer um emprego a Melinda?

E o recrutador disse:

– Bom, eu não posso fazer isso.

Ela não se deu por vencida. Reuniu todo o seu charme e perguntou de novo. E ele cedeu:

– Sim, vamos fazer uma proposta.

Mamãe anotou todos os detalhes em um caderninho (que ela guardou e eu ainda tenho) e começou a me ligar na Califórnia. Assim que recebi seu recado, liguei para a Microsoft e aceitei a oferta.

Eu estava tão empolgada!

Alguns meses depois viajei a Seattle para uma reunião de orientação com meu novo empregador. Eu fazia parte da primeira turma de MBAs da

Microsoft. Éramos dez, e a empresa decidiu que deveríamos fazer uma visita para identificar com que grupo deveríamos trabalhar no início. Nosso primeiro encontro foi na sala da diretoria – a maior que havia; isso dá uma ideia de como a empresa era pequena na época, mais ou menos 1% do tamanho atual. Ao meu redor, só havia homens. Isso não chamou minha atenção; como cursei ciência da computação na faculdade, estava acostumada a salas cheias de homens. Então o vice-presidente de marketing de aplicativos entrou para falar. Durante a apresentação, o cara sentado ao meu lado, da mesma idade que eu e recém-saído da Escola de Administração de Stanford, entrou em um debate acalorado com esse tal vice-presidente. Não era apenas um diálogo enfático; era um enfrentamento ousado, quase uma briga, e eu fiquei pensando: *Uau, é assim que a gente precisa ser para se dar bem aqui?*

Demorei alguns anos para receber a resposta.

Quando comecei a trabalhar, percebi instantaneamente que minha mentora da IBM estava certa. Na Microsoft eu tinha oportunidades que de jeito nenhum haveria em qualquer outro local. Três semanas depois, eu estava a bordo de um avião para Nova York, aos 22 anos, para uma reunião que eu comandaria. Eu nunca tinha estado em Nova York. Nunca tinha sequer pegado um táxi!

Era assim com todo mundo na Microsoft. Mais tarde rimos disso, mas era assustador.

Não era um lugar para pessoas que precisassem de muita orientação. Nós estávamos escalando a montanha sem mapa, e na verdade estávamos construindo a montanha sem manual de instruções. E todos estávamos absolutamente entusiasmados diante do que poderíamos ajudar as pessoas a fazer com os programas de computador.

Nossos clientes estavam tão empolgados quanto nós, por isso as oportunidades surgiam o tempo inteiro. Comecei como gerente de produtos do Microsoft Word; depois virei gerente de grupo, com uma quantidade maior de produtos sob minha supervisão. ("Produtos", por sinal, era a palavra que usávamos internamente para os programas de computador.)

Depois me tornei gerente de marketing de grupo. Então quis me concentrar no produto, e não somente no marketing, por isso me tornei gerente de unidade do Microsoft Publisher. Isso implicava administrar as equipes que faziam os testes, o desenvolvimento e todas as etapas da criação de um produto. E, adivinhe só – quando se é tão jovem assim e se tem tantas oportunidades, também fica bem mais fácil cometer erros, e certamente aconteceu comigo!

Fui a gerente de unidade de produto do Microsoft Bob. (Você não se lembra do Microsoft Bob?!) Nós esperávamos que ele tornasse o Windows mais amigável para o usuário. Foi um fracasso. Os críticos de tecnologia acabaram com ele. Nós já havíamos anunciado o produto e sabíamos que viria fogo cerrado antes da primeira demonstração pública. Assim, subi no palco para aquele evento usando uma camiseta com os dizeres MICROSOFT BOB na frente e um alvo vermelho-vivo nas costas. Eles acertaram na mosca: fui nocauteada. Mas é inestimável o que a pessoa aprende quando se apresenta como a face de um projeto fracassado. (Havia uma piada na empresa segundo a qual a pessoa não era promovida enquanto não tivesse o primeiro grande fracasso. Isso não era totalmente verdadeiro, mas servia de consolo em tempos difíceis.)

Tive outros insucessos, mas felizmente a maioria não foi tão pública quanto esse, nem tão dolorosa. Mas todos foram úteis. Em uma sequência de passos equivocados, cometi o erro de fazer um gasto para o qual eu não tinha permissão. Isso *não* é algo que uma boa garota católica que se senta na primeira fila e só tira notas boas quer fazer – ainda mais quando é a novata em uma empresa dominada por homens. Não apenas meu gerente, mas também o gerente do meu gerente caíram em cima de mim. Tentei explicar que eu tinha perguntado a um funcionário administrativo sobre o procedimento. Ninguém se importou. Não havia tempo para isso.

Pouco depois eu estava em uma reunião com o mesmo gerente e ele me bombardeava de perguntas sobre quanto deveria custar nosso novo produto. Eu não tinha um número específico – nosso custo de produtos vendidos, um número crucial que todo gerente de produtos deve ter na ponta da língua, até o último centavo. Não era só que eu não soubesse o número. Essa não era a grande questão. A grande questão era que eu não entendia os meus consumidores o suficiente para saber quanto eles estariam dispostos a pagar. Aprendi que precisava conhecer os números-chave – e era melhor saber de onde vinham e por que eram importantes.

Depois dessa reunião pensei: *Uau, talvez eu não sobreviva. Esse é o principal gerente da minha área. Sou uma das poucas mulheres, fiz besteira no meu relatório de gastos e errei nisso agora.* Lembro-me de ter perguntado a algumas pessoas: "Será que algum dia recupero a confiança desse cara?" Demorei um tempo, mas reconstruí a relação com ele e, no final, apresentei resultados melhores do que se tivesse gastado direito e soubesse o número que ele havia perguntado. Nada como um erro para aguçar meu foco.

Todas essas experiências e oportunidades me fizeram ver por que a gerente da IBM me instigara a aceitar esse trabalho. Era emocionante e desafiador, e eu estava aprendendo muito, mas alguma coisa me incomodava. Depois de um ano e meio, comecei a pensar em pedir demissão.

Não era o trabalho nem eram as oportunidades; tudo certo com isso. Era a cultura. Era insolente demais, beligerante e competitiva demais, com pessoas defendendo ferozmente cada argumento que apresentavam e cada dado que discutiam. Era como se todas as reuniões, mesmo as mais informais, fossem um ensaio geral para a revisão de estratégia com Bill. Se a pessoa não debatesse até a exaustão era porque não conhecia os números, não era inteligente ou não era apaixonada. Ela precisava provar que era forte, e esperava-se que agisse dessa maneira. Nós não agradecíamos uns aos outros. Não elogiávamos uns aos outros. Tirávamos pouco tempo para celebrar uma conquista. Quando um dos melhores gerentes saiu da empresa, ele simplesmente mandou um e-mail dizendo que ia embora. Não houve festa, não houve despedida em grupo. Foi esquisito; só um pequeno contratempo enquanto disparávamos a toda velocidade. Esse era o padrão para ter sucesso lá – e parecia disseminado por toda a empresa. Eu podia agir daquela forma. Eu estava agindo daquela forma. Mas era exaustivo e eu estava me cansando dos embates cotidianos. *Talvez eu devesse trabalhar na McKinsey*, pensei. A McKinsey é uma importante firma de consultoria conhecida por pressionar muito os funcionários – mas não era nada comparado com o que eu vivia na época. Eu tinha passado por uma entrevista lá antes de aceitar o emprego na Microsoft e eles tinham me ligado algumas vezes para perguntar como eu estava e se gostava do meu trabalho atual. Alimentei essa fantasia de fuga durante meses, mas não consegui me obrigar a concretizá-la porque, de fato, eu amava o que estava fazendo na Microsoft. Adorava trabalhar na criação de produtos, adorava ficar à frente da curva, adorava saber do que os usuários precisavam antes mesmo de eles saberem – porque víamos para onde a tecnologia caminhava e estávamos levando-a para lá.

A verdade era que eu adorava a missão e a visão da Microsoft, por isso disse a mim mesma: "Talvez, antes de sair desse lugar incrível, eu devesse buscar um modo de fazer todas as coisas que são parte da cultura – defender meus pontos de vista, conhecer os fatos, participar de debates acalorados –, mas fazer isso do meu jeito." Desde o início, em vez de ser eu mesma, eu vinha agindo como os homens que, na minha percepção, estavam se dando bem na empresa. A questão me veio como uma revelação: será que eu poderia continuar na companhia e ser eu mesma? Ainda ser durona e forte, mas, ao mesmo tempo, dizer o que penso e ser honesta em relação a quem eu sou – admitindo meus erros e fraquezas em vez de fingir não ter medo nem defeitos, e acima de tudo encontrando outras pessoas que quisessem trabalhar como eu? Disse a mim mesma: "Você não é a única mulher desta empresa e não é possível que seja a única tentando se encaixar em uma personalidade que não é a sua." Assim, procurei mulheres e homens que tivessem os mesmos problemas em relação à cultura.

O que percebi muito mais tarde, paradoxalmente, é que, ao tentar me encaixar, eu estava reforçando a cultura que me fazia sentir tão deslocada.

Criando nossa própria cultura

Comecei minha prospecção pelas mulheres, buscando apoio para o modo como eu queria me posicionar na organização. A amiga com quem mais contei foi Charlotte Guyman. Charlotte e eu nos conhecemos umas oito semanas depois de eu entrar na Microsoft. Eu me lembro nitidamente do dia em que a conheci porque, na mesma data, conheci meu futuro sogro. Todos estávamos na convenção da American Bar Association em São Francisco, onde a Microsoft tinha um estande. Charlotte e eu estávamos escaladas para trabalhar lá, fazendo uma demonstração do Microsoft Word.

Estávamos cada uma em um grupo de trabalho diferente, mas ambas recebemos a orientação de descobrir como o Microsoft Word poderia se inserir no mercado jurídico, onde nosso concorrente, o Word Perfect, tinha participação de 95%. Charlotte fazia parte de um novo grupo chamado marketing de canal, e tentava vender todos os nossos produtos a um determinado segmento, no caso a comunidade jurídica. Eu, por outro lado, era a gerente de produtos do Word tentando vender o Microsoft Word para qualquer mercado. Assim, Charlotte e eu tínhamos o mesmo objetivo, a ser alcançado por duas vias diferentes. Essa poderia ter sido uma relação competitiva, mas com Charlotte não foi. Ao percebermos que tínhamos essa tarefa compartilhada, abrimos o jogo uma com a outra: eu faço isso, você faz aquilo e vamos fazer essa terceira coisa juntas. Funcionou muito bem porque nós duas queríamos os resultados, independentemente de quem receberia o crédito: só queríamos que a Microsoft vencesse.

Cheguei primeiro ao nosso estande, toda animada porque adorava fazer a demonstração do Word. Então Charlotte apareceu e lá estávamos nós, cheias de energia e entusiasmo. Já ouvi dizer que a gente nunca conhece uma grande amiga; a gente *reconhece*. Com Charlotte foi assim. Viramos amigas instantaneamente. Adorávamos fazer as demonstrações, observando o estilo uma da outra, aprendendo com ele. Mais tarde, naquele dia, vimos o pai de Bill no salão. Não era difícil identificá-lo; ele tem 1,99 metro. Bill pai veio direto até mim e eu demonstrei o produto. Fiquei pasma ao ver como ele era tranquilo e acessível, como deixava todo mundo à vontade. (Bill e eu ainda não estávamos namorando, por isso eu não sabia da importância daquele encontro!)

No geral, tive um dia fantástico. Sempre foi assim com Charlotte. Em retrospecto, percebi que o cerne do meu novo esforço, de me sentir confortável na empresa, era tentar trabalhar com todo mundo como eu trabalhava com Charlotte. De braços e coração abertos.

(Charlotte não somente queria trabalhar do mesmo modo que eu; ela possuía um modo impressionante de criticar aquela cultura. Uma vez disse: "Não é legal as mulheres chorarem no trabalho, mas é legal os homens *BERRAREM* no trabalho. Qual é a reação emocional mais madura?")

Quando comecei a entender que poderia ser eu mesma na cultura da Microsoft, encontrei outras mulheres que queriam trabalhar do mesmo modo, e também alguns homens que pensavam como nós. De longe, meu amigo mais importante era John Neilson. Já falei do John. Ele foi um dos meus melhores amigos, e morreria antes dos 40 anos. Ele e Emmy foram com Bill e comigo naquela primeira viagem à África em 1993, e John e eu reagimos à viagem do mesmo modo, assim como aconteceu em tantas outras situações. Ambos éramos pessoas muito sociais; acho que nossos colegas diziam que éramos "sensíveis". Nos unimos pelo esforço de fazer parte da cultura da Microsoft e, ao mesmo tempo, agregar um pouco de empatia ao trabalho. Anos mais tarde, quando ouvi pela primeira vez a expressão "aliado masculino" referindo-se a homens que eram defensores apaixonados das mulheres, pensei: *John era assim.*

Conectar-me com outras mulheres e criar nossa própria cultura gerou resultados que iam além de qualquer expectativa que eu tivesse. Charlotte continua sendo uma de minhas amigas mais íntimas. John e Emmy Neilson eram os melhores amigos meus e de Bill. Depois Charlotte me apresentou a Killian, que tinha acabado de se mudar de Washington para Seattle e fundaria o Recovery Café em 2003. Killian é profundamente apaixonada pela vida comunitária e espiritual. Sua fé lhe diz para incluir os excluídos, e ela incorpora essa fé mais do que qualquer pessoa que já conheci. Quando Killian chegou, encorajou a conversa que nós quatro estávamos ansiosos para ter.

– Quando você tem mais do que precisa no nível material, o que vem em seguida? Qual é o próximo passo? Onde nossos dons se conectam com uma necessidade no mundo? Como conduzir nossa vida para construir uma família humana maior?

Charlotte, Emmy, Killian e eu começamos a correr juntas todas as manhãs de segunda-feira, assim que mandávamos nossos filhos para a escola. Depois decidimos convidar algumas amigas e formar um grupo ligeiramente maior, com um foco espiritual. Somos nove e nos encontramos na segunda quarta-feira de cada mês há quase vinte anos, lendo livros, viajando, indo para retiros, explorando maneiras de colocar nossa fé em prática. A corrida de nós quatro nas segundas-feiras continua intacta, mas hoje em dia mais andamos do que corremos, tentando não pensar muito no que isso pode significar!

Cada amigo que fiz ajudou a mudar a cultura do local de trabalho, mas se houve um momento de ruptura para me tornar eu mesma na Microsoft foi quando Patty Stonesifer se tornou minha chefe, mentora e um grande exemplo. (Como mencionei antes, Bill tinha tanta confiança e respeito por Patty que, quando ela saiu da Microsoft, perguntamos se toparia ser a primeira CEO da nossa fundação, cargo que Patty ocupou durante dez anos espetaculares.) Patty foi considerada uma estrela desde o início na Microsoft. Tinha estilo próprio e as pessoas acorriam em bando para trabalhar para ela; uma vez que conseguiam, queriam ficar porque se sentiam muito apoiadas. Podíamos ser honestos em relação a nossos pontos fortes e fracos, aos desafios de criar categorias de negócios novas e difíceis. Ninguém sabia as respostas, e se fingíssemos que sabíamos não faríamos nenhum progresso. Precisávamos estar dispostos a experimentar, a matar o que não funcionava e a testar o novo. E começamos a cultivar uma cepa da cultura da Microsoft que sempre estivera ali, mas à qual demos ênfase. Era a capacidade de dizer: "Eu estava errado." Era incrível poder admitir fraquezas e erros sem nos preocuparmos com a hipótese de eles serem usados contra nós.

Trabalhando para Patty comecei a desenvolver um estilo que era realmente meu e parei de me reprimir para me encaixar. Foi quando percebi que podia ser eu mesma e ser eficiente. Quanto mais experimentava, mais dava certo. E isso me chocou. Enquanto era promovida e gerenciava equipes de até 1.700 pessoas (a empresa inteira tinha 1.400 funcionários quando comecei e cerca de 20 mil quando saí, em 1996), desenvolvedores de programas de toda a empresa, que estavam ali havia anos, vinham trabalhar comigo. As pessoas diziam: "Como você conseguiu atrair todas essas estrelas?" Porque elas queriam trabalhar do mesmo modo que eu.

Tomei coragem para tentar isso porque vi dar certo com Patty, e esse é o poder de um exemplo de comportamento. Ela me encorajou a ser fiel ao meu estilo, mesmo não sabendo que exerce esse efeito sobre mim. Sem Patty, eu teria sido incapaz de alcançar os objetivos que estabeleci para mim mesma – naquela época ou agora.

No meio da minha reinvenção – e provavelmente porque a vida tem muito senso de humor –, fiquei amiga do sujeito de Stanford que tinha começado a discussão acalorada com o vice-presidente durante aquela primeira visita.

Uma noite, quando estávamos jantando com um grupo de amigos, perguntei a ele:

– Você se lembra daquela vez na orientação de MBA, em que você teve uma discussão aferrada com o vice-presidente? Não consegui acreditar que fez aquilo. Agora conheço você, e não parece coisa sua.

Ele ficou totalmente vermelho – não poderia estar mais sem graça – e disse:

– Não acredito que você se lembra disso. A verdade é que um professor de comportamento organizacional na faculdade de administração tinha acabado de me dizer, na semana anterior, que eu não era assertivo o suficiente e deveria tentar ser mais ousado. Eu estava fazendo uma experiência.

Foi uma lição para mim. Os homens também enfrentam obstáculos culturais no trabalho, que os impedem de ser quem são. Assim, sempre que nós, mulheres, podemos ser nós mesmas no ambiente profissional, melhoramos a cultura para os homens e as mulheres.

Foi assim que virei a mesa a meu favor na Microsoft: sendo eu mesma e encontrando minha voz com a ajuda de colegas, mentores e exemplos de comportamento. Ser autêntico parece uma receita piegas para vencer em uma cultura agressiva. Mas não é tão doce quanto parece. Significa não agir com falsidade só para se encaixar. Significa expressar nossos talentos, valores e opiniões no nosso estilo, defendendo nossos direitos e jamais sacrificando o respeito próprio. Isso é poder.

Cuidado, ela é mais durona do que parece

Se eu precisasse resumir minhas lições na Microsoft, onde comecei a trabalhar mais de trinta anos atrás, diria que eu me reportava a uma mulher que apoiava meus esforços para trabalhar do meu jeito em uma cultura que recompensava os resultados, motivo pelo qual consegui ser promovida e me saí bem. Se eu tentasse fazer isso sozinha, sem colegas que me incentivassem e uma chefe que me apoiasse, teria fracassado. O apoio que recebi na Microsoft há uma geração foi algo que todas as mulheres deveriam ter hoje em dia. Porém, mesmo agora, algumas têm que lidar com o oposto. Quero contar a história de uma delas.

Antes serei honesta em relação a algo que me preocupa. Um dos desafios de escrever minhas histórias *e* contar as de outras pessoas é o risco de parecer que sugiro alguma equivalência entre minhas histórias e as delas. Portanto, o melhor modo de administrar esse risco é declarar peremptoriamente que os desafios enfrentados pelas pessoas que apresento neste livro são muitíssimo maiores do que os meus. Por isso elas estão no livro. São minhas heroínas. Certamente não estou comparando meus esforços para prosperar na cultura da Microsoft com os esforços de outras mulheres para sobreviver e enfrentar desafios em seus ambientes profissionais. Para muitas, "ser você mesma" no local de trabalho é muito mais difícil do que nas situações que vivi na Microsoft.

Eis uma história do mundo da tecnologia que é muito diferente da minha.

Quando Susan Fowler começou a trabalhar na Uber em 2016, seu gerente lhe mandou várias mensagens tentando convencê-la a fazer sexo com ele. Assim que ela viu as mensagens, pensou que o cara tinha acabado de se encrencar. Fez capturas de tela da conversa, denunciou-o ao RH – e ficou sabendo que *ela* estava encrencada. O RH e a alta administração lhe disseram que o tal gerente "batia todas as metas" e que aquela era sua primeira investida (o que era mentira), e Susan tinha uma escolha: ser transferida para uma nova equipe ou ficar e esperar um relatório de desempenho ruim feito pelo homem que ela havia denunciado.

Susan tinha crescido em uma comunidade rural no Arizona, em uma família com sete filhos. A mãe era dona de casa e o pai era um pastor que vendia telefones públicos durante a semana. Tinha estudado em casa, e aos 16 anos começou a telefonar para diversas faculdades perguntando o que precisaria fazer para entrar em uma delas. Enquanto trabalhava como babá e limpando estábulos, descobriu como fazer os exames de aptidão e submeteu uma lista dos livros que tinha lido à Universidade do Estado do Arizona. Eles lhe deram bolsa integral.

Mais tarde Susan se transferiu para a Universidade da Pensilvânia, onde poderia estudar filosofia e fazer mais aulas de ciências – no entanto, não obteve autorização para frequentar as aulas de física porque seu nível de matemática era apenas de sétimo ano. Ela escreveu uma carta ao reitor da universidade perguntando: "O senhor não fez um discurso dizendo que a

Universidade da Pensilvânia está aqui para realizar nossos sonhos?" Susan conquistou o apoio do reitor e começou a estudar toda a matemática que queria. Depois fez cursos de física em nível de graduação.

Essa é a mulher que a Uber contratou. E alguns dos seus chefes esperavam ser capazes de abusar dela, mentir e suprimir seus esforços de falar por si mesma, mas não deu certo. A atitude de Susan, como ela contou a Maureen Dowd, do *The New York Times*, foi dizer a si mesma: "Não, você não precisa se submeter a isso."

Susan se transferiu para outro departamento, encontrou um novo papel na Uber, que ela adorou, e começou a receber relatórios de desempenho impecáveis. Nesse ponto, como seu novo gerente precisava manter algumas mulheres em seu grupo, ele começou a acrescentar anotações de desempenho negativas (e confidenciais) para que Susan não fosse promovida e, assim, continuasse no time. Ela perguntou o que estava acontecendo, e ninguém explicava. Os relatórios não somente a impediam de alcançar o posto que ela desejava, mas também afetaram suas bonificações e seu salário líquido e a tornaram inelegível para o patrocínio da Uber em um programa de pós-graduação em Stanford, que ela amava.

Susan começou a enviar relatórios para o RH sempre que vivia alguma situação de machismo. Seu gerente ameaçou demiti-la por reportar os incidentes. E Susan e outras mulheres suportavam humilhações gratuitas, como a empresa encomendar casacos de couro para todos os funcionários homens e não para as mulheres, porque, segundo os executivos, elas eram tão poucas na Uber que a empresa não conseguia um desconto pelo volume de compras.

Enquanto isso as mulheres eram transferidas e a presença feminina na organização de Susan caiu de 25% para 6%. Quando ela perguntou o que estava sendo feito em relação a isso, disseram-lhe que as mulheres da Uber precisavam "subir de nível e ser melhores engenheiras".

Em uma das suas últimas reuniões com o RH, o representante perguntou se Susan já tinha considerado que o problema talvez fosse *ela* mesma.

Quando Susan decidiu ir embora e recebeu uma oferta de trabalho uma semana depois. Mesmo após sair, porém, precisava tomar uma decisão. Deveria esquecer tudo ou colocar a boca no trombone? Sabia que divulgar acusações de assédio sexual podia marcar as pessoas pelo resto da vida e estava preocupada com isso. Mas também sabia de muitas mulheres que haviam tido experiências semelhantes na Uber e, se ela falasse, estaria falando por elas também.

Acabou se decidindo pelo "Não, você não precisa se submeter a isso". Escreveu um post de 3 mil palavras em um blog relatando o ano em que sofreu os abusos. Logo que fez a postagem, o texto viralizou. No dia seguinte a Uber contratou o ex-procurador geral Eric Holder para investigar. Depois de Holder apresentar seu relatório, o CEO da Uber foi obrigado a renunciar ao posto e vinte outras pessoas foram demitidas. Logo mais mulheres do mundo da tecnologia começaram a falar, desencadeando demissões e novas políticas. Uma manchete dizia: O POST DE SUSAN FOWLER SOBRE A UBER FOI O PRIMEIRO TIRO EM UMA NOVA GUERRA CONTRA O MACHISMO NO VALE DO SILÍCIO.

Alguns meses depois, com o escândalo de Harvey Weinstein, a guerra ultrapassou as fronteiras da área tecnológica e de alguns outros ramos de atividades. Mulheres de todo o país contaram histórias de assédio sexual e abuso com a hashtag #MeToo. Adotamos a expressão da ativista Tarana Burke: "Eu Também (Me Too)" – usada por ela em 2006 ao criar uma comunidade de sobreviventes a agressões sexuais –, e ela viralizou. Em apenas 24 horas havia 12 milhões de posts apenas no Facebook.

No fim de 2017, Susan saiu na capa da revista *Time* como Pessoa do Ano, ao lado de outras mulheres proeminentes do movimento #MeToo. A revista dizia que elas haviam "rompido o silêncio".

As mulheres que mostraram a face e falaram deveriam ser aclamadas, abrindo espaço para que mais e mais pessoas denunciem situações abusivas. Mas também precisamos apoiar as operárias e as que trabalham no setor de serviços, mulheres que não têm acesso às mídias sociais, cujos abusadores não são famosos, cujas histórias não são interessantes para os repórteres e que vivem com o dinheiro do mês contado. Como podemos ajudá-las? Cada mulher que fala é uma vitória – mas precisamos encontrar um modo de fazer com que cada vitória faça a diferença para as que ainda não têm voz.

O que aconteceu?

O movimento #MeToo – e cada mulher e cada organização que colabora com ele e emerge dele – está obtendo vitórias importantes para as mulheres *e* os homens. Mas isso é apenas o começo. Se queremos ampliar e sustentar esses avanços, precisamos entender como eles aconteceram.

O que aconteceu? Por que a mudança demorou tanto e por que veio tão de repente? Quando nós, mulheres, ouvimos nossa própria voz na história de outra mulher, nossa coragem cresce e uma voz pode virar um coro. Quando é "a palavra de um contra o outro", a mulher não pode vencer. Mas quando é a palavra de várias mulheres, a transparência se fortalece e a luz pode inundar locais onde o comportamento abusivo prospera.

Em 2017 os agressores continuavam mentindo, mas seus defensores desistiram. Não conseguiam conter a verdade, e a represa estourou. Quando as mulheres viram que mais pessoas estavam se posicionando ao lado das acusadoras, e não dos abusadores, todas as histórias que tinham ficado escondidas jorraram e os culpados precisaram jogar a toalha.

Quando uma mudança tardia finalmente chega, ela vem depressa. Mas por que os abusadores dominaram por tanto tempo? Parte da resposta é que, no processo de decidir se devemos nos rebelar, não sabemos se outras pessoas nos apoiarão. Frequentemente são necessárias muitas mulheres, de braços dados, para inspirar outras a falar.

Antes de conhecer Bill, eu tive um relacionamento tóxico. Era alguém que me encorajava em alguns sentidos, mas me segurava de propósito em outros. Ele não queria que eu o ofuscasse. Não me via como uma mulher com sonhos, esperanças e talentos próprios, e sim como alguém que podia representar um papel útil na vida dele; queria determinar meu jeito de ser, e quando eu não agia como ele esperava, podia ser extremamente abusivo. Tenho certeza de que esse é um dos motivos para eu sentir tanta raiva hoje diante de mulheres oprimidas ou aprisionadas em certos papéis. Eu me vejo nelas.

Quando comecei o relacionamento com ele eu era jovem. Naquela fase da minha vida, não havia chance de ser eu mesma ou encontrar minha voz. Estava confusa. Me sentia péssima, mas não entendia o motivo. Havia momentos em que ele me apoiava o suficiente para que eu desconsiderasse os abusos e o sentimento de que precisava sair daquilo. Em retrospecto, estava claro para mim que eu tinha perdido muito da minha voz e da minha confiança. Demorei anos para enxergar e resgatar o que tinha perdido.

Mesmo depois do rompimento, só fui perceber o que havia acontecido depois que tive alguns relacionamentos saudáveis. Mas só entendi completamente o poder doentio daquele relacionamento abusivo anos depois, quando fui a um evento da ACM cujo objetivo era levantar fundos para um abrigo de mulheres e suas famílias. Uma mulher com um terninho azul elegante se dirigiu ao pódio e contou sua história, e foi a primeira vez que eu disse a mim mesma com entendimento pleno: "Ah, meu Deus! Era isso que estava acontecendo comigo."

Acredito que as mulheres que sofreram abusos podem se calar por um tempo, mas jamais paramos de procurar o momento em que nossas palavras causarão impacto. Em 2017 encontramos esse momento. Mas precisamos fazer mais do que identificar os abusadores; precisamos curar a cultura doentia que os apoia.

Para mim, uma cultura abusiva é qualquer uma que precise separar e excluir um grupo. É sempre menos produtiva, pois a energia da organização é desviada do ato de elevar as pessoas para o de mantê-las oprimidas. É como uma doença autoimune em que o corpo enxerga os próprios órgãos como ameaças e começa a atacá-los. Um dos sinais mais comuns de uma cultura abusiva é a hierarquia falsa que coloca as mulheres abaixo dos homens. Às vezes é pior do que isso: quando as mulheres não apenas estão abaixo dos homens na hierarquia, mas também são tratadas como objetos.

Em locais de trabalho no mundo inteiro, mulheres são convencidas de que não são suficientemente boas ou inteligentes. Elas ganham menos do que os homens, e as negras recebem menos ainda. Nossos aumentos e promoções demoram mais para chegar. Não somos treinadas, orientadas e escolhidas para cargos tanto quanto os homens. E ficamos isoladas umas das outras mais do que os homens – de modo que as mulheres podem demorar muito tempo para perceber que o sentimento ruim que nos invade não é culpa nossa, e sim um fato da cultura.

Um sinal de uma cultura abusiva é a ideia de que os membros do grupo excluído "não têm as qualificações necessárias". Em outras palavras: "Se não temos muitas engenheiras aqui é porque as mulheres não são boas engenheiras." Para mim é absurdo ver quão falha é essa lógica – e, mesmo assim, muita gente ainda acredita nela. As oportunidades *precisam* ser iguais antes que se saiba se as capacidades são iguais. E as oportunidades para as mulheres nunca foram iguais.

Quando as pessoas observam os efeitos da educação precária e atribuem isso à natureza, desencorajam o treinamento de mulheres para posições-chave, o que reforça a visão de que a disparidade se deve à biologia. A afirmação sobre a biologia é insidiosa porque sabota o desenvolvimento feminino e libera os homens de qualquer responsabilidade de examinar seus próprios motivos e práticas. É assim que o preconceito de gênero "planta as provas" que levam alguns a enxergarem os efeitos dos próprios preconceitos e chamá-los de biologia. Isso perpetua uma cultura de que as mulheres não querem fazer parte.

Quando os homens escrevem as regras

Para mim é frustrante que as mulheres ainda enfrentem culturas hostis em muitas áreas. Fico especialmente irritada porque essas questões mantêm as mulheres fora do ramo da tecnologia. São empregos imensamente empolgantes. São divertidos. Inovadores. Pagam bem. Têm um impacto crescente no nosso futuro e o número de vagas aumenta a cada ano. Porém é mais do que isso. A tecnologia é o ramo de atividade mais poderoso do mundo. Está definindo nosso modo de vida. Se as mulheres não estiverem na tecnologia, não terão poder.

A porcentagem de mulheres formadas em computação diminuiu desde que eu estava na faculdade. Quando me formei na Duke, em 1987, 35% dos graduandos em computação nos Estados Unidos eram do sexo feminino. Hoje são 19%. Provavelmente há muitos motivos para essa queda. Uma razão possível: quando os computadores pessoais invadiram os lares americanos, foram quase sempre apresentados como máquinas de jogos para meninos, de modo que os meninos os monopolizaram e isso lhes deu uma familiaridade com os equipamentos que faltou às meninas. Quando surgiu a indústria de jogos eletrônicos, muitos desenvolvedores começaram a criar violentas batalhas com armas automáticas e explosivos; muitas mulheres não queriam jogar, fechando um ciclo de homens criando jogos para homens.

Outra causa provável é a antiga visão de que o programador ideal de computadores era uma pessoa sem habilidades ou interesses sociais. Essa visão foi tão prevalente que, durante os processos seletivos, alguns empregadores buscavam candidatos que demonstrassem "desinteresse por pessoas" e não gostassem de "atividades envolvendo interação pessoal". Isso deixava de fora muitas mulheres.

Finalmente – e isso evidencia o preconceito de gênero na nossa cultura no que diz respeito a definir quem é bom para uma tarefa –, quando a engenharia de softwares era considerada uma atividade mais burocrática e muito mais simples do que a de hardware, os administradores contratavam e treinavam mulheres para o serviço. Porém, quando a programação de softwares passou a ser compreendida como algo menos burocrático e mais complexo, os mesmos gerentes passaram a procurar homens para treinar como programadores – em vez de continuar a contratar e treinar mulheres.

À medida que o número de homens nesse setor cresceu, um número menor de mulheres ingressou na área. Ser mulher na indústria de tecnologia foi ficando cada vez mais difícil. Assim, um número *ainda menor* de mulheres entrava para essa área, e os homens começaram a dominar o campo.

Felizmente há algumas mudanças encorajadoras. As forças que transformaram e ciência da computação em um clube do Bolinha estão menos ativas, e gente do ramo está fazendo mais para combater o preconceito de gênero. Essas mudanças podem ter iniciado um movimento na direção certa.

Outro desafio é a pequena porcentagem de mulheres na área de capitais de risco, menor ainda do que a presença feminina na indústria da informática. O capital de risco é uma fonte crucial de financiamento para empreendedores que estão começando um negócio e não conseguem empréstimo bancário. Os investidores lhes dão o capital necessário para crescer em troca de uma participação no negócio. Isso pode fazer a diferença entre o fracasso e um enorme sucesso.

Apenas 2% dos sócios de capital de risco são mulheres, e apenas 2% dos investimentos de capital de risco vão para empreendimentos fundados por mulheres. (A quantidade de capital de risco que vai para firmas criadas por mulheres afro-americanas é de 0,2%.) Ninguém pode pensar que isso faz sentido em termos econômicos. As mulheres terão incontáveis grandes ideias para negócios que jamais passarão pela cabeça dos homens. Infelizmente, "Quem terá as ideias de negócios mais empolgantes?" não é a pergunta que determina as decisões.

Quando se trata de financiar startups, existem tão poucos dados sobre o que funciona no estágio inicial que os investidores dão dinheiro a pessoas que eles conhecem – caras que estudaram nas mesmas escolas e frequentaram os mesmos eventos. É um clube de garotos mais velhos investindo nos garotos mais novos. Em 2018, Richard Kerby, um investidor de risco afro-americano, reuniu 1.500 capitalistas e descobriu que 40% deles tinha estudado em Stanford ou Harvard. Quando existe uma concentração tão grande de pessoas de um determinado grupo, setor ou conjunto de escolas, o impulso para financiar gente de sua própria rede de contatos leva a um conjunto homogêneo de empresas. Quando se tenta financiar alguém fora dessa rede, a empresa e o investidor podem sentir que não há "química".

É por isso que agora estou investindo em fundos de capital de risco, entre eles a Aspect Ventures, que investe em empresas comandadas por mulheres e por pessoas não brancas. Não é caridade da minha parte; espero um bom retorno e tenho confiança de que o terei porque as mulheres enxergarão mercados que os homens não verão, e as mulheres negras, latinas e asiáticas enxergarão mercados que passarão despercebidos pelos empreendedores brancos. Acho que daqui a dez anos vamos olhar para trás e ver que era loucura o fato de não haver mais dinheiro fluindo na direção de mercados descobertos por mulheres e pessoas não brancas.

A diversidade de gênero e racial é essencial para uma sociedade saudável. Quando um grupo marginaliza outros e decide sozinho o que será prioridade, suas decisões irão refletir seus valores, seus pensamentos e seus pontos cegos.

Esse é um problema antigo. Há alguns anos eu li *Sapiens*, de Yuval Noah Harari. O livro aborda a história dos seres humanos, inclusive as revoluções cognitiva, agrícola e científica. Uma das passagens que jamais esqueci foi a descrição do Código de Hamurabi, um conjunto de leis gravado em tabuletas de argila, por volta de 1776 a.C., que influenciou o pensamento jurídico durante séculos, ou talvez milênios.

"Segundo o código", escreve Harari, "as pessoas são divididas em dois gêneros e três classes: os superiores, os plebeus e os escravos. Os membros de cada gênero e cada classe têm valores diferentes. A vida de uma plebeia vale trinta siclos de prata e o de uma escrava vale vinte siclos de prata, ao passo que o olho de um plebeu do sexo masculino vale sessenta siclos de prata."

Um olho de um plebeu vale o dobro da *vida* de uma plebeia. O código prescrevia penalidades leves para uma pessoa superior que cometesse um crime contra um escravo e punições mais duras para um escravo que cometesse um crime contra uma pessoa superior. O homem podia fazer sexo fora do casamento, mas a mulher não.

Existe alguma dúvida sobre quem escreveu o código? Foi o homem "superior". O código apresentava seus pontos de vista, refletia seus interesses e sacrificava o bem-estar das pessoas que ele considerava inferiores. Se a sociedade quiser elevar as mulheres à igualdade com os homens – e declarar que pessoas de qualquer raça ou religião têm os mesmos direitos de quaisquer outras –, precisamos que homens e mulheres de todos os grupos raciais e religiosos escrevam o código juntos.

Para mim este é o argumento definidor da diversidade: é o melhor modo de defender a igualdade. Se pessoas de diversos grupos não estiverem tomando as decisões, os fardos e os benefícios da sociedade serão divididos de modo desigual e injusto: os que escrevem as regras garantirão para si mesmos uma porção maior dos bônus e uma menor dos ônus. Se você não for incluído, será derrotado. Sua vida valerá vinte siclos. Nenhum grupo deveria ter que confiar em outro para proteger os próprios interesses; todos deveriam ser capazes de falar por si mesmos.

É por isso que precisamos incluir a todos nas decisões que moldam nossas culturas, porque até mesmo os melhores de nós somos ofuscados por nossos próprios interesses. Se você se importa com a igualdade, precisa abraçar a diversidade – especialmente agora, à medida que as pessoas da indústria de tecnologia estão programando nossos computadores e projetando a inteligência artificial. Estamos em um estágio infantil da IA. Não conhecemos todos os seus usos – na saúde, na guerra, na aplicação das leis, nas corporações –, mas o impacto será profundo, e precisamos garantir que ele seja justo. Se queremos uma sociedade que reflita os valores da empatia, da união e da diversidade, *é importante quem escreve o código*.

Joy Buolamwini é uma cientista da computação afro-americana que se diz "poeta do código". Ouvi falar dela quando sua pesquisa denunciando o preconceito racial e de gênero na área tecnológica começou a ser divulgada na mídia. Há alguns anos, como estudante na Georgia Tech, Joy estava trabalhando com um robô social quando – durante uma brincadeira de esconde-esconde – notou que o robô não conseguia reconhecer seu rosto sob determinada iluminação. Pegou "emprestado" o rosto de sua colega de quarto para completar o projeto e não pensou mais no assunto até que, durante uma viagem a Hong-Kong, visitou uma startup que desenvolvia robôs sociais. O robô de lá reconhecia o rosto de todo mundo, menos o dela, e o dela era o único negro. Joy deduziu que o robô estava usando o mesmo programa de reconhecimento facial de seu robô na Georgia Tech.

– O preconceito em algoritmos pode espalhar a exclusão em uma escala gigantesca – disse ela.

Quando Joy se tornou pesquisadora do Media Lab, no MIT, testou programas de reconhecimento facial da IBM, da Microsoft e da empresa chinesa Megvii. Descobriu que a margem de erro para reconhecer homens de pele clara ficava abaixo de 1%, ao passo que a margem de erro para reconhecer mulheres de pele escura chegava a 35%. Joy compartilhou seus resultados com as empresas. A Microsoft e a IBM declararam já estar trabalhando para melhorar seu programa de análise facial. A Megvii não se pronunciou.

Qualquer pessoa que pare e reflita sobre os vários significados da palavra "reconhecer" estremecerá diante da ideia de que o programa é lento para reconhecer pessoas que não se parecem com os programadores. Será que um dia o programa dirá a um agente: "Não 'reconhecemos' essa pessoa; ela não pode entrar no avião, pagar com cartão de crédito, sacar seu dinheiro ou entrar no país"? Será que outros programas, replicando os preconceitos dos programadores, negarão às pessoas uma oportunidade de tomar um empréstimo ou comprar uma casa? Será que os softwares programados por brancos dirão à polícia para prender negros em maior quantidade? A perspectiva desse preconceito é aterrorizante, mas esse é apenas o preconceito que podemos prever. E os que não podemos?

– Não é possível ter uma IA ética que não seja inclusiva – disse Joy.

As mulheres afro-americanas representam apenas 3% de toda a força de trabalho na área tecnológica. As hispânicas perfazem 1%. As mulheres compõem cerca de um quarto da força de trabalho na indústria de tecnologia e ocupam apenas 15% dos cargos técnicos. Esses números são perigosamente, vergonhosamente pequenos. É por isso que sou tão passional quando falo das mulheres, brancas ou não, na área de tecnologia. Não somente porque é a maior indústria do mundo. Nem porque haverá meio milhão de novos empregos no ramo da computação na próxima década. Nem mesmo porque equipes diversificadas na área tecnológica levam a mais criatividade e produtividade. É porque as pessoas nesses cargos vão definir o modo como vivemos, e todos precisamos decidir isso juntos.

Não estou dizendo que as mulheres devem ocupar cargos na área de tecnologia que não fizeram por merecer. Estou dizendo que as mulheres *merecem* e deveriam ser contratadas.

Praticamente tudo o que eu precisava saber sobre o valor das mulheres na tecnologia aprendi com um homem da área: meu pai. Ele era um forte defensor da presença feminina na matemática e na ciência – não apenas pessoalmente, para suas filhas, mas também profissionalmente, em sua carreira. Já contei sobre a emoção de assistir aos lançamentos espaciais com ele e minha família, mas para mim foi igualmente memorável conhecer na infância algumas mulheres que faziam parte das equipes do meu pai. Depois de integrar o Programa Apollo, ele trabalhou no Skylab, no Apollo-Soyuz, no ônibus espacial e na Estação Espacial Internacional, e recrutava mulheres de maneira intencional para cada um desses programas. Sempre que conseguia contratar uma matemática ou engenheira, ele compartilhava seu entusiasmo conosco, em casa. Não havia muitas mulheres no mercado, segundo nos contava, e seu grupo sempre se saía melhor quando ele conseguia colocar uma na equipe.

Meu pai começou a perceber o benefício extra de contratar mulheres nas décadas de 1960 e 1970. Na época não existiam muitos dados para apoiá-lo, mas agora há toneladas de pesquisas, e são impressionantes. Aqui vai um exemplo: um estudo acadêmico feito em 2010 descobriu que a inteligência coletiva de um grupo de trabalho está relacionada a três fatores: a sensibilidade social média de seus membros, a capacidade de se revezar colaborativamente e a proporção de mulheres. Os grupos que incluíam pelo menos uma mulher tinham desempenho melhor em testes de inteligência coletiva do que aqueles totalmente masculinos, e a inteligência de grupo se correlacionava mais fortemente à diversidade de gênero do que aos QIs individuais.

A diversidade de gênero não é boa somente para as mulheres; é boa para qualquer um que persiga bons resultados.

Peça o que você necessita

Como podemos criar uma cultura de trabalho que expanda as oportunidades para as mulheres, promova a diversidade e não tolere o assédio sexual? Não existe uma resposta única, mas acredito que é crucial reunir amigos e colegas e criar uma comunidade com uma nova cultura que respeite os objetivos maiores da cultura existente, mas aceite os diferentes modos de chegar lá.

Infelizmente, o esforço para criar uma cultura que atenda aos interesses femininos enfrenta uma barreira desafiadora: pesquisas sugerem que as mulheres podem ter mais dúvidas em relação a si mesmas do que os homens e frequentemente subestimam suas capacidades, ao passo que muitos homens superestimam as deles.

As jornalistas Katty Kay e Claire Shipman escreveram um livro sobre isso, chamado *The Confidence Code*. Kay explicou em uma entrevista: "As mulheres costumam achar mais difícil agir do que os homens porque somos mais avessas ao risco, porque o medo do fracasso é enorme para nós. Parece ser maior do que para os homens." Como exemplo, elas apontam para uma análise de registros de funcionários da Hewlett Packard mostrando que as mulheres só se candidatavam a promoções quando consideravam que preenchiam 100% das exigências para o cargo. Os homens se candidatavam quando achavam que atendiam a 60% das exigências.

A tendência a subestimar nossa capacidade, para aquelas de nós que possam ter esse traço, cumpre um papel importante em nos manter na retaguarda.

É difícil não imaginar que ela seja resultado de uma cultura dominada pelos homens, que busca marginalizar as mulheres. Esses esforços costumam ser indiretos; podem ser sutis e insidiosos: não atacam abertamente as mulheres, mas sim as qualidades e características femininas que têm mais probabilidade de desafiar os homens.

Essa abordagem parece ter o apoio de outra linha de pesquisa, sugerindo que a reticência das mulheres resulta não de falta de confiança, e sim de um cálculo. Um artigo de 2018 na *Atlantic* cita um estudo segundo o qual as mulheres autoconfiantes só obtinham influência "quando também demonstravam motivação para beneficiar os outros". Se mostrassem confiança sem empatia ou altruísmo, enfrentavam um "'efeito contrário': sanções sociais e profissionais por não se adequar às normas de gênero". O medo desse efeito, segundo outro estudo, impede-as de se afirmarem mais.

As mulheres podem ser menos assertivas por falta de confiança ou por cálculo, mas as culturas dominadas por homens permanecem como a causa subjacente mais importante para as duas situações. Existe aprovação social para aquelas que não perguntam muito, demonstram dúvidas em relação a si mesmas, não buscam o poder, não se expressam e buscam agradar.

Essas expectativas de gênero são relevantes para mim e para muitas mulheres que conheço porque elas nutrem qualidades que levam ao perfeccionismo: o esforço para compensar os sentimentos de inferioridade sendo impecáveis. Eu sei disso; o perfeccionismo sempre foi uma fraqueza minha. Brené Brown, que tem a genialidade de declarar grandes verdades com poucas palavras, captura o motivo e o estado mental da perfeccionista em seu livro *A coragem de ser imperfeito*: "Se pareço perfeita e faço tudo com perfeição, posso evitar ou minimizar os sentimentos dolorosos de vergonha, julgamento e culpa."

Esse é o jogo, e eu sou uma jogadora.

Para mim o perfeccionismo vem do sentimento de não saber o suficiente. Não sou inteligente o bastante. Não trabalho o bastante. O perfeccionismo me alfineta se vou a um encontro com pessoas que discordam de mim, ou se faço uma palestra para especialistas que sabem mais sobre o assunto do que eu – algo que me acontece frequentemente hoje em dia. Quando começo a me sentir inadequada e meu perfeccionismo ataca, uma das coisas que faço é compilar fatos. Não me refiro à preparação básica; estou falando de uma coleta obsessiva de fatos impelida pela visão de que não deveria existir nada que eu não soubesse sobre aquele tema. E se eu disser a mim mesma para não exagerar na preparação, outra voz interna insinuará que estou sendo preguiçosa. Bum!

Em última instância, para mim o perfeccionismo significa esconder quem eu sou. É me vestir de modo a que as pessoas que desejo impressionar não saiam pensando que não sou tão elegante ou interessante quanto elas imaginavam. Isso vem de uma necessidade desesperada de não desapontar os outros. Por isso exagero na preparação. E uma das coisas curiosas que descobri é que, quando estou exageradamente preparada, não fico tão alerta; vou em frente e digo o que planejei, quer tenha a ver com o momento, quer não. Perco a oportunidade de improvisar ou reagir bem a uma surpresa. Não estou realmente ali. Não é meu eu autêntico.

Lembro-me de um evento na fundação, há alguns anos, em que fui questionada pelo meu perfeccionismo.

Sue Desmond-Hellmann – nossa superinventiva CEO da fundação, cientista, médica e liderança criativa que adora pressionar Bill e me pressionar (e se pressionar) – nos colocou na berlinda organizando um exercício desconfortável para os líderes da fundação, destinado a reforçar os laços entre nós que estávamos no comando e a equipe. Concordei em ser a primeira a participar.

Sentei-me em uma cadeira diante de uma câmera de vídeo (instalada ali para que todo mundo da fundação pudesse assistir mais tarde!) e recebi uma pilha de cartões virados para baixo, que eu deveria desvirar um por um. Cada cartão tinha algo que um empregado da fundação tinha dito sobre mim, mas não queria falar pessoalmente. Meu trabalho era ler o cartão e responder ao comentário, diante da câmera ligada, para que todo mundo pudesse ver minha reação. As declarações eram ousadas, especialmente a última. O cartão que virei dizia: "Você é igual à *p*rra* da Mary Poppins: praticamente perfeita em todos os sentidos!"

Como meus filhos me disseram naquela noite à mesa do jantar:

– *Ai!*

Naquele momento, ciente de que estavam me filmando, explodi em uma gargalhada – provavelmente em parte por nervosismo, em parte pelo atrevimento da pessoa e em parte porque adorei que alguém achasse que eu tinha tudo sob controle. Falei, ainda rindo:

– Se vocês soubessem quanto não sou perfeita! Sou atrapalhada e desleixada demais em muitos aspectos da vida. Mas tento me aprumar e trazer o meu melhor para o trabalho, para ajudar os outros a trazerem o melhor *deles* para o trabalho. Acho que o que eu preciso aperfeiçoar, como modelo de comportamento, é a capacidade de ser franca com relação à bagunça. Talvez eu devesse simplesmente mostrar isso às pessoas.

Foi o que eu disse naquele momento. Quando refleti mais tarde, percebi que talvez o meu melhor não seja o eu refinado. Talvez o meu melhor se revele quando sou suficientemente sincera para expor minhas dúvidas ou ansiedades, admitir meus erros, confessar quando estou me sentindo por baixo. Então as pessoas poderão se sentir mais confortáveis diante da própria confusão, e é mais fácil viver em uma cultura assim. Certamente era isso que estava por trás do comentário sobre Mary Poppins. Preciso continuar meu trabalho com Sue e com os demais para criar na fundação uma cultura em que possamos ser nós mesmos e ouvir nossas vozes. E quando digo "nós", não se trata de retórica. Estou me incluindo. Se não ajudei a criar na minha própria organização uma cultura em que todas as mulheres e todos os homens possam encontrar a própria voz, é sinal de que ainda não encontrei a *minha*. Preciso me esforçar mais para me tornar um modelo de comportamento para os outros, assim como Patty foi para mim e Sue é hoje. Quero criar um local de trabalho ao qual todos possam trazer seu eu mais humano e mais autêntico – onde todos acolhamos e respeitemos as manias e os defeitos dos outros, e onde toda a energia dispendida na busca da "perfeição" seja poupada e canalizada para a criatividade de que precisamos. Nessa cultura, abrimos mão de fardos impossíveis e elevamos todo mundo.

Um local de trabalho compatível com a vida familiar

Um local de trabalho gentil com as mulheres não somente perdoará nossas imperfeições, mas também acomodará nossas necessidades – sobretudo a necessidade humana mais profunda: a de cuidarmos uns dos outros.

Precisamos criar um local de trabalho que seja compatível com a vida familiar. Isso exige apoio do alto escalão, talvez com um empurrão de baixo. As regras que determinam o dia a dia dos empregados no local de trabalho hoje não costumam respeitar a vida dos empregados *fora* dele. Isso pode transformar esse ambiente em um lugar hostil – porque contrapõe o trabalho à vida familiar, em uma disputa na qual um lado necessariamente sairá perdendo.

Atualmente, nos Estados Unidos, mandamos nossas filhas para locais de trabalho projetados para os nossos pais: organizados a partir da suposição de que os empregados tinham companheiras que ficavam em casa fazendo o trabalho não remunerado de cuidar da família e da arrumação doméstica. Mesmo naquela época isso não era verdade para todo mundo. Hoje não é verdade para praticamente ninguém, exceto para um grupo significativo. Os postos mais altos na sociedade costumam ser ocupados por homens cujas esposas *não* trabalham fora de casa. E esses homens não entendem de maneira abrangente a vida das pessoas que trabalham para eles.

Em 2017, quase metade dos trabalhadores nos Estados Unidos eram do sexo feminino, e sete em cada dez mulheres americanas com filhos menores de 18 anos estavam na força de trabalho. Cerca de um terço dessas mulheres que têm filhos para criar é formado de mães sozinhas.

Essa suposição antiquada de que existe uma esposa em casa para organizar tudo é especialmente cruel para pais e mães solteiros. Não é apenas um problema pessoal, mas também nacional e global; as populações estão envelhecendo – nos Estados Unidos e em todo o mundo –, e a tarefa de cuidar dos pais idosos está recaindo desproporcionalmente sobre as mulheres, o que agrava o desequilíbrio de gênero que já existe no trabalho não remunerado.

Quando as pessoas se dividem entre as exigências do trabalho e de casa, isso pode sugar a alegria da vida em família. É preciso que nossos empregadores entendam nossos deveres em relação à família, e queremos compaixão no trabalho quando ocorre uma crise em casa.

Ao refletir sobre meu tempo como gerente na Microsoft, me ocorrem diversas situações em que eu poderia ter feito mais por uma cultura que atendesse melhor às necessidades das famílias. Minha liderança nesse aspecto não foi ideal, por isso espero que você me perdoe por contar a história de uma vez em que acertei.

Um dia, há quase três décadas, um homem muito talentoso, que trabalhava na minha equipe fazia um ou dois anos, enfiou a cabeça na minha sala e disse:
– Você tem um minuto?
– Claro – respondi. – O que houve?
– Queria que você soubesse que meu irmão está muito doente.
– Sinto muito. Posso perguntar o que ele tem?
– Ele tem aids.

Meu funcionário precisou de coragem para me contar. Isso foi no início dos anos 1990, quando havia muito mais ignorância e estigma em relação à aids. Demonstrei o máximo de compaixão que pude e me senti desconfortável por não poder fazer mais. Ele me contou um pouco sobre o irmão e, quando terminou o que tinha vindo dizer, levantou-se e se despediu:
– Obrigado por deixar que eu contasse.

E saiu da sala.

Pensei na nossa conversa durante alguns dias e ficou claro o motivo para ele querer me contar. Como já disse, especialmente naquela época, a cultura da Microsoft era de cobrança pesada. Vivíamos em um ambiente intenso e competitivo. Muitas pessoas não tiravam férias, a maioria de nós não era casada e quase ninguém tinha filhos. Estávamos naquele curto período do início da vida adulta em que quase ninguém precisava de nós, por isso nada atrapalhava o trabalho. E aquele rapaz tinha um desempenho particularmente bom. Por isso acho que ele andava preocupado; estava dividido entre a família e o trabalho, e amava os dois. Acho que ele esperava que, se me contasse o que estava acontecendo, eu não usaria isso contra ele quando a crise estourasse e seu desempenho decaísse porque ele era leal ao irmão e queria passar tempo com ele.

Cerca de uma semana depois eu o vi no corredor e o chamei à minha sala. Ele disse:
– O que foi? Eu fiz alguma coisa?

Respondi:
– Andei pensando: será realmente importante você se concentrar nos nossos dez principais revendedores este ano.

Isso foi na época em que os programas eram vendidos em lojas de varejo.
Ele respondeu:

– Ah, sem dúvida, estou fazendo isso. Vou mostrar minha lista.

Ele me mostrou a lista com todos os revendedores e suas avaliações. E eu disse:

– Acho que você deveria se concentrar na Fry's Electronics em particular.

– Ah, sim, está entre os dez principais. Já estou cuidando disso.

Ele não estava entendendo aonde eu queria chegar, por isso falei:

– Olhe, eu acho que a Fry's é realmente importante. É um relacionamento que precisamos incrementar. Sempre que você precisar ir até lá, vá. Não precisa nem me avisar. Simplesmente vá.

A Fry's devia estar na metade da lista. Não estava em alta nem em baixa, por isso acho que ele ficou confuso com minha ênfase. Então a ficha caiu, e seus olhos se encheram de lágrimas.

– Vou fazer isso. Obrigado – disse ele, saindo da sala.

Nunca mais falamos a respeito. Não precisamos. Nós dois sabíamos o que estava acontecendo. Estávamos criando nossa pequena cultura. A Fry's Electronics ficava na área da baía, onde o irmão dele morava. Eu queria que ele soubesse que podia ir lá quando quisesse, com as bênçãos da empresa. Muito antes de termos um nome para isso, eu e ele estávamos improvisando a licença familiar e médica remunerada.

A licença familiar e médica remunerada permite que as pessoas cuidem da própria família e de si mesmas em épocas de necessidade. Estávamos improvisando porque a empresa não tinha uma política de licença familiar e médica remunerada, nem o país. Agora a empresa tem, mas o país ainda não. Quero repetir um argumento que levantei no Capítulo 7, e espero que outras pessoas também o repitam. Os Estados Unidos são um dos únicos sete países no mundo que não oferecem licença maternidade remunerada – ao lado de Papua Nova-Guiné, Suriname e um punhado de outras nações insulares. Essa é uma prova espantosa de que o país está muito atrás do resto do mundo no que diz respeito às necessidades das famílias.

Sou defensora da licença familiar e médica remunerada porque os benefícios são enormes e eternos. Infelizmente não temos os dados sobre todos os bônus que a licença remunerada traz para as famílias, mas podemos quantificar alguns. A licença materna e paterna remunerada está associada a menos mortes de recém-nascidos e bebês, taxas maiores de aleitamento, menos depressão pós-parto e um papel mais ativo por parte dos novos pais. As mães têm uma probabilidade muito maior de permanecer na força de trabalho e ganhar salários maiores se tiverem acesso à licença remunerada ao dar à luz. E quando os homens tiram a licença, a redistribuição dos serviços domésticos e dos cuidados com a família perdura após voltarem ao trabalho.

A inexistência de licença remunerada nos Estados Unidos é sintomática de uma cultura no local de trabalho que também sofre com o assédio sexual, o preconceito de gênero e uma indiferença generalizada em relação à vida familiar. Todas essas questões são agravadas por uma realidade: um número menor de mulheres em cargos de poder. Uma cultura dominada por homens tem maior probabilidade de enfatizar os custos de curto prazo da licença remunerada e minimizar os benefícios de longo prazo. Existem enormes benefícios pessoais para os locais de trabalho que respeitam as obrigações da vida familiar, e esses benefícios pessoais se transformam em benefícios sociais e também econômicos. Infelizmente eles não são calculados quando o baixo número de mulheres em cargos de poder deixa a configuração da cultura nas mãos de homens que não veem nem sentem as necessidades da vida familiar da mesma forma que as mulheres.

Isso é um imenso desafio. É especialmente difícil para nós, mulheres, pedirmos dinheiro, poder, promoções ou mesmo mais tempo à família. Mais fácil fingir que não precisamos dessas coisas. Mas as culturas do local de trabalho que não atendem às nossas demandas persistem mesmo quando somos atropeladas por nossas necessidades. Isso precisa mudar. Se quisermos ser quem somos, precisamos nos levantar coletivamente e exigir atenção a elas em uma cultura que não quer que as tenhamos. É o único modo de criar uma cultura que atenda às necessidades de todos que têm um emprego.

Somos rápidos em criticar a injustiça de gênero quando a vemos ao redor do mundo. Mas também precisamos vê-la onde a maioria de nós a sente e onde podemos fazer alguma coisa a respeito: nos lugares onde trabalhamos.

CAPÍTULO NOVE

Deixe seu coração se partir

A ascensão da união

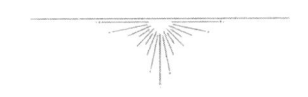

Anteriormente, contei que fiz uma viagem especial à Suécia para ter uma derradeira conversa com Hans Rosling. Neste último capítulo quero contar o que ele disse.

Era 2016 e Hans estava com câncer. Não tinha muito tempo de vida e estava trabalhando em um livro que seria concluído por seu filho e sua nora depois de sua morte. Viajei à casa dele no sul da Suécia e Hans e a esposa, Agneta, me convidaram para tomar café da manhã com eles na cozinha. Hans e eu sabíamos que era a última vez que nos veríamos.

Ele tinha um discurso preparado para mim, como sempre. Era algo que já dissera antes – mas, se você não ficar se repetindo no fim da vida, é porque ainda não descobriu o que é realmente verdade. Hans tinha descoberto e queria me presentear com a lição da sua vida uma última vez.

Pegou um pedaço de papel, colocou na mesa entre nossos pratos e disse:

– Melinda, se for para você se lembrar de apenas uma coisa que eu lhe disse, lembre-se desta: você precisa ir até as pessoas que estão às margens. – Ele pegou uma caneta e desenhou duas estradas perpendiculares cruzando-se no meio da folha de papel. Depois fez um rio que passava pela junção das duas estradas e disse: – Se você vive perto da encruzilhada ou perto de um rio, vai ficar bem. Mas, se viver nas margens mais afastadas – e aqui ele usou a caneta para marcar os quatro cantos da página –, o mundo vai se esquecer de você.

Ele me olhou e continuou:

– Melinda, você não pode deixar que o mundo se esqueça deles.

Hans estava lacrimoso quando me disse isso. Era a paixão e a obsessão da sua vida, e ele estava pedindo que eu a levasse adiante.

O mapa que Hans desenhou naquele dia mostrava a geografia da pobreza. Os extremamente pobres vivem longe do fluxo de viagens e comércio que conecta as pessoas. Mas Hans concordaria que também existe uma geografia social da pobreza. É possível morar no meio de uma cidade grande e ainda estar isolado do fluxo da vida; essa também é uma forma de viver à margem. Quero falar sobre algumas mulheres que vivem nas margens mais distantes – grupos de trabalhadoras do sexo na Índia que provaram que, quando as mulheres se organizam, podem passar por cima de cada barreira descrita neste livro. Podem mudar o rio de lugar e fazer com que ele corra através delas.

Em 2001, quando Jenn estava com 4 anos e Rory com 1, viajei pela primeira vez à Ásia pela fundação. Rory era pequeno demais para fazer perguntas, mas Jenn queria saber de tudo.

– Mamãe vai ficar longe uma semana – falei.

Então parei porque não sabia o que dizer a uma criança de 4 anos sobre pobreza e doença. Depois de pensar um momento, contei sobre parte da viagem: eu ia visitar crianças que não tinham casa e não conseguiam arranjar remédios quando ficavam doentes.

– Como *assim*, não têm casa? – perguntou ela.

Fiz o máximo para lhe dar uma resposta que não fosse perturbadora demais, e em seguida fui para o quarto fazer as malas.

Alguns minutos depois ela entrou correndo, carregando vários cobertores.

– Para que é isso? – perguntei.

– São meus cobertores especiais – disse Jenn. – Você pode levar, porque as crianças não devem ter cobertores.

Agradeci profusamente e nós duas arrumamos os cobertores na minha mala. Toda vez que eu ligava para casa, durante a viagem, Jenn perguntava:

– Já viu as crianças? Elas gostaram dos meus cobertores? Você vai deixar eles aí?

Eu de fato os deixei lá, mas voltei da viagem com mais do que levei – especialmente com mais humildade. Conheci na Tailândia uma mulher que abalou meu mundo. Ela tinha Ph.D. pela Universidade Johns Hopkins e era especialista na epidemia do HIV. Passou vários dias percorrendo povoados comigo, falando sobre o que poderia ser feito para diminuir a velocidade da disseminação do vírus. Na época, essa era a emergência global número um, e as autoridades de saúde previam consequências terríveis, com dezenas de milhões de casos novos de infecção por HIV somente na Índia. Eu era novata em questões de saúde global; estava começando a estudar o assunto. Bill e eu sabíamos que precisávamos tomar alguma atitude com relação à aids, mas não qual. O objetivo dessa viagem era tentar descobrir.

No meu último dia lá, estava em um barco atravessando um rio perto da fronteira com o Laos e Myanmar, e minha nova amiga me disse:

– Bom, agora que você está aqui há alguns dias, se você fosse uma mulher e tivesse nascido neste lugar, o que faria para manter seus filhos vivos? Até onde você iria?

Fiquei perplexa com a pergunta, por isso empaquei durante um minuto e tentei me colocar nessa situação. *Certo, bem, eu arranjaria um emprego. Mas não tenho formação. Nem sei ler. Aprenderia a ler sozinha. Mas com que livros? E não vou conseguir emprego porque não existem empregos. Esta é uma região remota.* Eu estava tentando pensar em uma resposta quando ela interrompeu meus pensamentos e disse:

– Sabe o que eu faria?

– Não. O quê?

Ela respondeu:

– Bom, eu já vivo aqui há dois anos. Conheço as opções. Eu seria uma trabalhadora do sexo. Seria o único modo de colocar comida na mesa.

Era uma coisa chocante. No entanto, depois de cumprir todo o roteiro de viagem e refletir durante um tempo, percebi que dizer o oposto seria mais chocante ainda. Se você disser: "Ah, eu *nunca* faria isso", estará afirmando que deixaria seus filhos morrer, que não faria tudo ao seu alcance para mantê-los vivos. E também há outra mensagem oculta: "Estou acima dessas pessoas." Ela havia atuado com trabalhadoras do sexo em outras crises de saúde, de modo que sua pergunta tinha um gume afiado, implícito, mas ainda poderoso: "Como você pode firmar uma parceria com elas se estiver se considerando superior a elas?"

Dois anos depois daquela viagem, nossa fundação iniciou um programa de prevenção do HIV na Índia que contava com a liderança das trabalhadoras do sexo. Nós o chamamos de Avahan, palavra em sânscrito que significa "chamado à ação". Era uma aposta alta, não somente porque muitas vidas corriam risco, mas porque não sabíamos realmente o que estávamos fazendo. Ninguém sabia. O mundo nunca tinha visto nada assim: um país com mais de um bilhão de pessoas diante de uma epidemia mortal cuja derrota exigiria uma parceria extensa com o grupo mais desprezado de uma sociedade profundamente baseada em castas. Em outras circunstâncias, lançaríamos um programa menor e o ampliaríamos aos poucos, mas não havia tempo; ele já precisaria nascer grande. Tornou-se um dos maiores programas de prevenção do HIV no mundo, com o objetivo de combater a epidemia em toda a Índia.

As trabalhadoras do sexo *precisavam* desempenhar um papel central no projeto porque sua ocupação era um dos caminhos críticos para a doença. Se uma pessoa com HIV passasse a infecção para uma trabalhadora do sexo, ela poderia transmitir o vírus a centenas de clientes, quase sempre caminhoneiros, que por sua vez poderiam infectar as esposas, que em seguida poderiam contaminar os filhos pequenos durante a gravidez, no parto ou na amamentação. Mas se as trabalhadoras do sexo pudessem negociar o uso de preservativos com os clientes, o perigo de se infectarem diminuiria, assim como o risco de passar a doença adiante. Esta era a estratégia: diminuir as situações de sexo desprotegido entre as trabalhadoras do sexo e seus clientes. Mas havia um obstáculo capaz de derrotar a melhor das estratégias: como as pessoas podem ser convencidas a abandonar um comportamento e assumir outro? Foi aí que o Avahan se transformou em uma das histórias mais surpreendentes e inspiradoras que já ouvi – e uma das lições mais importantes da minha vida.

Em janeiro de 2004, quando o Avahan tinha menos de um ano, fui pela segunda vez à Índia. Era uma viagem com minhas amigas mais íntimas, membros do meu grupo de espiritualidade. Queríamos visitar lugares de oração e meditação e conhecer locais religiosos. Além disso, queríamos aprender sobre a ajuda disponível para os pobres e, se possível, ajudar também.

Um dia, quando estávamos hospedadas em Calcutá, acordamos antes de o sol nascer e atravessamos a cidade até a casa-mãe das Missionárias da Caridade, onde Madre Teresa havia iniciado seu trabalho. Na casa há uma capela onde as freiras se reúnem para rezar todas as manhãs. Mesmo não sendo todas católicas, decidimos assistir à missa. No caminho até lá precisamos contornar os sem-teto que dormiam na calçada. Era moralmente dolorido. Madre Teresa teria parado para ajudar aquelas pessoas.

Na capela encontramos gente do mundo inteiro que vinha se oferecer para um dia de voluntariado em um dos lares da madre. Depois da missa fomos até o orfanato, onde nos mostraram tudo. Então minhas amigas ficaram lá para ajudar os funcionários e eu fui me encontrar com um grupo de trabalhadoras do sexo para conversar sobre prevenção ao HIV.

Pelo menos eu *achava* que era sobre isso que iríamos conversar. No entanto, as mulheres com quem me encontrei queriam falar comigo sobre estigma, sobre como a vida delas era difícil. E queriam falar sobre os filhos. Tive uma conversa com uma mulher chamada Gita, que me contou que seu filho, na época no nono ano, estava se encaminhando para a faculdade. E fechou os punhos para enfatizar a informação de que sua filha estava indo bem na escola e não se tornaria trabalhadora do sexo. Gita e muitas outras mulheres no grupo deixaram claro que estavam no trabalho do sexo para sustentar a família. Não conseguiram encontrar outro modo, mas estavam decididas a impedir que as filhas trilhassem o mesmo caminho.

Para além das nossas conversas, o que mais me impressionou em Gita e nas outras mulheres que conheci foi como elas queriam tocar e ser tocadas. Ninguém na comunidade toca uma trabalhadora do sexo, a não ser para fazer sexo com ela. Não importa de que casta sejam, as trabalhadoras do sexo são intocáveis. Para elas, o toque é aceitação. Assim, quando nos abraçávamos, elas não me soltavam. Vivi isso repetidamente quando me encontrei com trabalhadores do sexo de todos os gêneros. Nós conversávamos, tirávamos uma foto e nos abraçávamos – e eles não me soltavam. Se eu me virasse para cumprimentar outra pessoa, continuavam segurando minha blusa ou com a mão no meu ombro. No início eu achava esquisito, mas depois de um tempo me entreguei. Se querem abraçar por um pouco mais de tempo, eu topo.

Assim, dei muitos abraços e ouvi histórias – narrativas duras de estupro e abusos, e histórias sobre filhos tingidas de esperança. Quando nosso tempo juntas estava se esgotando, as mulheres disseram que queriam uma foto em grupo, por isso nos demos os braços e tiramos uma foto (que sairia no jornal do dia seguinte). Achei esse momento muito emocionante, e eu já estava à beira das lágrimas. Então algumas mulheres começaram a cantar o hino dos direitos civis "We Shall Overcome" em um inglês com sotaque bengali, e eu comecei a chorar. Tentei esconder isso porque não sabia como elas interpretariam minhas lágrimas. Para mim, o contraste entre a determinação delas e a vida difícil que levavam era ao mesmo tempo inspirador e desolador.

Aquelas mulheres eram nossas parceiras. Estavam na linha de frente da defesa contra a aids na Índia, e ainda não entendíamos como a vida delas era brutal. Enfrentavam violência constante por parte dos amantes, dos clientes, que também eram pobres e marginalizados, e da polícia, que as importunava, prendia, roubava e estuprava.

A brutalidade da vida delas foi uma revelação até mesmo para os nossos funcionários na Índia. Houve uma situação em que membros da nossa equipe se reuniram com quatro ou cinco trabalhadoras do sexo para tomar chá e conversar em um restaurante. Mais tarde, naquele mesmo dia, as mulheres foram presas porque tinham se reunido em um lugar público.

Pouco depois disso, um funcionário do Avahan foi de carro até uma estrada litorânea perto da baía de Bengala, onde os caminhoneiros param, para colher informações sobre a vida das trabalhadoras do sexo da região. Ele se reuniu durante algumas horas com um grupo de mulheres – sentados em um tapete, tomando chá, ele perguntando sobre o programa, o que ajudava, do que mais precisavam. Quando a reunião terminou e as pessoas estavam se despedindo, uma das trabalhadoras do sexo começou a chorar. Nosso funcionário achou que tinha dito algo insensível, por isso perguntou a outra mulher:

– Eu fiz alguma coisa errada?

Ela respondeu:

– Não, não é nada.

Quando ele insistiu, a mulher explicou:

– Ela está chorando porque você, um homem respeitável, veio se encontrar com ela e falar com educação, e não pagar para fazer sexo. Ela achou uma honra enorme alguém vir somente para tomar chá com ela.

Outra história veio de uma parceira nossa, uma mulher muito dedicada a melhorar a vida das trabalhadoras do sexo em sua região. Ela contou que uma vez se encontrava ao lado da cama de uma trabalhadora do sexo que estava morrendo de aids e lhe disse:

– Por favor, será que você poderia realizar meu último desejo?

– Farei o que puder – respondeu a mulher.

E a trabalhadora do sexo pediu:

– Posso chamar você de Aai?

Aai em marata significa "mãe". Esse era o único desejo dela, chamar aquela mulher amorosa, ao lado de sua cama, de "mãe". Isso dá a medida de como a vida delas é difícil.

Como o empoderamento começa

Quando projetamos o programa Avahan, não levamos em conta a realidade da vida das trabalhadoras do sexo. Não achávamos que isso fosse necessário. Queríamos que elas insistissem no uso de preservativos com os clientes, recebessem tratamentos para as DSTs e fizessem testes de HIV; achávamos que bastaria falar sobre os benefícios e pedir que fizessem o que recomendávamos. Mas não estava dando certo, e não conseguíamos entender por quê. Não nos ocorreu que poderia haver alguma coisa mais importante para elas do que se prevenir contra o HIV.

– Não precisamos da ajuda de vocês com as camisinhas – diziam elas, quase rindo. – Vamos ensinar *a vocês* sobre camisinhas. Precisamos de ajuda para impedir a violência.

– Mas não é isso que nós fazemos – disseram nossos funcionários.

– Bom, então vocês não têm nada de interessante para nos dizer, porque é disso que precisamos – responderam as trabalhadoras do sexo.

Nossa equipe debateu o que fazer. Algumas pessoas disseram:
– Ou repensamos nossa abordagem ou fechamos.
Outras protestaram:
– Não, seria uma mudança de objetivo da missão. Não temos conhecimento nessa área e não deveríamos nos envolver.

Nossa equipe voltou a se reunir com as trabalhadoras do sexo e ouviu-as com atenção enquanto falavam sobre a própria vida. Elas enfatizaram duas coisas. Uma: conter a violência era sua preocupação primordial e mais urgente; duas: o medo da violência as impedia de usar camisinha.

Os clientes espancariam as mulheres se elas insistissem no uso da camisinha. A polícia bateria nelas se elas estivessem *carregando* camisinhas – porque isso provava que eram trabalhadoras do sexo. Assim, para não apanhar, elas não andariam com camisinhas. Finalmente enxergamos a conexão entre prevenir a violência e prevenir o HIV. As trabalhadoras do sexo não podiam lidar com a ameaça de longo prazo de morrer devido à aids a não ser que pudessem lidar com a ameaça de curto prazo de serem espancadas, roubadas e estupradas.

Assim, em vez de afirmar: "Isso está fora do nosso alcance", dissemos: "Queremos proteger vocês da violência. Como podemos fazer isso?"

Elas disseram: "Hoje ou amanhã uma de nós vai ser estuprada ou espancada pela polícia. Isso acontece o tempo todo. Se conseguirmos mobilizar uma dúzia de mulheres que cheguem correndo sempre que isso acontecer, a polícia vai parar." Assim, nossa equipe e as trabalhadoras do sexo criaram um sistema. Se uma mulher for atacada pela polícia, ela digita um código de três números que se conecta com um telefone central, e doze a quinze mulheres acorrem à delegacia gritando. E chegam acompanhadas de um advogado que trabalha de graça e de uma pessoa da mídia. Quando uma dúzia de mulheres aparecerem aos berros de "Queremos que ela saia agora, caso contrário amanhã vai sair uma matéria no jornal!", os policiais vão recuar. Dirão: "Não sabíamos. Sentimos muito."

Esse era o plano, e foi o que as trabalhadoras do sexo fizeram. Estabeleceram um serviço de ligações rápidas, e quando ele era disparado, um grupo de mulheres chegava correndo. Funcionou maravilhosamente. Uma trabalhadora do sexo informou que tinha sido espancada e estuprada em uma delegacia de polícia um ano antes. Depois do novo sistema, ela voltou à mesma delegacia e o policial lhe ofereceu uma cadeira e uma xícara de chá. Assim que a notícia desse programa se espalhou, trabalhadoras do sexo da cidade vizinha vieram e pediram: "Queremos entrar naquele programa de prevenção da violência, e não no negócio do HIV." E logo o programa se disseminou por toda a Índia.

Por que essa abordagem foi tão eficaz? Ashok Alexander, que na época era chefe do nosso escritório na Índia, explica de modo direto:

– Todo valentão tem medo de um grupo de mulheres.

Achávamos que estávamos fazendo um programa de prevenção ao HIV, mas havíamos tropeçado em um fator muito mais eficaz e universal: a força de mulheres se unindo, encontrando a própria voz e defendendo seus direitos. Tínhamos começado a financiar o empoderamento feminino.

O empoderamento começa com a união – e não importa quão humilde seja o local de encontro. As reuniões de empoderamento do Avahan aconteciam em centros comunitários – quase sempre estruturas pequenas, de apenas um cômodo, construídas com blocos de concreto, onde as mulheres podiam conversar. Lembre-se: essas mulheres não tinham onde se reunir. Caso se encontrassem em público, a polícia as arrebanhava e colocava na cadeia. Assim, quando nossa equipe reestruturou o programa ao redor da prevenção da violência, começou a alugar espaços e a encorajar as mulheres a se reunir e a falar. Os centros comunitários se tornaram o lugar onde elas podiam obter serviços. Podiam pegar preservativos. Podiam se encontrar umas com as outras. Podiam tirar um cochilo. Não tinham permissão de passar a noite, mas durante o dia muitas se deitavam no chão e dormiam enquanto os filhos corriam em volta. Em alguns lugares a equipe montou um salão de beleza ou um espaço para jogos de tabuleiro. Os centros se transformaram em locais onde as coisas aconteciam. E a ideia veio das próprias mulheres.

A inauguração do primeiro centro comunitário foi "a coisa mais linda que já vi", segundo um dos primeiros funcionários do Avahan. Cinco mulheres entraram, com medo de ser drogadas e de que lhes arrancassem os rins. Esse era o boato. Em vez disso, foram bem recebidas e orientadas: "Conversem umas com as outras. Tomem três xícaras de chai e depois podem ir embora."

Foi assim que começou o empoderamento no Avahan: pessoas nas margens mais extremas da sociedade, excluídas por todo mundo, reunindo-se para conversar, tomar chai e elevarem umas às outras.

Bill e eu sabíamos sobre a mudança de foco do programa para a prevenção da violência, mas estávamos no escuro em relação aos centros comunitários, e isso ainda me faz rir. Ashok vinha se reunir conosco em Seattle e apresentava relatórios, mas só ficamos sabendo de toda a história quando Bill e eu fomos juntos à Índia em 2005. Ashok nos punha a par de tudo, explicando o que íamos ver, e começou a falar sobre uns centros comunitários, espaços minúsculos onde as trabalhadoras do sexo podiam se reunir e conversar. Eu me lembro de ter dito a Bill depois do relato:

– Você sabia que estávamos financiando centros comunitários?

– Não, *você* sabia que estávamos financiando centros comunitários?

Tínhamos dado o dinheiro a Ashok e ele, negociante inteligente, estabeleceu uma estratégia e partiu para realizá-la. Fez tudo o que disse que ia fazer, além de algumas coisas que jamais mencionou. E ainda bem, porque a verdade honesta e embaraçosa é que, se ele tivesse apresentado a ideia dos centros comunitários para nós na fundação, acho que teríamos dito não. Veríamos isso como algo muito desconectado da nossa missão, que era trabalhar em inovações e contar com outras pessoas para que saíssem do papel. Ajudar a distribuir preservativos já estava bem distante da nossa autoimagem de inovadores que deixavam a cargo de outros a distribuição, mas trabalhar na prevenção da violência por meio do empoderamento a partir de centros comunitários... *isso* seria radical demais para nós, pelo menos até compreendermos o valor deles durante aquela viagem à Índia.

Naquela visita, Bill e eu nos encontramos com um grupo de trabalhadoras do sexo. Há uma foto desse evento pendurada em um local importante no escritório da fundação: Bill e eu sentados de pernas cruzadas no chão, ocupando nosso lugar no círculo. No início da reunião eu pedi a uma das mulheres:

– Por favor, conte sua história.

Ela falou sobre sua vida. Depois outra mulher contou como se envolveu com o trabalho do sexo. Em seguida uma terceira narrou uma história que deixou a sala em silêncio, rompido apenas pelos sons de soluços. Ela contou que era mãe e tinha uma filha; o pai não era presente e ela havia entrado no trabalho do sexo porque não tinha outras opções de renda. Vinha fazendo todos os sacrifícios para dar uma vida melhor à filha, que tinha um monte de amigos e estava indo bem na escola. Mas a mãe vivia preocupada com a possibilidade de que, à medida que a filha crescesse, acabasse por descobrir como ganhava dinheiro. Um dia, exatamente como temia, um colega de turma anunciou a todos na escola que a mãe da menina era uma trabalhadora do sexo, e os amigos começaram a zombar dela de modo ferino e constante, das maneiras mais cruéis. Alguns dias depois a mãe chegou em casa e encontrou a filha morta, pendurada em uma corda.

Olhei para Bill. Ele estava em lágrimas. Eu também, assim como todo mundo na sala – especialmente as mulheres cujas feridas tinham sido abertas por aquela história. Aquelas mulheres sofriam, mas também emanavam empatia, e isso aliviava seu isolamento. Ao se unirem e compartilharem as histórias, ganhavam um sentimento de pertencimento, e o sentimento de pertencimento desencadeava um sentimento de valor, o qual, por sua vez, lhes dava coragem para se juntarem e exigirem seus direitos. Não estavam mais do lado de fora: estavam dentro; tinham uma família e um lar. E aos poucos começaram a afastar a ilusão que a sociedade impõe aos que não têm poder: de que, como seus direitos são negados, eles não têm direitos; de que, como ninguém os ouve, eles não estão falando a verdade.

Brené Brown diz que a definição original de coragem é se deixar ver. E acho que um dos modos mais puros de nos deixarmos ver é reivindicar o que queremos – *especialmente* quando ninguém quer que tenhamos acesso a isso. Eu apenas me calo diante desse tipo de coragem. Essas mulheres descobriram a coragem com a ajuda umas das outras.

O impacto do Avahan foi muito além das conquistas daquele primeiro grupo de mulheres. Não era somente a história de como a inclusão e a comunidade empoderavam um grupo de excluídas. Era sobre o que aquelas excluídas faziam pelo seu país. Vou dar dois exemplos.

Primeiro, há muitos anos, mais ou menos na época em que Bill e eu fizemos essa viagem à Índia, estávamos investigando diferentes abordagens para lutar contra a aids e ficamos superempolgados com uma nova possibilidade: a de que os medicamentos eficazes no tratamento da aids podiam também funcionar para *prevenir* a doença. Ajudamos a financiar experiências com medicamentos para testar essa ideia, com resultados espetaculares: as drogas orais de prevenção podem reduzir o risco de contrair o HIV por meio do sexo em mais de 90%. As maiores esperanças da comunidade de pesquisadores da aids se concretizavam. Depois foram esmagadas.

Aquela abordagem exigia que pessoas saudáveis tomassem comprimidos diariamente, e os grupos de risco simplesmente não faziam isso. Persuadir um indivíduo a assumir qualquer comportamento de saúde novo, não importando quão eficaz seja, é de uma dificuldade frustrante. As pessoas precisam estar engajadas, informadas e tremendamente motivadas. Era trágico, mas os ativistas contra a aids, os financiadores, governos e profissionais de saúde *não* conseguiam fazer com que as pessoas tomassem os medicamentos. Apenas dois grupos, em todo o mundo, foram exceção: os homens gays brancos nos Estados Unidos... *e as trabalhadoras do sexo na Índia.*

Um estudo demonstrou que 94% das trabalhadoras do sexo na Índia tomaram os medicamentos fiel e continuamente. Esse nível de comprometimento é inédito na área de saúde global – e o estudo atribuiu isso às redes fortes criadas pelas mulheres no Avahan.

Esse é o primeiro exemplo. Aqui vai o segundo. Em 2011 o jornal de medicina britânico *The Lancet* publicou um artigo mostrando que havia uma relação entre a intensidade do trabalho do Avahan e a baixa prevalência do HIV em vários dos estados mais populosos da Índia. Desde então, está bem documentado que a insistência das trabalhadoras do sexo em usar preservativos com os clientes impediu que a epidemia se alastrasse mais amplamente pela população. Essas mulheres empoderadas se tornaram parceiras indispensáveis em um plano nacional que salvou milhões de vidas.

Em um país onde ninguém as toca, essas mulheres tocaram umas às outras, e naquela pequena sociedade acolhedora começaram a descobrir e resgatar a própria dignidade. Da dignidade veio o desejo de exigir seus direitos, e ao afirmar seus direitos elas conseguiram proteger suas vidas e salvar o país da catástrofe.

Encontrando nossas vozes

Mais de dez anos depois de o Avahan me indicar um caminho para o empoderamento das mulheres, eu estava em Nova York moderando uma discussão sobre movimentos sociais femininos. Uma das minhas convidadas era a incrível Leymah Gbowee, que em 2011 compartilhou o Prêmio Nobel da Paz com Ellen Johnson Sirleaf e Tawakkul Karman. Leymah foi reconhecida, junto com Ellen, por deflagrar o movimento das mulheres pela paz que ajudou a acabar com a guerra civil na Libéria.

Às vezes, quando estou no meio do trabalho – mesmo quando acho que sei o que estou fazendo –, descubro que não tenho uma compreensão profunda das forças em jogo até depois de a ação terminar. Às vezes passam-se anos até que eu olhe para trás e diga: "Ah!! Entendi." Foi o que Leymah me ofereceu naquele dia – não somente uma compreensão de seu movimento pela paz, mas de como os princípios que o nortearam ajudavam a explicar o sucesso do Avahan e de tantas coisas mais.

Leymah nos contou que tinha 17 anos e vivia em seu país quando começou a primeira de duas guerras civis. Entre o fim da primeira guerra e o início da segunda, ela estudou o ativismo pela paz e a cura dos traumas e passou a acreditar que "se fosse para acontecer alguma mudança na sociedade, ela viria pela ação das mães".

Foi convidada para a primeira reunião da Women in Peacebuilding Network (Rede de Mulheres na Construção da Paz), em Gana, com mulheres de quase todas as nações da África Ocidental. Leymah foi nomeada coordenadora das Mulheres Liberianas e, quando a segunda guerra civil irrompeu, ela passou a trabalhar 24 horas por dia pela paz. Uma noite, depois de mais uma vez pegar no sono em seu escritório, ela acordou de um sonho em que lhe diziam: "Junte as mulheres e rezem pela paz."

Ela foi às mesquitas nas sextas-feiras, aos mercados nos sábados e às igrejas nos domingos para recrutar mulheres em favor da paz. Reuniu milhares de muçulmanas e cristãs, comandou manifestações e protestos, desafiou as ordens para se dispersarem e a certa altura foi convidada para defender a paz diante do presidente liberiano Charles Taylor, com milhares de mulheres se manifestando às portas da mansão presidencial. Obteve de

Taylor uma promessa relutante de realizar conversações de paz com os rebeldes em Acra, Gana.

Para manter a pressão, Leymah e milhares de companheiras foram até Acra e se manifestaram diante do hotel onde aconteciam as negociações. Quando chegaram a um impasse, Leymah levou dezenas de mulheres para dentro do hotel, e outras continuaram chegando, até que havia duzentas. Todas se sentaram diante da entrada do salão de reuniões e mandaram uma mensagem ao mediador, dizendo que os homens não teriam permissão de sair até conseguirem um acordo de paz.

O mediador, o ex-presidente da Nigéria Abdusalami Abubakar, apoiou as mulheres e permitiu que elas mantivessem a presença e a pressão do lado de fora do salão. As ativistas receberam o crédito por transformar a atmosfera das conversações de paz de "um circo em algo sério". Passadas algumas semanas, os grupos chegaram a um acordo e a guerra terminou oficialmente.

Dois anos depois, Ellen Johnson Sirleaf elegeu-se presidente da Libéria e se tornou a primeira mulher a ser escolhida como chefe de Estado na África.

Muitos anos mais tarde, quando Leymah e eu nos reunimos em Nova York, perguntei a ela por que seu movimento foi tão eficaz. Ela disse:

– Somos nós, as mulheres daquelas comunidades, que nutrimos a sociedade. Cabia a nós mudá-la.

Em 2003, disse ela, a Libéria "tinha passado por 14 facções em guerra e feito mais de 13 acordos de paz. Dissemos a nós mesmas: 'Os homens só sabem fazer isso. Precisamos trazer algum bom senso ao processo. Em vez de fundar uma facção guerreira feminina, vamos começar um movimento de mulheres pela paz'".

Em seguida contou uma história espantosa sobre o que isso significava.

– Houve uma muçulmana que perdeu a filha na guerra. Ela fazia parte do nosso movimento. Estava alimentando um soldado que tinha vários ferimentos a bala quando ele a reconheceu e disse: "Me ajude a me sentar." Ela o ajudou e ele perguntou: "Onde está sua filha?" A mulher disse: "Ela morreu." O soldado falou: "Eu sei." E ela: "Como você sabia?" Ele disse: "Fui eu que matei."

Leymah continuou:

– Quando ela voltou ao escritório, chorando, nós perguntamos: "Você parou de dar comida a ele?" E ela respondeu: "Não. Não é esse o significado da paz? Além do mais, naquele momento eu soube que podia correr para os braços das minhas irmãs e choraríamos juntas."

Como o movimento das mulheres teve sucesso em restaurar a paz quando as facções belicosas dos homens não conseguiu? A história de Leymah diz tudo. Se as mulheres eram feridas, conseguiam assimilar a dor sem passá-la adiante. Mas quando os homens eram feridos, precisavam fazer com que alguém pagasse. Era isso que alimentava o ciclo da guerra.

Não estou dizendo que só as mulheres têm o poder de fazer a paz e que só os homens provocam as guerras. *De jeito nenhum*. Estou dizendo que, *nesse caso*, as mulheres foram capazes de assimilar a dor sem passá-la adiante e os homens não – *até que as mulheres prevaleceram sobre eles*! Quando elas encontraram sua voz, eles encontraram a capacidade de fazer a paz. Cada grupo encontrou os atributos tradicionais do outro dentro de si mesmo. Os homens puderam fazer algo que as mulheres tinham feito – concordar em não retaliar – e as mulheres puderam fazer algo que os homens tinham feito: afirmar as próprias opiniões sobre como uma sociedade deve ser governada. Foi a união dessas duas qualidades que trouxe a paz.

Muitos movimentos sociais bem-sucedidos devem seu êxito à mesma combinação: ativismo forte e a capacidade de sofrer a dor sem passá-la adiante. Qualquer um que consiga harmonizar essas duas características encontra uma voz com força moral.

A amiga de Leymah que foi chorar com as irmãs e todas as mulheres que já aceitaram sua dor sem passá-la adiante não estavam apenas compartilhando o sofrimento, mas também encontrando a própria voz – porque sua voz estava enterrada sob o sofrimento. Se podemos enfrentar nossa dor, podemos encontrar nossa voz. E fica muito mais fácil enfrentar nossa dor e encontrar nossa voz se nos unirmos.

Quando nós, mulheres, estamos presas em uma situação de abuso e isoladas umas das outras, não podemos ser uma força contra a violência porque não temos voz. No entanto, quando nos reunimos, quando incluímos umas às outras, contamos nossas histórias umas às outras, compartilhamos o sofrimento umas com as outras, *encontramos nossa voz umas com as outras*. Criamos uma nova cultura – não uma cultura que nos é imposta, e sim uma que construímos com nossa própria voz e nossos valores.

Na primeira vez em que suspeitei de uma ligação entre sentir dor e encontrar nossa voz, pensei: *De jeito nenhum. Se é preciso sentir dor para encontrar uma voz, por que pessoas que não conseguem sentir dor sem passá-la adiante têm uma voz tão alta?* Então percebi: há uma grande diferença entre uma voz alta e uma voz forte. A voz alta de um homem que não tem vida interior e é estranho ao próprio sofrimento nunca é uma voz de justiça; é uma voz do interesse próprio, do poder ou da vingança. As vozes masculinas fortes que defendem a liberdade e a dignidade vêm de homens como Gandhi, Luther King e Mandela, que subjugaram a própria dor, desistiram da vingança e pregaram o perdão.

Uma vez perguntaram a Nelson Mandela se depois de ser libertado ele ainda sentia raiva dos seus captores. Ele respondeu que sim, durante um tempo, mas percebeu que, se continuasse com raiva, ainda seria prisioneiro – e queria ser livre.

Quando penso nos homens que abusam de mulheres e meninas, não quero perdoá-los. De certa forma, seria deixar que saíssem impunes. E não quero que eles se livrem da punição. Apoio de maneira absoluta todas as providências possíveis para proteger os inocentes, inclusive capturar os responsáveis e fazer justiça. Mas justiça não significa vingança.

Desmond Tutu – que, como presidente da Comissão da Verdade e Reconciliação, impediu que a África do Sul explodisse em vingança na era pós-apartheid – oferece o seguinte caminho alternativo à vingança: "Quando estou ferido, quando sinto dor, quando estou com raiva pelo que fizeram comigo, sei que o único modo de acabar com esses sentimentos é aceitá-los."

Dorothy Day, a ativista social católica que usava a ação não violenta para servir aos pobres e sem-teto, dizia que o maior desafio é "provocar uma revolução do coração". A lição que aprendi com mulheres nos movimentos sociais em todo o mundo é que, para provocar uma revolução do coração, precisamos deixar nosso coração se partir. Isso significa afundar na dor que está soterrada pela raiva. É assim que entendo a instrução que há nas escrituras: "Não resista ao mal." Acho que significa: "Não resista ao sentimento; aceite-o." Se você não aceita o sofrimento, a dor pode se transformar em ódio. É isso que a vida de Cristo significa para mim. Os sumos sacerdotes queriam derrotá-lo. Fizeram tudo o que podiam para feri-lo e humilhá-lo. E fracassaram. A capacidade que ele tinha de assimilar a dor estava além da capacidade deles de infligi-la, por isso Cristo pôde reagir ao ódio daqueles homens com amor.

Para mim este é o modelo para todos os movimentos sociais não violentos, sejam ou não baseados em religião. A abordagem mais radical à resistência é a aceitação – e a aceitação *não* significa aceitar o mundo como é: significa aceitar nossa *dor* como ela é. Quando nos recusamos a aceitar nossa dor, só estamos tentando nos sentir melhor – e quando nossa motivação oculta é o bem-estar, não há limite para os danos que podemos causar em nome da justiça. Os grandes líderes jamais combinam um apelo à justiça com um grito de vingança. Lideranças que conseguem dominar a própria dor despiram-se do interesse próprio, de modo que sua voz ressoa com poder moral. Não estão mais expressando a verdade *deles*. Estão expressando a verdade.

A capacidade de deixar nosso coração se partir não é apenas algo a admirar nos outros. Todos nós precisamos nos entregar a essa dor; é o preço de estarmos presentes para alguém que sofre. Há mais de uma década eu estava na África do Sul com um médico dos Estados Unidos, um profissional altamente respeitado. Fomos a uma comunidade perto de Joanesburgo visitar um homem que estava morrendo de aids. Nosso anfitrião estava obviamente cansado e sentindo dor, mas nos contava sua história com grande generosidade quando o médico se levantou e saiu. Ele pediu desculpas, mas eu sabia por que ele tinha ido embora, e acho que o homem agonizante também sabia. O médico, que se dedicava principalmente às pesquisas, não suportou a realidade trágica da vida daquele homem. E se você não consegue suportar a dor causada pelo sofrimento do seu próximo, de um modo ou de outro empurrará essa pessoa para as margens.

Toda sociedade diz que seus excluídos são o problema. Mas não é verdade; o problema é a necessidade de criar excluídos. Suplantar essa necessidade é nosso maior desafio *e* nossa maior promessa. Exige coragem e ideias, porque as pessoas que empurramos para as margens da sociedade são aquelas que provocam os sentimentos que tememos.

Isolar os outros para aplacar nossos temores é uma urgência profunda dentro de todos nós. Como podemos transformar isso?

Somos um só

Se existe um ponto comum a toda a humanidade é que todos nós já fomos excluídos em algum momento da vida – mesmo que apenas no parquinho, quando éramos crianças. E nenhum de nós gostou da experiência. Sentimos o gosto apenas o suficiente para saber quão terrível é. Apesar disso, muitos de nós não têm ideia do que é ser completamente excluído.

Por isso fiquei tão sensibilizada por um trecho do livro predileto da minha mãe, *Life of the Beloved*, de Henri Nouwen. Nouwen era um padre católico com mente de gênio e coração de santo. Deu aulas em Notre Dame, Harvard e Yale, mas viveu seus últimos dias em um lar para pessoas com deficiência, onde seu ministério incluía ajudar um homem com limitações severas a cumprir sua rotina matinal.

Em *Life of the Beloved*, Nouwen escreve: "Na minha comunidade, onde há muitos homens e mulheres com deficiências graves, a maior fonte de sofrimento não é a deficiência em si, e sim os sentimentos que a acompanham, a sensação de ser inútil, sem valor, não apreciado e não amado. É muito mais fácil aceitar a incapacidade de falar, andar ou se alimentar do que a incapacidade de ter algum valor especial para outra pessoa. Nós, seres humanos, podemos sofrer privações imensas com grande firmeza, mas quando sentimos que não temos mais nada a oferecer a alguém, perdemos facilmente o apego à vida".

Todos queremos ter algo a oferecer. É assim que fazemos parte de algo maior. É assim que nos sentimos incluídos. Por isso, se quisermos incluir todo mundo, precisamos ajudar todo mundo a desenvolver seus talentos e usar seus dons pelo bem da comunidade. Este é o significado de inclusão: todo mundo contribui. E se as pessoas precisam de ajuda para contribuir, devemos ajudá-las, porque elas são membros integrais de uma comunidade que apoia a todos.

Quando as mulheres se unem

Cada tema neste livro é uma porta pela qual as mulheres precisam passar, ou um muro que precisamos derrubar, para podermos contribuir integralmente:

o direito de decidir se e quando ter filhos, casar ou não casar, buscar oportunidades, cursar uma universidade, controlar a própria renda, administrar o tempo, buscar os próprios objetivos e ascender no local de trabalho – *qualquer* local de trabalho. Pelas mulheres aprisionadas na pobreza e por aquelas, em todos os níveis da sociedade, que são excluídas ou intimidadas por homens poderosos, as mulheres precisam se reunir, conversar, se organizar e liderar – de modo a derrubar os muros e abrir as portas para todo mundo.

Durante toda a vida me envolvi em grupos femininos, mas às vezes só reconheci isso mais tarde. A escola que frequentei no ensino médio, só para meninas, era um grande grupo de mulheres. Na faculdade e na pós-graduação eu procurava as mulheres que eu admirava, especialmente quando éramos poucas. Adulta, alimentei conexões com mulheres em todos os aspectos da vida: profissionais, pessoais e espirituais. Sempre tive muitos amigos homens importantes, e eles foram indispensáveis para a minha felicidade. Mas é para as minhas amigas que eu volto, especialmente em grupos, quando estou enfrentando meus temores e preciso de ajuda. Elas andaram ao meu lado em todos os caminhos de crescimento que trilhei. Acredito que os grupos de mulheres são essenciais para cada uma de nós individualmente, mas também para a sociedade em geral – porque o progresso depende da inclusão, e a inclusão começa com as mulheres.

Não estou dizendo que deveríamos incluir mulheres e meninas *em oposição* aos homens e meninos, e sim que devemos fazê-lo *com eles e em favor deles*. Isso não tem a ver com trazer as mulheres e deixar os outros de fora. Tem a ver com trazer as mulheres como uma estratégia para incluir *todo mundo.*

Nós, mulheres, precisamos sair das margens e ocupar nosso lugar – não acima nem abaixo dos homens, mas ao lado deles – no centro da sociedade, acrescentando nossa voz e tomando as decisões para as quais somos qualificadas e que temos o direito de tomar.

Haverá muita resistência, mas o progresso duradouro não virá de uma luta pelo poder; virá de um apelo moral. À medida que despirmos os preconceitos de gênero de seus disfarces, mais e mais homens e mulheres que não tinham suspeitado de sua presença vão enxergá-los e se posicionarão contra ele. É assim que mudamos as normas que escondem os preconceitos para os quais estamos cegos. Nós os *vemos* de frente e acabamos com eles.

Não é fácil transformar uma cultura baseada na exclusão. É difícil cooperar com pessoas que querem dominar. Mas não temos escolha. Não podemos simplesmente transformar quem está do lado de dentro nos novos excluídos e então chamar isso de mudança. Precisamos incluir todo mundo, até quem quer nos excluir. É o único modo de construir o mundo em que desejamos viver. Outros usaram seu poder para expulsar pessoas. Precisamos usar nosso poder para trazê-las de volta. Não podemos simplesmente acrescentar mais uma facção em guerra. Precisamos acabar com as facções. É o único modo de nos tornarmos um só.

Epílogo

Desde o início do livro venho dizendo que a igualdade pode empoderar as mulheres e que as mulheres empoderadas mudarão o mundo. Mas no final (e estamos no final) devo confessar que, para mim, a igualdade é um marco na estrada; não é o objetivo final.

O objetivo supremo da humanidade não é a igualdade, e sim a conexão. As pessoas podem viver em igualdade e ainda assim estar isoladas – sem atentar para os laços que as unem. A igualdade sem conexão não faz nenhum sentido. Pessoas conectadas se entrelaçam. Você é parte de mim e eu sou parte de você. Não posso estar feliz se você está triste. Não posso vencer se você perde. Se um de nós sofre, nós dois sofremos juntos. Isso turva as fronteiras entre os seres humanos, e o que flui através dessas fronteiras porosas é o amor.

O amor é o que nos torna um só.

Ele acaba com o desejo de empurrar o outro para fora. Esse é o objetivo. O objetivo não é que todo mundo seja igual; é que todo mundo esteja conectado. O objetivo é que todo mundo faça parte. O objetivo é que todo mundo seja amado.

É o amor que nos eleva.

Quando nos unimos, ascendemos. E no mundo que estamos construindo juntos, todo mundo ascende. Ninguém é explorado porque é pobre nem é excluído porque é fraco. Não há estigma, vergonha nem marca de inferioridade porque alguém é doente, porque é velho ou porque não é da etnia "certa". Nem porque é da religião "errada", ou porque é menina ou mulher. Não existe etnia, religião ou gênero errado. Precisamos abandonar nossas fronteiras falsas. Podemos amar sem limites. Nós nos vemos nos outros. Nós nos vemos *como* os outros.

Esse é o momento de ascensão.

Se eu me enxergo como alguém especial ou superior; se tento subir empurrando os outros para baixo; se acredito que as pessoas estão em uma jornada que eu já completei, fazendo um trabalho pessoal que eu já dominei, tentando realizar tarefas que eu já realizei – se tenho qualquer sentimento de que estou acima delas, e não de que estou subindo lado a lado com elas, então me isolei delas. E com isso me apartei do momento de ascensão.

Já contei sobre Anna, a mulher com cuja família Jenn e eu nos hospedamos na Tanzânia. Ela me causou uma impressão emocional tão grande que tenho uma foto dela na parede da minha casa. Todo dia olho para ela. Contei boa parte do que aconteceu entre mim e Anna, favorecendo nossa conexão, mas guardei algo para revelar agora.

Enquanto eu a acompanhava em suas tarefas cotidianas, tentando ajudar ou pelo menos não atrapalhar, Anna e eu falávamos sobre nossa vida, e então ela se abriu, como as mulheres costumam fazer, e me contou sobre uma crise em seu casamento.

Quando Anna e Sanare se casaram, Anna se mudou da região onde crescera para a de Sanare, que era mais seca; por conta disso, plantar e encontrar água era muito mais trabalhoso. A caminhada de Anna até o poço era de 20 quilômetros – só de ida. Ela se adaptou ao trabalho extra, mas depois do nascimento do primeiro filho não suportou mais. Fez as malas, pegou a criança e se sentou na soleira da porta, esperando. Quando Sanare voltou do campo, encontrou Anna pronta para ir embora. Ela disse que voltaria para a casa do pai porque a vida era difícil demais na terra dele. Sanare ficou com o coração partido e perguntou o que poderia fazer para que ela ficasse.

– Vá pegar a água para que eu possa cuidar do nosso filho – respondeu Anna.

Assim Sanare quebrou a tradição massai e passou a caminhar até o poço para buscar água. Mais tarde comprou uma bicicleta para percorrer a distância até o poço. Os outros homens zombavam dele por fazer trabalho de mulher. Diziam que ele estava enfeitiçado pela esposa. Mas Sanare era forte. Não se abalou. Sabia que sua nova tarefa tornaria seu filho mais saudável e sua mulher mais feliz, e para ele isso bastava.

Depois de algum tempo, outros homens decidiram se juntar a Sanare. Como logo se cansaram de percorrer 20 quilômetros de bicicleta para pegar água, reuniram a comunidade e construíram cisternas para coletar água da chuva perto da aldeia. Enquanto eu escutava a história de Anna, meu coração se encheu de amor pela coragem que ela e Sanare demonstraram ao enfrentar as tradições de sua sociedade. Anna assumiu uma postura que poderia destruir seu casamento ou aprofundar os laços, e eu senti uma ligação inexplicável com ela. Estávamos em comunhão, sustentando nosso improvisado grupo de duas mulheres. E me ocorreu, em um momento de constrangimento particular, que a americana rica que estava ali para ajudar também precisava enfrentar alguns problemas de igualdade de gênero, também tinha uma cultura que precisava mudar. Não era eu que estava ajudando Anna; eu estava escutando Anna e Anna estava me inspirando. Éramos duas mulheres de mundos diferentes, encontrando-se nas margens e invocando o momento de voar.

Agradecimentos

Quando comecei a trabalhar neste livro sabia que desejava compartilhar as histórias das mulheres que conheci e o que aprendi com elas. Não fazia ideia de quanto aprenderia e cresceria com o processo de escrevê-lo. Minha dívida e minha gratidão não têm limites.

Charlotte Guyman, Mary Lehman, Emmy Neilson e Killian Noe, vocês definem o que é amizade para mim. Obrigada por me encorajarem a escrever este livro, por ler e comentar os manuscritos e me ensinar o poder do apoio e da amizade das mulheres.

Às mulheres do meu grupo espiritual, obrigada por alimentar minha espiritualidade e me ajudar a aprofundar a fé. Minha dívida com todas vocês é infinita.

Aos meus muitos professores em todo o mundo, especialmente às mulheres (mas também aos homens) que me receberam em seus lares e em suas comunidades, que me contaram seus sonhos e me ensinaram sobre suas vidas: obrigada do fundo do coração. Agradeço acima de tudo a Anna e Sanare, Chrissy e Gawanani, e aos filhos *deles*, que não somente me convidaram e aos *meus* filhos para suas casas como deixaram que ficássemos por várias noites. Nenhuma visita me ensinou mais do que essas.

Há uma grande quantidade de homens e mulheres que tive a sorte de conhecer e me ensinaram verdades que permanecerão por toda a vida: meus professores na Ursuline Academy, especialmente Susan Bauer e Monica Cochran; meus professores em fé e ação, especialmente o frei Richard Rohr e a irmã Sudha Varghese; e meus mentores e modelos de comportamento para criar a mudança no mundo, especialmente Hans Rosling, Bill Foege, Jimmy e Rosalynn Carter, Paul Farmer, Molly Melching, Patte Stonesifer e Tom Tierney. O que eu devo a eles não tem fim.

De jeito nenhum eu conseguiria realizar este trabalho sem o apoio precioso de ajudantes que, no correr dos anos, fizeram mais pela minha família do que posso dizer, ajudando a cuidar dos meus filhos e aliviar minhas preocupações enquanto eu estava na fundação, viajando e longe de casa. Não há como expressar totalmente minha gratidão.

Sue Desmond-Hellmann, Mark Suzman, Josh Lozman, Gary Darmstadt e Larry Cohen foram colegas notáveis em muitos sentidos. Agradeço por tudo que eles fizeram, por ler manuscritos do livro e dar ideias.

Quero agradecer a Leslie Koch por orientar este projeto desde o início; a George Gavrilis e Ellie Schaack pelas pesquisas e pela assistência. E a Julie Tate por verificar os fatos citados nos originais.

Meu insubstituível amigo e colega John Sage me convenceu de que era uma boa ideia escrever este livro, que eu *conseguiria* arranjar tempo e que outras pessoas poderiam querer ouvir as lições que aprendi com as mulheres e os homens que conheci no meu trabalho. Minha gratidão pela visão e pelos conselhos de John é infinita.

Warren Buffet tem sido um amigo generoso em todos os sentidos imagináveis, acreditando intensamente nas mulheres e me oferecendo encorajamento constante quando tomei a decisão de me tornar uma figura pública.

Tenho dívidas com toda a minha equipe na Pivotal Ventures, especialmente Haven Ley, Ray Maas, Catherine St-Laurent, Amy Rainey, Courtney Wade e Windy Wilkins por lerem o livro e me ajudarem a melhorá-lo – e a Clare Krupin, que viajou comigo a muitos lugares e me ajudou a colher as histórias das mulheres que conhecemos.

Paola Quinones, Megan Marx, Michele Boyer, Abby Page, Amy Johnston e

Melissa Castro deram uma ajuda impecável na logística, assim como Carol Stults, Joseph Janowiak, Kelly Gilbert e Sheila Allen.

Toda a equipe da Flatiron demonstrou um entusiasmo e um apoio incríveis durante todo o processo – em particular Bob Miller, Amy Einhorn, Nancy Trypuc, Marlena Bittner, Amelia Possanza, Cristina Gilbert, Keith Hayes, Alan Bradshaw e também Whitney Frick.

Meu editor na Flatiron, Will Schwalbe, foi um ponto alto em toda a experiência. Will me deu não somente orientação, mas também sabedoria – compartilhando o conhecimento de toda uma vida em verdades que me ajudaram a superar momentos difíceis. Suas ideias e suas mexidas no texto tornaram o trabalho uma alegria.

Sou mais do que grata a Tom Rosshirt. Eu não poderia ter escrito este livro sem ele. Tom me desafiou o tempo todo para me concentrar no que eu queria realizar e me ajudou de modos incontáveis. É um brilhante parceiro de escrita e um amigo profundamente intuitivo.

Por fim quero agradecer à minha família, que não somente me encorajou a escrever o livro como também inspirou o amor e os valores que me colocaram neste trabalho, para começo de conversa. A meus pais, que me deram uma infância baseada em valores profundos de fé e amor; à minha irmã, Susan, e aos meus irmãos Raymond e Steven, que compartilham tudo comigo, em especial o amor e os risos; aos meus filhos Jenn, Rory e Phoebe, que me inspiram constantemente a crescer. E ao meu marido e parceiro de toda a vida, Bill. As lições mais importantes da minha vida foram as que aprendi ao seu lado. Sua fé no meu crescimento, sua sede de aprender e seu otimismo pelo mundo e por nosso trabalho juntos estão entre as principais forças que sustentam a minha vida. Minha gratidão por sua parceria em todas as aventuras da vida é inexprimível.

Guia de organizações que os leitores podem apoiar

Esta é uma lista de algumas das organizações sobre as quais você leu neste livro. Se os programas delas o inspiram, você pode visitar os sites e descobrir como usar sua voz para ajudar no trabalho delas.

Bangladesh Rural Advancement Committee
www.brac.net
A missão do BRAC é empoderar pessoas e comunidades em situações de extrema pobreza, analfabetismo, doença e injustiça social.

CARE
www.care.org/our-work
As mulheres são uma parte vital dos esforços comunitários da CARE para melhorar a educação básica, aumentar o acesso aos serviços de saúde com qualidade e expandir as oportunidades econômicas para todos.

Family Planning 2020
www.familyplanning2020.org
A FP2020 está trabalhando com governos, a sociedade civil, organizações multilaterais, doadores, o setor privado e a comunidade de pesquisas e

desenvolvimento para permitir que mais 120 milhões de mulheres e meninas tenha acesso a contraceptivos até 2020.

Girls Not Brides
www.girlsnotbrides.org
A Girls Not Brides (Meninas, Não Noivas) é uma parceria global de mais de 1.000 organizações da sociedade civil, em mais de 95 países, comprometidas para acabar com o casamento infantil e permitir que as meninas realizem seu potencial.

Kakenya's Dream
www.kakenyasdream.org
A Kakenya's Dream (Sonho de Kakenya) estimula a educação das meninas para lhes empoderar e transformar comunidades rurais.

Malala Fund
www.malala.org
O Malala Fund está trabalhando por um mundo em que toda menina possa estudar e liderar.

Movimento #MeToo
www.metoomvmt.org
O movimento *#MeToo* (*eu também*) apoia vítimas de violência sexual e seus aliados.

Population Concil
www.popconcil.org
O Population Concil realiza pesquisas e programas que abordam questões críticas de saúde e desenvolvimento em mais de 50 países.

PRADAN
www.pradan.net
O PRADAN trabalha nas regiões mais pobres da Índia ajudando comunidades vulneráveis a organizar coletivos que auxiliam as pessoas, especialmente as mulheres, a ganhar uma vida decente e sustentar sua família.

Shaksham
www.community.org.in/story
O Community Empowerment Lab (Laboratório de Empoderamento Comunitário) é uma organização de pesquisa e inovação em saúde global baseada em Uttar Pradesh, na Índia. Ele surgiu a partir do projeto Shaksham descrito no Capítulo 2.

Save the Children
www.savethechildren.org
A Save the Children trabalha em todo o mundo com o objetivo de inspirar novas ideias para o tratamento das crianças e para alcançar uma mudança imediata e duradoura na vida delas.

Tostan
www.tostan.org
A Tostan é uma organização africana que trabalha diretamente com comunidades rurais que criam o próprio desenvolvimento.

*Para mais informações sobre a
Fundação Bill & Melinda Gates, visite o site
www.gatesfoundation.org.*

*Para saber mais como todos podemos trabalhar para
elevar as mulheres em todo o mundo, visite
www.momentoflift.com.*

*Toda a renda obtida com a venda deste livro
será doada às organizações citadas neste guia.*

CONHEÇA ALGUNS DESTAQUES DE NOSSO CATÁLOGO

- Augusto Cury: Você é insubstituível (2,8 milhões de livros vendidos), Nunca desista de seus sonhos (2,7 milhões de livros vendidos) e O médico da emoção
- Dale Carnegie: Como fazer amigos e influenciar pessoas (16 milhões de livros vendidos) e Como evitar preocupações e começar a viver
- Brené Brown: A coragem de ser imperfeito – Como aceitar a própria vulnerabilidade e vencer a vergonha (600 mil livros vendidos)
- T. Harv Eker: Os segredos da mente milionária (2 milhões de livros vendidos)
- Gustavo Cerbasi: Casais inteligentes enriquecem juntos (1,2 milhão de livros vendidos) e Como organizar sua vida financeira
- Greg McKeown: Essencialismo – A disciplinada busca por menos (400 mil livros vendidos) e Sem esforço – Torne mais fácil o que é mais importante
- Haemin Sunim: As coisas que você só vê quando desacelera (450 mil livros vendidos) e Amor pelas coisas imperfeitas
- Ana Claudia Quintana Arantes: A morte é um dia que vale a pena viver (400 mil livros vendidos) e Pra vida toda valer a pena viver
- Ichiro Kishimi e Fumitake Koga: A coragem de não agradar – Como se libertar da opinião dos outros (200 mil livros vendidos)
- Simon Sinek: Comece pelo porquê (200 mil livros vendidos) e O jogo infinito
- Robert B. Cialdini: As armas da persuasão (350 mil livros vendidos)
- Eckhart Tolle: O poder do agora (1,2 milhão de livros vendidos)
- Edith Eva Eger: A bailarina de Auschwitz (600 mil livros vendidos)
- Cristina Núñez Pereira e Rafael R. Valcárcel: Emocionário – Um guia lúdico para lidar com as emoções (800 mil livros vendidos)
- Nizan Guanaes e Arthur Guerra: Você aguenta ser feliz? – Como cuidar da saúde mental e física para ter qualidade de vida
- Suhas Kshirsagar: Mude seus horários, mude sua vida – Como usar o relógio biológico para perder peso, reduzir o estresse e ter mais saúde e energia

sextante.com.br